O CEIFADOR

SÉRIE SCYTHE

vol. 1: *O ceifador*
vol. 2: *A nuvem*
vol. 3: *O timbre*

As foices: Contos do universo de Scythe

O CEIFADOR

SCYTHE VOL. 1

NEAL SHUSTERMAN

Tradução
GUILHERME MIRANDA

SEGUINTE

Copyright © 2016 by Neal Shusterman

O selo Seguinte pertence à Editora Schwarcz S.A.

Grafia atualizada segundo o Acordo Ortográfico da Língua Portuguesa de 1990, que entrou em vigor no Brasil em 2009.

TÍTULO ORIGINAL Scythe
CAPA Chlöe Foglia
ILUSTRAÇÃO DA CAPA Kevin Tong
PREPARAÇÃO Elisa Machado
REVISÃO Renato Potenza Rodrigues, Giovanna Serra e Larissa Lino Barbosa

Dados Internacionais de Catalogação na Publicação (CIP)
(Câmara Brasileira do Livro, SP, Brasil)

Shusterman, Neal
  O Ceifador : Scythe vol. 1 / Neal Shusterman ; tradução
Guilherme Miranda. — 1ª ed. — São Paulo : Seguinte, 2017.

  Título original: Scythe.
  ISBN 978-85-5534-035-2

  1. Ficção norte-americana I. Título.

17-02011   CDD-813

Índice para catálogo sistemático:
1. Ficção : Literatura norte-americana 813

14ª reimpressão

Todos os direitos desta edição reservados à
EDITORA SCHWARCZ S.A.
Rua Bandeira Paulista, 702, cj. 32
04532-002 — São Paulo — SP
Telefone: (11) 3707-3500
www.seguinte.com.br
contato@seguinte.com.br

f /editoraseguinte
y @editoraseguinte
▶ Editora Seguinte
◉ editoraseguinteoficial

Para Olga (Ludovika) Nødtvedt,
fã distante e amiga.

Parte I

MANTO E ANEL

Devemos, por lei, manter um registro de todos os inocentes que matamos.

E, a meu ver, todos são inocentes. Mesmo os culpados. Todo mundo é culpado de alguma coisa e todo mundo ainda guarda uma memória da inocência da infância, não importa quantas camadas de vida a cubram. A humanidade é inocente; a humanidade é culpada; ambas as afirmações são inegavelmente verdadeiras.

Devemos, por lei, manter um registro.

Tudo começa no primeiro dia de aprendizagem — mas não chamamos oficialmente de "matar". Não é política nem moralmente correto chamar assim. Esse ato é e sempre foi chamado de "coletar", em referência à atividade de apanhar as sobras que ficaram no campo depois da colheita. Deixar que os pobres coletassem esses restos era a forma mais antiga de caridade. O trabalho do ceifador é igual. Desde que têm idade suficiente para entender, todas as crianças aprendem que os ceifadores prestam um serviço crucial à sociedade. A nossa missão é, no mundo moderno, o que mais se aproxima de uma missão sagrada. Talvez seja por isso que devemos, por lei, manter um registro. Um diário público, explicando àqueles que nunca vão morrer e àqueles que ainda não nasceram o motivo por que nós, seres humanos, fazemos o que fazemos. Somos instruídos a anotar não apenas nossos atos, mas também nossos sentimentos, porque deve-se saber que temos sentimentos. Remorso. Arrependimento. Sofrimentos grandes demais para suportarmos. Porque, se não sentíssemos nada, que espécie de monstros seríamos?

Do diário de coleta da ceifadora Curie

1

Nada encobriu o sol

O ceifador chegou no fim de uma fria tarde de novembro. Citra estava na sala de jantar, enfrentando um problema muito difícil de álgebra, baralhando variáveis, sem conseguir encontrar o X nem o Y, quando aquela variável nova e muito mais fatal entrou na equação de sua vida.

Visitas eram frequentes no apartamento da família Terranova; por isso, quando a campainha tocou, não houve nenhuma suspeita — nada encobriu o sol, não houve nenhum indício da chegada da morte à sua porta. Talvez o universo devesse oferecer esses avisos, mas os ceifadores não eram muito diferentes dos cobradores de impostos no esquema geral das coisas. Eles apareciam, cumpriam sua função desagradável e iam embora.

Sua mãe atendeu à porta. De onde estava, Citra não conseguia ver o visitante. O que ela viu foi a reação da mãe, subitamente paralisada, como se o sangue tivesse se solidificado dentro dela. Se fosse empurrada, parecia que se quebraria em pedaços no chão.

— Posso entrar, sra. Terranova?

Foi o tom do visitante que o denunciou. Retumbante e implacável como a badalada monótona de um sino de ferro, certa de que seu repique chegaria a todos que deveriam ouvir. Antes mesmo de ver, Citra teve certeza de que era um ceifador. *Meu Deus! Um ceifador na nossa casa!*

— Sim, sim, claro. Entre. — A mãe de Citra se afastou para abrir caminho, como se ela fosse a visita, e não o ceifador.

Ele cruzou a entrada sem que suas sandálias macias fizessem barulho no assoalho de madeira. Seu manto de várias camadas era de um delicado linho cor de marfim e, embora pudesse espanar o chão de tão longo, não havia mancha de sujeira em nenhuma parte. Citra sabia que os ceifadores podiam escolher a cor do manto — qualquer cor menos o preto, considerado inadequado para o trabalho deles. Preto era a ausência de luz, e os ceifadores eram o contrário disso. Luminosos e iluminados, eram vistos como a nata da humanidade — e esse era o motivo pelo qual eram escolhidos para o trabalho.

Alguns mantos de ceifadores eram brilhantes, outros mais discretos. Pareciam os mantos suntuosos e ondulantes dos anjos renascentistas, pesados mas ao mesmo tempo leves como o ar. O seu estilo único, fosse qual fosse o tecido ou a cor, os tornava fáceis de identificar e também de evitar — quando se queria evitar. Muitos eram os que se sentiam atraídos por eles.

Não raro, a cor do manto dizia muito sobre a personalidade do ceifador. O tom de marfim daquele ceifador era agradável, distante de um branco puro que agrediria os olhos com seu brilho. Mas nem por isso aquele que o usava deixava de ser quem ou o que era.

Ele tirou o capuz, revelando o cabelo grisalho bem curto. Sua expressão era melancólica, com faces avermelhadas pelo dia frio e olhos castanhos que quase pareciam armas. Citra se levantou. Não por respeito, mas por medo. Choque. Tentou manter o controle da respiração. Tentou não deixar os joelhos se dobrarem. Eles já a traíam, tremendo sob seu peso, então contraiu os músculos para manter as pernas firmes. Qualquer que fosse o objetivo do ceifador ali, ele não a veria desabar.

— Pode fechar a porta — ele disse à mãe de Citra, que obedeceu, embora a garota pudesse ver o quanto aquilo lhe foi difícil. Um ceifador ainda poderia se virar e ir embora, se a porta estivesse aberta. A partir do momento em que era fechada, ele estava realmente dentro da casa.

Ele olhou ao redor, logo avistou Citra e abriu um sorriso.

— Olá, Citra — ele disse. O fato de já saber seu nome a deixou tão paralisada quanto a mãe diante da súbita aparição.

— Não seja mal-educada — a mãe se apressou em dizer. — Cumprimente nosso convidado.

— Bom dia, excelência.

— Oi — disse seu irmão mais novo, Ben, que acabara de sair à porta do quarto, depois de ouvir o tom grave da voz do ceifador. Ele mal conseguiu emitir aquela breve saudação. Lançou um olhar para Citra e a mãe, pensando o mesmo que elas. *Quem ele veio buscar? Será que sou eu? Ou vão me deixar aqui para chorar a perda?*

— Senti um cheiro delicioso no corredor — o ceifador disse, inspirando o aroma. — Agora vejo que estava certo ao entrar neste apartamento.

— É apenas um macarrão de forno, excelência. Nada especial. — Até aquele momento, Citra nunca tinha visto sua mãe tão assustada.

— Que bom — disse o ceifador —, porque não exijo nada especial. — Ele sentou no sofá e esperou pacientemente pelo jantar.

Seria demais achar que aquele homem estava ali apenas para uma refeição e nada mais? Afinal, os ceifadores tinham de comer em algum lugar. Normalmente, os restaurantes não lhes cobravam a comida, mas isso não significava que comida caseira não fosse mais apetitosa. Havia boatos de que os ceifadores exigiam que suas vítimas lhes preparassem uma refeição antes de serem coletadas. Era isso o que estava acontecendo?

Quaisquer que fossem suas intenções, ele as guardou para si, e a família teve de dar o que ele queria. Citra se perguntou se, caso a comida estivesse do seu gosto, ele pouparia uma vida naquela casa. Não era de admirar que as pessoas fizessem de tudo para agradar os ceifadores. A esperança diante do medo é a motivação mais forte do mundo.

A mãe de Citra trouxe uma bebida quando o ceifador pediu, e agora se esforçava para garantir que o jantar daquela noite fosse o melhor que já havia servido. Cozinhar não era o seu forte. Normalmente, voltava do trabalho a tempo apenas de preparar qualquer coisa rápida para todos. Dessa vez, a vida deles poderia depender de suas habilidades culinárias duvidosas. E o pai deles? Será que chegaria em casa a tempo ou haveria uma coleta na família em sua ausência?

Por mais medo que tivesse, Citra não quis deixar o ceifador entregue aos próprios pensamentos, então entrou na sala com ele. Ben, fascinado e assustado, sentou ao lado dela.

O homem finalmente se apresentou como Honorável Ceifador Faraday.

— Eu... hum... fiz um relatório sobre Faraday para a escola uma vez — Ben disse, e sua voz falhou só uma vez. — O senhor escolheu um nome bem da hora.

O ceifador Faraday sorriu.

— Gosto de pensar que escolhi um patrono histórico bem adequado. Como muitos cientistas, Michael Faraday foi subestimado durante a vida, mas nosso mundo não seria o mesmo sem ele.

— Acho que tenho você na minha coleção de figurinhas de ceifadores — Ben continuou. — Tenho quase todos os ceifadores midmericanos. Mas você parece mais novo na foto.

O homem aparentava ter cerca de sessenta anos e, embora seu cabelo fosse grisalho, o cavanhaque tinha poucos fios brancos. Era raro uma pessoa se permitir chegar a uma idade como aquela sem se restaurar para parecer mais jovem. Citra se perguntou quantos anos ele tinha de verdade. Há quanto tempo era encarregado de tirar vidas?

— O senhor tem a idade que aparenta ou está no fim da vida por opção? — Citra perguntou.

— Citra! — Sua mãe quase derrubou a caçarola que havia acabado de tirar do forno. — Mas que pergunta!

— Gosto de perguntas diretas — o ceifador disse. — Demonstram honestidade de caráter, então vou dar uma resposta direta. Admito que já me restaurei quatro vezes. Minha idade natural gira em torno de cento e oitenta anos, esqueci o número exato. Recentemente, passei a preferir essa aparência respeitável porque percebi que aqueles que coleto se sentem mais à vontade com ela. — Então ele riu. — Eles me acham sábio.

— É por isso que está aqui? — Ben perguntou sem pensar. — Para coletar um de nós?

O ceifador Faraday abriu um sorriso indecifrável.

— Estou aqui para jantar.

O pai de Citra chegou quando o jantar já ia ser servido. Pelo visto, sua mãe o informara da situação, pois ele estava mais preparado emocionalmente do que o restante da família. Assim que entrou, foi direto ao ceifador Faraday para cumprimentá-lo, fingindo estar num humor muito mais alegre e acolhedor do que certamente devia estar.

A refeição foi constrangedora — silêncio quase absoluto quebrado por comentários ocasionais do ceifador. "A casa de vocês é adorável!", "Que limonada gostosa!", "Esse deve ser o melhor macarrão de forno de toda a MidMérica!". Embora tudo que dissesse fosse elogioso, sua voz repercutia como um abalo sísmico na espinha de todos.

— Nunca vi o senhor por aqui — o pai de Citra disse finalmente.

— Seria difícil ver — ele respondeu. — Não sou a figura pública que outros ceifadores gostam de ser. Alguns preferem os holofotes, mas, para fazer um trabalho realmente correto, é preciso certo grau de anonimato.

— Correto? — Citra se arrepiou com essa ideia. — Existe uma forma correta de coletar?

— Bom, sem dúvida há formas corretas — ele respondeu. E não disse mais nada sobre o tema. Apenas comeu o macarrão.

Quando a refeição estava perto de acabar, ele disse:

— Falem-me de vocês. — Não se tratava de uma pergunta ou de um pedido. Era mais uma ordem. Citra não soube dizer se aquilo fazia parte de seu joguinho da morte ou se ele realmente estava interessado. Faraday já sabia o nome de todos eles antes de entrar no apartamento, provavelmente devia saber tudo que havia para contar. Então por que perguntou?

— Eu trabalho com pesquisa histórica — seu pai disse.

— Sou engenheira de síntese alimentar — disse sua mãe.

O ceifador ergueu as sobrancelhas.

— E, no entanto, cozinhou isso do zero.

Ela pousou o garfo no prato.

— Tudo a partir de ingredientes sintetizados.

— Sim, mas, se podemos sintetizar tudo — ele começou —, por que ainda precisamos de engenheiros de síntese alimentar?

Quase dava para ver o sangue fugir do rosto de sua mãe. Foi o pai que ergueu a voz para defender o trabalho da mulher.

— Sempre há espaço para aperfeiçoamento.

— Sim, e o trabalho do meu pai também é importante! — disse Ben.

— O quê? Pesquisa histórica? — O ceifador fez um gesto de

pouco-caso com o garfo. — O passado nunca muda e, pelo que vejo, o futuro também não.

Seus pais e seu irmão ficaram perplexos e abalados com os comentários dele, mas Citra entendeu o argumento. O desenvolvimento da civilização já se completara. Todos sabiam disso. No que concernia à raça humana, não havia mais o que aprender. Nada a decifrar sobre a nossa existência. O que significava que nenhuma pessoa era mais importante do que qualquer outra. Na verdade, no esquema geral das coisas, todos eram igualmente inúteis. Era isso o que ele estava insinuando e foi o que enfureceu Citra, porque, de certa forma, ela sabia que ele tinha razão.

Citra era famosa pelo mau humor. Ele muitas vezes era mais rápido que a razão e só ia embora depois que o mal já estava feito. Essa noite não ia ser diferente.

— Por que o senhor está fazendo isso? Se está aqui para coletar um de nós, acabe logo com isso e pare de nos torturar!

Sua mãe perdeu o fôlego e o pai empurrou a cadeira para trás como se fosse levantar e tirá-la da sala à força.

— Citra, o que você está fazendo?! — Agora a voz da mãe estava trêmula. — Mais respeito!

— Não! Ele veio aqui fazer isso, então deixem que faça. Não tem como voltar atrás, já está decidido. Ouvi dizer que os ceifadores sempre tomam a decisão antes de entrar nas casas, não é verdade?

O ceifador não se abalou com a explosão dela.

— Alguns sim, outros não — ele disse tranquilamente. — Cada um de nós tem sua forma de atuar.

Ben estava aos prantos. O pai pôs o braço em volta dele, mas o menino estava inconsolável.

— Sim, os ceifadores devem coletar — Faraday disse. — Mas também temos de comer, dormir e ter conversas normais.

Citra tirou o prato vazio da frente dele.

— Bom, a refeição acabou. Pode ir embora.

Então, o pai se aproximou dele e se pôs de joelhos. Seu pai estava mesmo de joelhos diante daquele homem!

— Por favor, excelência, perdoe minha filha. Assumo total responsabilidade pelo comportamento dela.

O ceifador levantou.

— Não é necessário pedir desculpas. É revigorante ser confrontado. Você não faz ideia de como é cansativo... Todos os favores, as adulações servis, o cortejo sem fim de bajuladores. Um tapa na cara é estimulante. Faz com que eu me lembre que sou humano.

Depois disso, foi à cozinha e pegou a maior e mais afiada faca que encontrou. Balançou-a de um lado para o outro, sentindo seu peso enquanto cortava o ar.

Os gemidos de Ben aumentaram, e seu pai o abraçou mais firme. O ceifador se aproximou da mãe deles. Citra estava prestes a se lançar na frente dela para bloquear a lâmina, mas em vez de mover a faca, o homem ergueu a outra mão.

— Beije meu anel.

Ninguém estava esperando isso, muito menos Citra.

A mãe dela o encarou, balançando a cabeça, sem querer acreditar.

— O senhor está... me garantindo imunidade?

— Pela sua gentileza e pela refeição que me serviu, concedo-lhe um ano de imunidade contra a coleta. Nenhum ceifador pode tocar em você.

Mas ela hesitou.

— É melhor conceder a meus filhos.

Mas o ceifador continuou estendendo o anel para ela. Era um diamante do tamanho da articulação de seu dedo, com o centro escuro. O mesmo anel era usado por todos os ceifadores.

— Estou oferecendo a você, não a eles.

— Mas…

— Jenny, aceite logo! — insistiu o pai.

E ela aceitou. Ajoelhou-se, beijou o anel, e seu DNA foi lido e transmitido para a base de dados de imunidade da Ceifa. Em um instante, o mundo soube que Jenny Terranova estava protegida contra coletas pelos próximos doze meses. O ceifador olhou para o anel, que tinha agora um brilho avermelhado, indicando que a pessoa diante dele estava imune à coleta. Ele sorriu, satisfeito.

E, finalmente, lhes disse a verdade:

— Estou aqui para coletar sua vizinha, Bridget Chadwell — o ceifador Faraday os informou. — Mas ela ainda não tinha chegado em casa. E eu estava com fome.

Ele afagou a cabeça de Ben, como se desse algum tipo de bênção. Isso pareceu acalmá-lo. Depois se dirigiu à porta, ainda com a faca na mão, sem deixar dúvidas sobre como iria coletar a vizinha. Mas antes de sair, virou-se para Citra.

— Você vê por trás das aparências do mundo, Citra Terranova. Daria uma excelente ceifadora.

Citra se encolheu.

— Nunca quis ser uma.

— Esse — ele disse — é o primeiro requisito.

Depois saiu para matar a vizinha deles.

Naquela noite, eles não fizeram nenhum comentário sobre o acontecido. Ninguém falou sobre coletas — como se falar sobre elas pudesse atraí-las. Não se ouviu nada vindo do apartamento ao lado. Nenhum grito, nenhum gemido de súplica — ou talvez a TV da família Terranova estivesse tão alta que não desse para ouvir. Essa foi a primeira coisa que o pai de Citra fez depois que o ceifador saiu: ligou a TV e a deixou no volume máximo para abafar a coleta do outro lado da parede. Mas não foi necessário porque, independente de como o ceifador tivesse cumprido sua tarefa, o fez em silêncio. Citra se pegou tentando ouvir alguma coisa — qualquer coisa. Ela e Ben descobriram em si mesmos uma curiosidade mórbida que os encheu de vergonha.

Uma hora depois, o Honorável Ceifador Faraday voltou. Foi Citra quem abriu a porta. Seu manto cor de marfim não exibia nenhuma mancha de sangue. Talvez ele tivesse um manto reserva. Talvez tivesse usado a máquina de lavar da vizinha depois da coleta. A faca também estava limpa, e ele a estendeu para Citra.

— Não queremos — Citra disse a ele, convicta de que podia falar em nome dos pais nessa questão. — Não vamos mais usar essa faca.

— Mas vocês *precisam* usá-la — ele insistiu — para que possam se lembrar.

— Lembrar do quê?

— Que o ceifador é apenas o instrumento da morte, mas é a mão *de vocês* que me move. São vocês, seus pais e todas as outras pessoas neste mundo que controlam os ceifadores. — Então depositou a faca delicadamente nas mãos dela. — Somos todos cúmplices. Vocês precisam dividir essa responsabilidade.

Poderia até ser verdade, mas, depois que ele saiu, Citra jogou a faca no lixo.

É a coisa mais difícil que se pode pedir a alguém. E saber que é para um bem maior não a torna mais fácil. Antigamente, as pessoas morriam de causas naturais. A velhice era uma doença terminal, não um estado temporário. Havia assassinos invisíveis chamados "doenças" que destruíam o corpo. O avanço da idade não podia ser revertido e existiam acidentes dos quais não havia recuperação. Aviões caíam. Carros colidiam. Havia dor, sofrimento, desespero. É difícil para a maioria de nós imaginar um mundo tão inseguro, com perigos invisíveis e inesperados à espreita em todos os lugares. Agora que tudo isso ficou para trás, só nos resta um dado simples: as pessoas precisam morrer.

Não há outro lugar aonde ir; os desastres nas colônias da Lua e de Marte são prova disso. Temos um mundo muito limitado e, embora a morte tenha sido derrotada tão completamente quanto a poliomielite, as pessoas ainda precisam morrer. Antes, o fim da vida humana ficava nas mãos da natureza. Mas nós a roubamos. Agora temos o monopólio da morte. Somos seu único fornecedor.

Entendo o porquê de existirem ceifadores e como esse trabalho é importante e necessário... mas às vezes me pergunto por que tive que ser escolhida. E, se existe algum mundo eterno após este, que destino aguarda um ceifador de vidas?

Do diário de coleta da ceifadora Curie

2

0,303%

Tyger Salazar havia se jogado do trigésimo nono andar, deixando uma sujeira terrível no piso de mármore no térreo. Seus pais ficaram tão irritados que nem foram visitá-lo. Mas Rowan foi. Rowan Damisch era um excelente amigo.

Ele ficou sentado à beira da cama de Tyger no centro de revivificação, esperando ele acordar da cura acelerada. Rowan não se importava de ficar ali. O centro de revivificação era silencioso. Tranquilo. Era um descanso agradável de toda a agitação de sua casa, que, nos últimos tempos, andava com mais parentes do que um ser humano era capaz de aturar. Primos, primos de segundo grau, irmãos, meios-irmãos… E agora sua avó tinha voltado para casa depois de sua terceira restauração, com um marido novo e um bebê na barriga.

"Você vai ter uma tia nova, Rowan", ela havia anunciado. "Não é maravilhoso?"

A história toda deixou a mãe de Rowan puta da vida — porque, dessa vez, a avó tinha se restaurado para parecer com vinte e cinco, dez anos mais nova que a filha. Agora, a mãe se sentia pressionada a se restaurar também, no mínimo para se igualar à avó. Seu avô era muito mais sensato. Ele estava na EuroEscândia, seduzindo as mocinhas e mantendo a respeitável aparência de trinta e oito anos.

Rowan, aos dezesseis, havia decidido que queria experimentar ter cabelos grisalhos antes de fazer sua primeira restauração — mesmo assim, não queria ficar novo demais porque seria ridículo. Algumas pessoas se restauravam até parecer com vinte e um, que era o máximo que a terapia genética conseguia fazer rejuvenescer. Havia boatos de que estavam tentando descobrir formas de restaurar uma pessoa até a adolescência, o que Rowan achava vergonhoso. Por que alguém em sã consciência poderia querer ser adolescente mais de uma vez?

Quando voltou a olhar para o amigo, os olhos de Tyger estavam abertos e examinavam Rowan.

— E aí? — Rowan cumprimentou.

— Quanto tempo? — Tyger perguntou.

— Quatro dias.

Tyger comemorou.

— Legal! Um novo recorde! — Ele olhou para as próprias mãos, como se fizesse um inventário do estrago. Obviamente, não havia estrago nenhum. As pessoas só acordavam da cura acelerada quando não havia mais nada a curar. — Você acha que demorou tanto porque pulei de um andar muito alto ou por causa do piso de mármore?

— Deve ter sido o mármore — Rowan disse. — Depois de atingir a velocidade terminal, não importa de que altura você pulou.

— Eu rachei o piso? Tiveram que trocar o mármore?

— Sei lá, Tyger. Caramba, já chega.

Tyger voltou a se recostar no travesseiro, imensamente satisfeito consigo mesmo.

— Melhor morte por impacto da história!

Rowan percebeu que podia ter paciência para esperar o amigo acordar, mas não tinha nenhuma para aguentá-lo acordado.

— Por que você faz essas coisas? Quero dizer, é a maior perda de tempo!

Tyger deu de ombros.

— Eu gosto da sensação de cair. Além disso, preciso lembrar meus pais que o alfacinho aqui existe.

Isso fez Rowan dar risada. Tinha sido ele quem inventara o termo "filho alface" para descrevê-los. Ambos eram prensados no meio de famílias grandes e estavam longe de ser os preferidos dos pais. "Tenho uns irmãos que são a carne, umas irmãs que são o queijo ou os tomates, então devo ser o alface." A ideia pegou, e Rowan abriu um clube chamado Alfaces-Crespas na escola, que já tinha mais de vinte membros — embora Tyger sempre brincasse que violaria as regras e começaria a revolta das alfaces-romanas.

Fazia alguns meses que Tyger tinha começado a se jogar. Rowan tentou uma vez e sentiu uma dor tremenda. Atrasou todas as lições de casa, e seus pais prometeram todo tipo de castigo — que logo esqueceram de aplicar, uma das vantagens de ser o alface. Mesmo assim, a emoção da queda não valia a pena. Tyger, por sua vez, tinha se viciado naquilo.

— Cara, você precisa encontrar um passatempo novo — Rowan disse. — Sei que a primeira revivificação é gratuita, mas as outras devem custar uma fortuna para os seus pais.

— Sim, e é a primeira vez que eles precisam gastar dinheiro comigo.

— Não seria melhor ganhar um carro?

— A revivificação é obrigatória — Tyger disse. — Carros são opcionais. Eles não vão gastar nada se não forem obrigados.

Rowan não podia discordar dessa lógica porque também não tinha um carro e duvidava que os pais fossem lhe dar um algum dia. Eles argumentavam que os carros públicos eram limpos, eficientes e se dirigiam sozinhos. De que adiantava gastar tanto dinheiro em algo de que não precisava? Enquanto isso, eles gastavam com tudo quanto é coisa, menos com ele.

— Somos ricos em fibras — Tyger disse. — Se não causarmos algum rebuliço no intestino, ninguém vai nem saber que estamos lá.

Na manhã seguinte, Rowan ficou cara a cara com um ceifador. Era comum ver ceifadores na sua região. Não dava para evitar cruzar com um de vez em quando, mas eles não costumavam aparecer na escola.

O encontro foi culpa de Rowan. Pontualidade não era seu forte — muito menos agora que tinha que levar os irmãos e meios-irmãos mais novos para a escola antes de entrar correndo num carro público e ir até a sua. Ele tinha acabado de chegar e estava caminhando para o balcão de frequência quando o ceifador apareceu, seu manto impecável cor de marfim tremulando atrás dele.

Uma vez, quando fazia uma trilha com a família, Rowan saiu para andar sozinho e encontrou uma onça-parda. Tinha sentido o mesmo frio na barriga e as pernas bambas que sentia agora. Lutar ou fugir, disse seu instinto de sobrevivência. Mas Rowan não fizera nenhum dos dois. Resistira a esses impulsos e erguera os braços calmamente para parecer maior, como certa vez havia lido em algum lugar. Tinha dado certo, e o animal saíra saltando, poupando-o de uma visita ao centro de revivificação mais próximo.

Agora, com a presença inesperada de um ceifador à sua frente, Rowan teve o estranho impulso de fazer o mesmo, como se erguer os braços pudesse afugentá-lo. A ideia o fez rir alto sem querer. A última coisa que você quer fazer é rir de um ceifador.

— Pode me explicar como chego à secretaria central? — o homem perguntou.

Rowan pensou em dar as instruções e seguir na direção contrária, mas achou que seria covarde demais da sua parte.

— Estou indo para lá — Rowan disse. — Eu levo o senhor. —

Ele ficaria grato pela ajuda, e a gratidão de um ceifador não faria mal nenhum.

Rowan conduziu o homem, passando por outros alunos que, assim como ele, estavam atrasados ou apenas cumprindo alguma tarefa. Todos ficaram espantados e tentaram se camuflar no ambiente, enquanto ele andava seguido pelo ceifador. De alguma forma, atravessar os corredores com um ceifador ficava menos aterrorizante quando os outros carregavam o fardo do medo — e Rowan não podia negar que era um pouco inebriante conduzir um ceifador, já que impunha o maior respeito. Foi só quando eles chegaram à secretaria que a ficha caiu. O ceifador iria coletar um colega de Rowan.

Todos na secretaria se levantaram no momento em que viram o ceifador, que não perdeu tempo.

— Por favor, chamem Kohl Whitlock à secretaria imediatamente.

— Kohl Whitlock? — perguntou a secretária.

O ceifador não repetiu o nome, porque sabia que a secretária tinha entendido, só que não queria acreditar.

— Sim, excelência. Vou chamar agora mesmo.

Rowan conhecia Kohl. Caramba, todo mundo conhecia Kohl Whitlock. Era do penúltimo ano e já tinha subido ao posto de quarterback da escola. Ele os levaria para o campeonato da liga pela primeira vez em séculos.

A voz da secretária tremia intensamente enquanto convocava o garoto pelo intercomunicador. Ao dizer o nome dele, ela engasgou.

O ceifador ficou esperando pacientemente pela chegada de Kohl.

A última coisa que Rowan queria era contrariar um ceifador. Ele devia ter saído discretamente para ir até o balcão de frequência pegar sua readmissão e ir para a aula. Mas, assim como aconteceu no caso da onça-parda, ele simplesmente precisava se manter firme. Aquele momento mudaria sua vida para sempre.

— O senhor está coletando nosso melhor quarterback. Espero que saiba disso.

O humor do ceifador, tão simpático até aquele momento, azedou.

— Isso não é da sua conta.

— O senhor está na minha escola — Rowan disse. — Acho que é da minha conta sim. — Depois disso, o instinto de sobrevivência falou mais alto, e ele se dirigiu ao balcão de frequência, fora do campo de visão do ceifador. Entregou um bilhete falso de atraso, enquanto murmurava "idiota, idiota, idiota". Ele teve sorte de não ter nascido em um tempo em que a morte era natural; senão, nunca chegaria à idade adulta.

Quando estava prestes a sair da secretaria, viu Kohl Whitlock, cabisbaixo, sendo levado pelo ceifador até a diretoria. O diretor saiu de sua sala por vontade própria, olhou para os funcionários em busca de alguma explicação, mas as pessoas apenas balançavam a cabeça com cara de choro.

Ninguém pareceu notar que Rowan ainda estava lá. Quem se importava com o alface enquanto o hambúrguer estava sendo devorado?

Ele passou pelo diretor, que o viu a tempo de lhe tocar o ombro.

— Meu filho, tem certeza que quer entrar na minha sala?

Rowan não queria. Mas entrou mesmo assim, fechando a porta atrás de si.

Havia duas cadeiras em frente à mesa organizada do diretor. O ceifador estava sentado numa, Kohl na outra, curvado e aos prantos. O ceifador lançou um olhar raivoso para Rowan. *A onça-parda*, pensou o garoto. Só que essa realmente tinha o poder de tirar uma vida humana.

— Os pais dele não estão aqui — Rowan disse. — Ele precisa de alguém ao lado dele.

—Você é da família?

— Isso importa?

Então Kohl ergueu a cabeça.

— Por favor, não faça o Ronald ir embora — ele implorou.

— É Rowan.

O semblante de Kohl ficou ainda mais aterrorizado, como se aquele engano tivesse sido decisivo para acabar com sua vida.

— Eu sabia! Sabia mesmo! Juro! — Afinal, apesar de toda a força e arrogância, Kohl Whitlock não passava de um menino assustado. Será que no final todos ficam reduzidos a isso? Rowan pensou que só um ceifador poderia saber.

Em vez de obrigar Rowan a sair, o ceifador disse:

— Puxe uma cadeira então. Fique à vontade.

Enquanto Rowan dava a volta para puxar a cadeira do diretor, ele se perguntou se o ceifador estava sendo irônico, sarcástico ou se nem suspeitava que era impossível ficar à vontade na presença dele.

— O senhor não pode fazer isso comigo — Kohl implorou. — Meus pais vão morrer! Vão simplesmente morrer!

— Não, não vão — o ceifador corrigiu. — Eles vão continuar vivendo.

— Pode pelo menos dar alguns minutos para ele se preparar? — Rowan perguntou.

—Você está me falando como devo fazer meu trabalho?

— Estou pedindo um pouco de misericórdia!

O ceifador voltou a encará-lo, mas dessa vez era diferente. Ele não estava tentando intimidar, estava tentando extrair alguma coisa. Estudando algo dentro de Rowan.

— Cumpro essa função há muitos anos — o ceifador disse.

— Na minha experiência, uma coleta rápida e indolor é a maior misericórdia que posso oferecer.

— Então, pelo menos explique a ele qual é o motivo! Diga por que tem que ser ele!

— É aleatório, Rowan! — Kohl disse. — Todo mundo sabe disso! É aleatório, caramba!

Mas havia algo no olhar do ceifador que dizia o contrário. Então Rowan insistiu.

—Tem mais alguma coisa, não tem?

O ceifador suspirou. Não era obrigado a dizer nada — afinal, ele era um ceifador, estava acima da lei em todos os aspectos. Não devia explicação a ninguém. Mas mesmo assim decidiu explicar.

—Tirando a idade avançada da equação, as estatísticas da Era da Mortalidade indicam que sete por cento das mortes eram causadas por acidentes com automóveis. Delas, trinta e um por cento envolviam o consumo de álcool, das quais catorze por cento eram de adolescentes. — O ceifador empurrou para Rowan uma pequena calculadora da mesa do diretor. — Faça as contas você mesmo.

Rowan digitou os números devagar, sabendo que cada segundo roubado era um segundo de vida a mais para Kohl.

— 0,303% — Rowan disse finalmente.

— O que significa que cerca de três em cada mil almas que coleto se encaixam nesse perfil — disse o ceifador. — Uma em cada trezentas e trinta e três. Seu amigo aqui acabou de ganhar um carro novo e tem um histórico de beber em excesso. Então, dos adolescentes que se encaixam nesse perfil, fiz uma escolha aleatória.

Kohl cobriu o rosto com as mãos; suas lágrimas escorriam abundantemente.

— Sou tão IDIOTA! — Ele pressionou as palmas contra os olhos como se tentasse afundá-los na cabeça.

—Agora me diga — o ceifador falou calmamente a Rowan —, a explicação facilitou a coleta ou só agravou o sofrimento dele?

Rowan se encolheu um pouco na cadeira.

— Chega — anunciou o ceifador. — Está na hora. — Então, tirou de um bolso do manto uma luva feita sob medida. Tinha um dorso de pano e uma palma metálica reluzente. — Kohl, escolhi para você um choque que vai induzir uma parada cardíaca. A morte será rápida, indolor e nem de perto tão brutal quanto o acidente de carro que você teria sofrido na Era da Mortalidade.

De repente, Kohl estendeu o braço, segurou a mão de Rowan e a apertou com força. Rowan deixou. Ele não era da família; não era nem seu amigo até aquele dia, mas... como era mesmo o dita-do? "A morte torna todos iguais." Rowan se perguntou se em um mundo sem morte todos seriam estranhos uns para os outros. Ele apertou a mão de Kohl mais firme — uma promessa silenciosa de que não iria soltar.

—Tem alguma coisa que você quer que eu fale para alguém? — Rowan perguntou.

— Um milhão de coisas — disse Kohl —, mas não consigo pensar em nada agora.

Rowan decidiu que inventaria as últimas palavras de Kohl para contar aos seus entes queridos. E seriam palavras lindas. Re-confortantes. Rowan encontraria um jeito de dar um sentido ao absurdo.

— Sinto muito, mas você vai ter que soltar a mão dele para o procedimento — o ceifador disse.

— Não — Rowan respondeu.

— O choque pode parar seu coração também — o ceifador avisou.

— E daí? — Rowan indagou. — Eles vão me reviver. — Depois acrescentou: — A menos que tenha decidido me coletar também.

Rowan estava ciente de que acabara de desafiar um ceifador a matá-lo. Apesar do risco, estava satisfeito por ter feito isso.

— Muito bem então. — E, sem nem esperar mais um segundo, o ceifador apertou a luva contra o peito de Kohl.

A visão de Rowan ficou branca, para logo em seguida escurecer. Todo o seu corpo se convulsionou. Ele foi lançado para trás, para longe da cadeira, e bateu na parede atrás dele. Podia ter sido indolor para Kohl, mas não para Rowan. Tinha doído. Tinha doído mais do que qualquer coisa — uma dor maior do que uma pessoa conseguia suportar — mas, então, os nanitos microscópicos em seu sangue liberaram seus opiatos anestésicos. A dor foi diminuindo à medida que os opiatos faziam efeito e, quando a visão clareou, ele viu Kohl caído na cadeira e o ceifador estendendo a mão para fechar seus olhos sem vida. A coleta se encerrara. Kohl Whitlock estava morto.

O ceifador se ergueu e ofereceu a mão para ajudar Rowan a se levantar, mas ele não aceitou. Levantou sem ajuda e, embora não sentisse um pingo de gratidão, disse:

— Obrigado por ter me deixado ficar.

O ceifador o contemplou por mais um instante e disse:

— Você defendeu um garoto que mal conhecia. Consolou-o em seu último momento, suportando a dor do choque. Foi testemunha, embora ninguém tivesse pedido isso.

Rowan deu de ombros.

— Fiz o que qualquer um faria.

— Alguém mais se ofereceu? — o ceifador perguntou. — Seu diretor? Os funcionários da secretaria? Algum dos muitos alunos com quem cruzamos no corredor?

— Não… — Rowan admitiu. — Mas que importância isso tem? Ele continua morto. E sabe o que se diz sobre boas intenções.

O ceifador fez que sim e olhou para o próprio anel em seu dedo.

— Imagino que agora vá me pedir imunidade.

Rowan fez que não.

— Não quero nada do senhor.

— Justo. — O ceifador se virou para ir embora, mas hesitou antes de abrir a porta. — Saiba que você não receberá nenhum agradecimento de ninguém, além de mim, pelo que fez aqui hoje — ele disse. — Mas lembre-se de que as boas intenções pavimentam muitas estradas. E nem todas levam ao inferno.

O tapa doeu tanto quanto o choque elétrico — e até mais, porque Rowan não o esperava. Aconteceu logo antes do almoço, quando ele estava em frente ao seu armário, e foi tão forte que o fez cair para trás, esbarrando na fileira de armários, que ressoaram como um tambor de aço.

—Você estava lá e não fez nada para impedir! — Os olhos de Marah Pavlik ardiam de tristeza e indignação. Ela parecia prestes a enfiar as unhas enormes nas narinas dele e extrair seu cérebro. — Simplesmente deixou que ele morresse!

Marah e Kohl namoravam havia mais de um ano. Assim como Kohl, ela era do terceiro ano e muito popular, então evitava qualquer interação com a plebe do segundo ano, incluindo Rowan. Mas eram circunstâncias extraordinárias.

— Não foi bem assim — Rowan conseguiu dizer antes que ela o atacasse novamente. Dessa vez, ele se esquivou. Ela quebrou a unha, mas não pareceu se importar. No mínimo, a coleta de Kohl lhe permitiu enxergar as coisas de um outro ângulo.

— Foi *exatamente* assim! Você entrou lá e assistiu à morte dele!

Outros haviam se reunido, atraídos pelo cheiro de briga. Ele procurou um rosto solidário no grupo — alguém que pudesse ficar ao seu lado —, mas tudo que viu nas expressões dos colegas foi desprezo. Marah estava gritando e estapeando por todos.

Não era isso o que Rowan esperava. Não que esperasse elogios por ter ido ajudar Kohl em seus últimos momentos, mas não esperava uma acusação tão violenta.

— Como assim? Vocês estão malucos? — Rowan gritou com ela e com todos. — Não dá pra impedir um ceifador de coletar!

— Não estou nem aí! — ela berrou. — Você podia ter feito alguma coisa, mas só ficou assistindo!

— Eu fiz alguma coisa! Eu... eu segurei a mão dele.

Ela o empurrou com mais força do que ele pensou que ela seria capaz.

— Mentira! Ele *nunca* seguraria sua mão. Nunca encostaria *um dedo* em você! — E então... — *Eu* deveria ter segurado a mão dele!

Em volta deles, os outros alunos fechavam a cara e sussurravam coisas que claramente queriam que ele ouvisse.

— Eu vi ele e o ceifador andando pela escola como se fossem bons amigos.

— Eles entraram na secretaria juntos hoje de manhã.

— Fiquei sabendo que foi ele quem disse o nome de Kohl pro ceifador.

— Me falaram que ele até ajudou.

Ele se virou bruscamente para o garoto odioso que tinha feito essa última acusação — Ralphy qualquer coisa.

— Quem falou? Não tinha mais ninguém na sala, seu idiota!

Mas não importava. Os boatos não seguiam lógica nenhuma a não ser a própria.

— Vocês não entendem? Eu não ajudei o ceifador; ajudei o *Kohl*! — Rowan insistiu.

— Pois é, ajudou o Kohl a botar o pé na cova! — alguém disse, e todos murmuraram em concordância.

Era inútil, ele tinha sido julgado e condenado e, quanto mais negava, mais ficavam convencidos de sua culpa.

Eles não precisavam do seu ato de coragem; precisavam de alguém a quem culpar. Alguém a quem odiar. Não podiam descontar a raiva no ceifador, mas Rowan Damisch era um candidato perfeito.

— Aposto que ganhou imunidade pela ajuda — um garoto disse, um ex-amigo.

— Não ganhei!

— Que bom — disse Marah, com o maior desprezo. — Então espero que o próximo ceifador venha atrás de você.

Ele sabia que ela não estava falando da boca para fora e que, se o próximo ceifador viesse atrás dele, ela ficaria feliz em saber de sua morte. Era terrível saber que agora havia pessoas no mundo que realmente desejavam sua morte. Uma coisa era passar despercebido, outra completamente oposta era ser o alvo do ódio de toda a escola.

Foi só então que o alerta do ceifador voltou à sua mente: ele não receberia nenhum agradecimento pelo que tinha feito por Kohl. O homem estava certo — e ele odiava o ceifador por isso, assim como seus colegas o odiavam.

2042. É um ano que todo estudante decorou. Foi o ano em que a capacidade computacional se tornou infinita — ou tão perto disso que não podia mais ser medida. Foi o ano em que descobrimos... tudo. A "nuvem" evoluiu para a "Nimbo-Cúmulo", e agora tudo que há para saber reside na memória semi-infinita da Nimbo-Cúmulo, disponível para quem quiser acessar.

Mas, como acontece com tantas outras coisas, assim que passamos a ter o conhecimento infinito, ele perdeu a importância. Deixou de ser imprescindível. Sim, sabemos de tudo, mas sempre me pergunto se alguém se dá ao trabalho de examinar todo esse conhecimento. Existem os acadêmicos, claro, que estudam tudo aquilo que já sabemos — mas para quê? A própria ideia de estudar era para que pudéssemos melhorar nossas vidas e nosso mundo. Mas um mundo perfeito não precisa ser melhorado. Assim como a maioria das coisas que fazemos, a educação do ensino primário à universidade é só uma maneira de passar o tempo.

2042 é o ano em que vencemos a morte e também quando paramos de contar. Claro, ainda numeramos os anos por mais algumas décadas, mas, assim que a imortalidade foi alcançada, a passagem do tempo perdeu a importância.

Não sei exatamente quando passamos a usar o calendário chinês — anos do cão, da cabra, do dragão e assim por diante. E não sei exatamente quando os defensores de animais de todo o mundo começaram a pedir que os anos recebessem os nomes de suas espécies favoritas, acrescentando o ano da lontra, da baleia e do pinguim. E também não sei quando os anos pararam de se repetir e decretou-se que, a partir de então, cada ano receberia o nome de uma espécie diferente. Tudo que sei é que este é o ano da jaguatirica.

Quanto às coisas que não sei, tenho certeza de que tudo está na Nimbo-Cúmulo para quem quiser pesquisar.

Do diário de coleta da ceifadora Curie

3

A força do destino

O convite para Citra chegou no começo de janeiro. O fato de ter vindo pelo correio já era um indício de que se tratava de alguma coisa estranha. Apenas três tipos de comunicação chegavam por correio: encomendas, assuntos oficiais e cartas de pessoas excêntricas — as únicas que ainda escreviam cartas. Essa parecia ser do terceiro tipo.

— Bom, abra — Ben disse, mais empolgado do que Citra ao ver o envelope. Era escrito à mão, o que tornava tudo ainda mais estranho. Claro, a caligrafia ainda era oferecida como matéria eletiva, mas, além dela mesma, Citra conhecia poucas pessoas que fizeram esse curso. Tirou um cartão do mesmo tom creme do envelope, leu para si mesma e em seguida leu em voz alta.

Esperamos ter o prazer de sua companhia na Grande Ópera Pública, no dia nove de janeiro, às dezenove horas.

Não havia assinatura nem remetente. Havia, porém, um único ingresso junto com o bilhete.

— Ópera? — Ben perguntou. — Eca.

Citra concordava plenamente.

— Será que é algum tipo de evento da escola? — sua mãe perguntou.

Citra fez que não.

— Se fosse, estaria escrito também.

A mãe pegou o convite e o envelope da mão de Citra para examinar.

— Bom, seja lá o que for, parece interessante.

— Deve ser o jeito de algum babaca medroso me chamar pra sair sem falar comigo pessoalmente.

—Você vai? — a mãe perguntou.

— Mãe, um garoto que me convida para a ópera deve estar brincando comigo ou deve estar maluco.

— Ou está tentando te impressionar.

Citra saiu da sala resmungando, irritada com a própria curiosidade.

— Não vou! — gritou do seu quarto, mesmo sabendo muito bem que iria.

A Grande Ópera Pública era um dos muitos lugares onde as pessoas importantes iam para serem vistas. Não importava a apresentação; apenas metade das pessoas estava lá pela ópera em si. O restante ia para participar do grande melodrama de escalada social e evolução na carreira. Até mesmo Citra, que não fazia parte de nenhum desses círculos, sabia como funcionava.

Ela usou o vestido que tinha comprado para o baile da escola do ano anterior, quando estava certa de que Hunter Morrison a convidaria. Em vez disso, Hunter convidou Zachary Swain, o que, pelo visto, todo mundo sabia que iria acontecer — menos Citra. Eles ainda estavam juntos, e Citra nunca soubera o que fazer com aquela roupa até então.

Quando a vestiu, ficou mais satisfeita do que achou que ficaria. As adolescentes mudam muito em um ano, mas o vestido, que antes não servia muito bem, agora lhe caía como uma luva.

Ela tinha refletido sobre quem poderia ser seu admirador secreto. Entre os cinco mais prováveis, Citra só gostaria de ter como acompanhante dois deles. Os outros três a garota até toleraria só pela graça da novidade. Afinal, poderia ser divertido passar uma noite se fazendo de difícil.

Seu pai insistiu em levá-la.

— Ligue quando quiser que eu venha buscar.

—Vou voltar de carro público.

— Ligue mesmo assim — ele disse. Pela décima vez, o pai falou que ela estava linda. Citra saiu do carro, e ele liberou a vaga para uma fila de limusines e Bentleys. Ela respirou fundo e subiu os degraus de mármore, sentindo-se tão constrangida e deslocada quanto a Cinderela no baile.

Ao entrar, não foi conduzida na direção da orquestra nem da escadaria central que dava para a sacada. Em vez disso, o lanterninha olhou o ingresso, olhou para ela, depois novamente o ingresso e chamou outro homem para acompanhá-la.

— O que está acontecendo? — ela perguntou. Seu primeiro pensamento foi que aquele era um ingresso falso e que ela estava sendo escoltada para a saída. Talvez tudo não passasse de uma piada, e ela voltou a pensar em sua lista de suspeitos.

Mas então seu guia disse:

— É de praxe um acompanhante particular levá-la até o camarote, senhorita.

Camarotes, Citra se lembrou, eram os lugares mais exclusivos. Normalmente, eles eram reservados a pessoas elitistas demais para se misturar às massas. Pessoas normais não podiam pagá-los e, ainda que pudessem, seu acesso era proibido. Enquanto seguia o lanterninha pelos degraus estreitos que levavam aos camarotes à esquerda, Citra começou a sentir medo. Ela não conhecia ninguém com tanto dinheiro. E se o convite tivesse chegado a ela por engano? E se realmente houvesse alguém muito importante esperando por ela, quais seriam suas intenções?

— É aqui! — disse o lanterninha abrindo a cortina do camarote, no qual havia um garoto da idade dela. Ele tinha cabelo preto e pele levemente sardenta. Levantou-se quando a viu, e Citra notou que a calça do terno dele deixava suas meias mais expostas do que deveriam.

— Oi.

— Olá.

O lanterninha os deixou a sós.

— Deixei o lugar mais perto do palco pra você — ele disse.

— Valeu. — Ela sentou, tentando entender quem era aquele garoto e por que a tinha convidado. Ele não lhe parecia familiar. Será que o conhecia? Ela não queria demonstrar que não o estava reconhecendo.

Então, do nada, ele disse:

— Obrigado.

— Pelo quê?

Ele mostrou um convite que parecia exatamente igual ao seu.

— Não curto muito ópera, mas, sei lá, melhor do que ficar em casa sem fazer nada. Então, tipo… conheço você de algum lugar?

Citra deu risada. Ela não tinha um admirador secreto; pelo visto, ambos tinham um cupido misterioso, o que fez Citra começar outra lista mental — no topo da qual estavam seus pais. Talvez esse garoto fosse filho de algum amigo deles — embora esse tipo de subterfúgio fosse bem antiquado até mesmo para eles.

— Qual é a graça? — o garoto perguntou, e ela mostrou o convite idêntico. Ele não riu. Em vez disso, pareceu um pouco apreensivo, mas não disse por quê.

Ele se apresentou como Rowan, e apertaram as mãos na hora em que as luzes se apagaram, a cortina se ergueu e a música começou, majestosa e alta demais para conseguirem conversar. A ópera era *A força do destino*, de Verdi, mas certamente não fora o destino que unira aqueles dois, e sim alguém com intenções bem calculadas.

A música era intensa e bonita, até se tornar exagerada para os ouvidos de Citra. A história fazia pouco sentido para eles, mesmo que fosse fácil de compreender sem nenhuma noção de italiano. Era, afinal, uma obra da Era da Mortalidade. Guerra, vingança, homicídio eram os temas em torno dos quais girava o drama, e estavam tão longe da realidade moderna que poucos conseguiam se identificar com eles. A catarse só podia acontecer com a temática do amor — porém, considerando que eles eram estranhos presos em um camarote de ópera, só havia constrangimento.

— Então, quem você acha que nos convidou? — Citra perguntou assim que as luzes se acenderam para o intervalo do primeiro ato. Assim como ela, Rowan não fazia ideia, então compartilharam tudo que pudesse ajudá-los a criar uma teoria. Além do fato de ambos terem dezesseis anos, tinham muito pouco em comum. Ela era da cidade, ele do subúrbio. Ela tinha uma família pequena, ele uma grande; e as profissões de seus pais eram completamente diferentes.

— Qual é o seu índice genético? — ele indagou, uma pergunta bastante pessoal, mas talvez tivesse alguma relevância.

— 22-37-12-14-15.

Ele sorriu.

— Trinta e sete por cento de ascendência da África. Que bom para você! É bastante!

— Obrigada.

Ele contou que a dele era 33-13-12-22-20. Citra pensou em lhe perguntar se conhecia os subíndices de seu componente "outros", porque vinte por cento era um número bastante alto, mas, se ele não soubesse, a pergunta o deixaria envergonhado.

— Nós dois temos doze por cento de ascendência panasiática — ele comentou. — Será que tem alguma coisa a ver com isso? — Mas era um tiro no escuro; provavelmente só era coincidência.

— Que bom ver que já estão se conhecendo.

Embora tivessem passado alguns meses desde seu encontro, Citra o reconheceu na hora. O Honorável Ceifador Faraday não era uma figura fácil de esquecer.

—Você? — Rowan disse com tanta rispidez que ficou claro que ele também tinha um histórico com a excelência.

— Eu teria vindo antes, mas tive... outros assuntos a resolver. — Ele não entrou em detalhes, e Citra agradeceu por isso. Mas a presença dele não podia ser coisa boa.

—Você nos convidou para vir aqui para nos coletar.

Não foi uma pergunta, mas uma constatação, porque Citra tinha certeza que era a verdade — ao menos até Rowan discordar:

— Não acho que seja esse o motivo.

O ceifador Faraday não fez nenhum movimento para tirar a vida deles. Em vez disso, sentou em uma cadeira desocupada ao lado dos dois.

— A diretora do teatro me deu esse camarote. As pessoas sempre acham que fazer doações aos ceifadores vai impedir que sejam coletadas. Eu não tinha a intenção de coletá-la, mas agora ela pensa que isso se deve ao presente.

— As pessoas acreditam no que querem acreditar — Rowan disse com tanta segurança que Citra percebeu quão sinceras e verdadeiras eram suas palavras.

Faraday apontou para o palco.

— Hoje testemunhamos o espetáculo da loucura e da tragédia humanas — ele disse. — Amanhã, viveremos esse espetáculo.

A cortina se ergueu, dando início ao segundo ato, antes que ele tivesse a chance de explicar o que queria dizer com isso.

★

Nos últimos dois meses, Rowan vinha sendo o excluído da escola — um excluído da pior espécie. Embora esse tipo de coisa normalmente passasse com o tempo, não foi o que aconteceu no caso da coleta de Kohl Whitlock. Todos os jogos de futebol americano cutucavam a ferida da escola — e, como o time sempre perdia, a derrota só aumentava essa dor. Rowan nunca foi muito popular, mas nem por isso fora alvo de bullying antes. Agora, porém, o encurralavam e espancavam dia após dia. Sofria rejeição e até mesmo seus amigos começaram a evitá-lo. Tyger não agiu diferente.

"Culpa por associação, cara", Tyger tinha dito. "Entendo que você está sofrendo, mas não quero apanhar junto."

— É uma situação lamentável — o diretor disse a Rowan quando ele apareceu na enfermaria durante o almoço, esperando que os ferimentos recém-infligidos cicatrizassem. — Talvez seja bom cogitar mudar de escola.

Então, um dia, Rowan cedeu à pressão. Subiu numa mesa do refeitório e contou a todos as mentiras que eles queriam ouvir.

— Aquele ceifador era meu tio — ele proclamou. — Eu *pedi* para ele coletar Kohl Whitlock.

É claro que eles acreditaram em tudo o que disse. Os alunos começaram a vaiar e jogar comida até Rowan dizer:

— Quero que todos saibam que meu tio vai voltar… e pediu para eu escolher quem será o próximo a ser coletado.

De repente, a comida parou de voar, os olhares de julgamento cessaram e as surras pararam. O que preencheu o vazio foi, bem… um vazio. Ninguém olhava para ele. Nem mesmo seus professores — alguns até começaram a lhe dar dez mesmo quando ele merecia menos que isso. Ele começou a se sentir como um fantasma na própria vida, existindo num ponto cego imposto pelo mundo.

Em casa, tudo continuava igual. Seu padrasto era completamente alheio à sua vida, e sua mãe tinha preocupações demais para dar atenção aos problemas dele. Sabiam o que tinha acontecido na escola e o que estava acontecendo no momento, mas pouco se importaram. Era aquela atitude egoísta dos pais que agem como se tudo o que não podem resolver talvez não seja um problema de verdade.

— Quero mudar de escola — ele disse à mãe, finalmente seguindo o conselho do diretor, e a resposta dela foi tão neutra que chegou a magoar.

— Como achar melhor.

Ele tinha quase certeza que, se dissesse que estava abandonando a sociedade e entrando para uma seita tonal, ela diria: "Como achar melhor".

Então, quando chegou o convite para a ópera, ele nem se preocupou em saber quem o tinha enviado. O que quer que fosse aquilo, era uma salvação — pelo menos por uma noite.

A garota que entrou no camarote era bastante simpática. Bonita, confiante... O tipo de garota que devia ter um namorado, embora não tivesse mencionado nenhum. Então o ceifador apareceu, e o mundo de Rowan voltou a se tornar um lugar sombrio. Aquele homem era o responsável por seu sofrimento. Se pudesse sair impune, Rowan o teria jogado do camarote — mas não se toleravam ataques contra ceifadores. A punição era a coleta de toda a família do agressor. Isso garantiria a segurança dos veneráveis portadores da morte.

Ao fim da ópera, o ceifador Faraday lhes deu um cartão com instruções claras.

—Vocês vão me encontrar nesse endereço amanhã de manhã, precisamente às nove horas.

— O que vamos dizer aos nossos pais sobre hoje à noite? —

Citra perguntou. Pelo visto, a garota tinha pais que se importavam com ela.

— Falem o que quiserem. Não importa, desde que estejam lá amanhã de manhã.

O endereço era o Museu de Arte Mundial, o mais bonito da cidade. Ele só abria às dez, mas assim que o segurança viu o ceifador subindo as escadas da entrada principal, apressou-se em destrancar os portões, deixando os três entrarem sem nem terem que pedir.

— Outra vantagem do cargo — o ceifador Faraday disse aos dois.

Eles atravessaram as galerias dos velhos mestres em um silêncio ocasionalmente interrompido pelo som de seus passos e por comentários do ceifador: "Vejam como El Greco usa o contraste para evocar as paixões da alma!", "Olhem só a fluidez do movimento nesse Raphael, como traz a intensidade para sua narrativa visual!", "Ah! Seurat! O pontilhismo profético um século antes do pixel!".

Rowan foi o primeiro a fazer a pergunta que se impunha.

— O que isso tudo tem a ver com a gente?

O ceifador Faraday suspirou, um tanto irritado, embora devesse estar esperando essa pergunta.

— Estou ensinando coisas que vocês não vão aprender na escola.

— Então, o senhor nos afasta de nossas vidas para ensinamentos aleatórios sobre a arte? — Citra perguntou. — Não é um desperdício do seu valioso tempo?

O ceifador riu, e Rowan se pegou desejando que tivesse sido o causador daquela risada.

— O que vocês aprenderam até agora? — o ceifador Faraday perguntou.

Nenhum dos dois soube responder, então ele fez uma pergunta diferente.

— Como acham que teria sido nossa conversa se eu tivesse levado vocês para as galerias da pós-mortalidade, e não a estas mais antigas?

Rowan arriscou uma resposta.

— Talvez comentássemos que a arte pós-mortal é mais fácil de ler. Mais fácil e... menos perturbada.

— Que tal menos inspirada? — sugeriu o ceifador.

— Essa é uma questão de opinião — Citra disse.

— Talvez. Mas agora que vocês sabem o que estão procurando nessa arte mortal, quero que tentem sentir isso. — E ele os conduziu para a galeria seguinte.

Rowan tinha certeza de que não sentiria nada, mas estava enganado.

A sala seguinte era uma grande galeria com pinturas que cobriam as paredes do chão ao teto. Ele não reconheceu os artistas, mas isso não importava. Havia uma coerência na obra, como se tivesse sido pintada pela mesma alma, se não pela mesma mão. Algumas obras tinham tema religioso, outras eram retratos e as demais simplesmente captavam a luz elusiva da vida diária com uma vibração que não existia na arte pós-mortal. Ânsia e júbilo, angústia e alegria — tudo estava ali, às vezes mesclado no mesmo quadro. De certa forma, era perturbador, mas ao mesmo tempo extraordinário.

— Podemos ficar mais um pouco nesta sala? — Rowan perguntou, e o ceifador sorriu.

— É claro que sim.

Quando terminaram, o museu já estava aberto ao público. Os outros frequentadores procuravam evitá-los. Isso fez Rowan se lembrar de como o tratavam na escola. Citra parecia nem desconfiar do motivo por que o ceifador Faraday os tinha convidado, mas Rowan começava a ter uma ideia.

O ceifador os levou a uma lanchonete, onde a garçonete os acomodou imediatamente e lhes trouxe os cardápios, dando prioridade a eles e ignorando os outros fregueses. Vantagens do cargo. Rowan notou que ninguém entrara depois que eles se sentaram. O restaurante provavelmente estaria vazio quando saíssem.

— Se o senhor pensa que vamos dar informações sobre as pessoas que conhecemos — Citra disse, quando a comida chegou —, não estou interessada.

— Eu mesmo vou atrás das informações — disse o ceifador. — Não preciso de dois adolescentes como informantes.

— Mas precisa de nós, não precisa? — Rowan perguntou.

Ele não respondeu. Em vez disso, discursou sobre a população mundial e a função dos ceifadores do mundo, se não para explicá-la, pelo menos para trazê-la a uma dimensão racional.

— Levando em conta o crescimento populacional e a capacidade da Nimbo-Cúmulo de nos sustentar, concluímos que um certo número de pessoas deve ser coletado a cada ano — ele disse. — Para que isso aconteça, precisamos de mais ceifadores.

Então, ele tirou de um dos muitos bolsos ocultos no manto um anel de ceifador idêntico ao que usava no dedo. A luz do salão incidiu sobre ele, refletindo-se e refratando-se, mas sem atingir o núcleo escuro do anel.

— Três vezes por ano, os ceifadores se reúnem numa grande assembleia chamada conclave. Conversamos sobre os problemas da coleta e discutimos a necessidade de mais ceifadores em nossa região.

Agora Citra parecia encolher na cadeira. Ela finalmente entendeu. Embora Rowan já desconfiasse, ver o anel ao vivo fez com que ele também se retraísse um pouco.

— As pedras dos anéis da Ceifa foram produzidas nos primeiros dias pós-mortalidade pelos primeiros ceifadores — Faraday disse —, quando a sociedade julgou que a morte não natural precisava tomar o lugar da morte natural. Havia muito mais pedras do que o necessário na época, pois os fundadores da Ceifa foram sábios o bastante para prever que seriam necessárias no futuro. Quando se precisa de um novo ceifador, uma dessas pedras é encaixada dentro de uma estrutura de ouro que é entregue ao candidato escolhido. — Ele girou o anel em seus dedos, examinando-o e fazendo a luz refratada correr pelo salão. Então encarou os jovens, primeiro Citra, depois Rowan. — Acabei de voltar do Conclave Invernal, e me deram este anel para eu escolher um aprendiz.

Citra recuou.

— Rowan pode ir. Não estou interessada.

O garoto se virou para ela, desejando ter falado aquilo primeiro.

— O que faz você pensar que *eu* estou interessado?

— Eu escolhi vocês *dois*! — Faraday disse, a voz mais alta. — Vocês dois vão aprender o ofício. Mas, no fim, apenas um vai receber o anel. O outro pode retornar à sua vida de antes.

— Por que vamos competir por algo que nenhum de nós quer? — Citra perguntou.

— Aí está o paradoxo da profissão — Faraday disse. — A função não deve ser concedida aos que a desejam. São aqueles que mais se recusam a matar que devem exercê-la.

Ele guardou o anel e Rowan soltou um suspiro que nem tinha percebido que estava segurando.

— Vocês dois são feitos da mais forte fibra moral — Faraday disse —, e acredito que é a moral que vai impelir vocês a serem meus aprendizes, não porque os forço, mas por decisão própria.

Então ele saiu sem pagar a conta, porque ninguém nunca cobrava de um ceifador.

★

Quanta audácia! Achar que poderia impressioná-los com ares culturais e então convencê-los a entrar em seu esqueminha nojento. Citra nunca, de jeito nenhum, jogaria sua vida fora para tirar a vida dos outros.

Quando os pais chegaram à noite, ela contou a eles o que havia acontecido. O pai a abraçou e ela chorou em seus braços por causa da proposta tão assustadora. Então, sua mãe fez uma pergunta inesperada:

—Você vai aceitar?

O fato de sua mãe ter feito uma pergunta dessas era mais chocante do que ter visto o anel pessoalmente naquela manhã.

— Como assim?

— É uma decisão difícil, eu sei — seu pai falou. — Vamos apoiar você de qualquer forma.

Ela olhou para eles como se nunca os tivesse visto antes. Como poderiam conhecê-la tão pouco a ponto de pensar que ela poderia se tornar aprendiz de ceifadora? Ela sequer sabia o que responder.

—Vocês... querem que eu aceite? — Ela percebeu que estava morrendo de medo da resposta.

— Queremos o que você quiser, meu amor — sua mãe disse. — Mas pense pelo lado bom: ceifadores têm tudo de que precisam. Todos os seus desejos e as suas necessidades seriam atendidos, e você nunca precisaria ter medo de ser coletada.

E então algo passou pela mente de Citra.

— *Vocês* também nunca precisariam ter medo de ser coletados... As famílias dos ceifadores são imunes a coletas enquanto o ceifador estiver vivo.

Seu pai balançou a cabeça.

— Não é *nossa* imunidade que importa.

Citra percebeu que ele estava falando a verdade.

— Não é a de vocês... É a de Ben — a garota disse.

Para isso, eles não tinham resposta. A memória da intrusão inesperada do ceifador Faraday na casa deles ainda era um espectro sombrio que os apavorava. Na época, não sabiam por que ele os visitara. Ele poderia muito bem estar lá para coletar Citra ou Ben. Mas, se Citra se tornasse uma ceifadora, nunca precisariam temer outra visita inesperada.

—Vocês querem que eu passe o resto da vida matando pessoas?

Sua mãe desviou o olhar.

— Por favor, Citra, não é matar, é *coletar*. É importante. É necessário. Claro, ninguém gosta, mas todos concordam que tem de acontecer, e alguém tem de fazer isso. Por que não você?

Citra foi deitar mais cedo naquela noite, antes mesmo do jantar; aquele dia deixara-a sem apetite. Seus pais bateram na porta do seu quarto várias vezes, mas ela os mandou ir embora.

Citra nunca soube ao certo que rumo sua vida ia tomar. Pensava que iria para a faculdade, se formaria em um curso interessante, depois arrumaria um bom emprego, encontraria um cara legal e teria uma vida boa, igual a tantas outras. Não era o que mais desejava para uma existência tão longa, mas era o que se esperava. Não apenas dela, mas de todos. Sem nada o que realmente desejar, a vida girava em torno da manutenção. Uma manutenção eterna.

Será que ela poderia encontrar um propósito maior em coletar a vida humana? A resposta ainda era um resoluto "Não!".

Mas, se era assim, por que era tão difícil pegar no sono?

Para Rowan, a decisão não foi tão difícil assim. Sim, ele odiava a ideia de se tornar um ceifador — era repugnante —, mas o que mais o incomodava era imaginar qualquer conhecido seu cumprindo essa função. Ele não se via como uma pessoa moralmente superior a ninguém, mas tinha um senso mais agudo de empatia. Sentia a dor dos outros, às vezes mais do que a própria. Foi o que o levou à coleta de Kohl. Foi o que o fez ficar ao lado de Tyger depois de todos os machucados.

E Rowan já sabia como era ser um ceifador — viver isolado e afastado do resto do mundo. Já estava vivendo isso, mas será que aguentaria a situação para sempre? Talvez não precisasse. Os ceifadores se reuniam, não? Tinham aqueles conclaves três vezes por ano e deviam se tornar amigos uns dos outros. Era o maior clube de elite do mundo. Não, ele não queria fazer parte desse clube, mas tinha sido convocado. Seria um fardo, mas também uma honra suprema.

Ele não contou para a família no dia, porque não queria que eles influenciassem sua decisão. Imunidade para todos? É claro que iriam querer que ele aceitasse! Ele era amado, mas apenas como membro de um grupo de seres amados. Se seu sacrifício pudesse salvar os demais, ele serviria ao bem maior da família.

No fim, a arte foi o que mais pesou em sua decisão. As telas assombraram seus sonhos naquela noite. Como devia ter sido a vida na Era da Mortalidade? Cheia de paixões, boas e ruins. O medo dando origem à fé. O desespero dando sentido à felicidade. Diziam que os invernos eram mais frios e os verões mais quentes naqueles tempos.

Viver entre as perspectivas de um céu e um inferno eternos e desconhecidos e uma Terra misteriosa e envolvente devia ser o máximo — pois de que outra forma isso poderia ter dado origem a uma arte tão esplêndida? Ninguém mais criava nada de valor — mas se por meio da coleta ele pudesse trazer de volta um mero traço do que havia antigamente, talvez valesse a pena.

Será que ele poderia encontrar dentro de si o necessário para matar outro ser humano? Não apenas um, mas vários, dia após dia, ano após ano, até chegar ao fim de sua própria eternidade? O ceifador Faraday achava que sim.

Na manhã seguinte, antes de sair para a escola, contou para a mãe que um ceifador o tinha convidado para se tornar seu aprendiz e que ele largaria o colégio para aceitar o cargo.

— Como achar melhor — ela disse.

Fiz minha auditoria cultural hoje. Acontece apenas uma vez por ano, mas sempre é estressante. Este ano, quando verificaram o índice cultural de cada um dos que coletei nos últimos doze meses, felizmente constataram que fiquei dentro dos parâmetros:

20% caucasoide

18% áfrico

20% panasiático

19% mesolatino

23% outros

Às vezes é difícil saber. O índice da pessoa é confidencial, então só podemos nos guiar pelas características físicas, que não são mais tão óbvias quanto eram nas gerações passadas. Quando os números dos ceifadores ficam desequilibrados, eles são disciplinados pelo Alto Punhal, que escolhe suas coletas em vez de permitir que eles próprios escolham. É uma vergonha.

O índice existe para impedir que haja discriminação cultural e genética, mas será que não há fatores subjacentes de que não temos como escapar? Por exemplo, quem decidiu que o primeiro número do índice genético das pessoas seria o caucasoide?

Do diário de coleta da ceifadora Curie

4

Uma permissão para matar

Esqueçam tudo o que vocês pensam saber sobre ceifadores. Abandonem suas ideias preconcebidas. Sua educação começa agora.

Citra mal podia acreditar que realmente estava passando por aquilo. Que parte secreta e autodestrutiva dela havia imposto essa vontade acima de tudo? O que a havia dominado para que aceitasse o treinamento? Agora, não tinha como voltar atrás. No dia anterior — o terceiro do novo ano —, o ceifador Faraday foi até seu apartamento e deu imunidade de um ano para seu pai e irmão. Acrescentou alguns meses à de sua mãe, para que o prazo de validade das três coincidisse. Claro, se Citra fosse escolhida para ser uma ceifadora, seu prazo se estenderia para sempre.

Seus pais choravam quando ela saiu. Citra não sabia se eram lágrimas de tristeza, alegria ou alívio. Talvez uma mistura dos três.

"Temos certeza de que você vai fazer coisas grandiosas neste mundo", o pai lhe dissera. Mas ela não entendia o que havia de grandioso em ser portadora da morte.

Não sejam arrogantes a ponto de pensar que têm licença para coletar. A licença é exclusivamente minha. O máximo que têm é, digamos, uma permissão de aprendiz. Porém, vou exigir que pelo menos um de vocês esteja presente em todas as minhas coletas. E, se eu pedir seu auxílio, vocês obedecerão.

Sem cerimônia, Citra saiu da escola e se despediu dos amigos com conversinhas confusas e atrapalhadas.

— Ainda vou estar por perto, só não vou mais para a escola.
— Mas quem ela queria enganar? Aceitar o treinamento a posicionava atrás de uma muralha impenetrável. Era ao mesmo tempo desmoralizante e acolhedor saber que a vida seguiria sem ela. Passou pela sua mente a ideia de que ser uma ceifadora era como ser uma morta-viva. Estaria no mundo, mas à parte dele. Apenas uma testemunha das idas e vindas dos outros.

Estamos acima da lei, mas isso não significa que a desafiamos. Nosso cargo exige um nível de moralidade acima do domínio da lei. Devemos buscar a incorruptibilidade e avaliar nossas motivações todos os dias.

Enquanto não recebesse o anel, Citra usaria um bracelete que a identificava como aprendiz de ceifadora. Rowan também tinha um verde brilhante que ostentava a lâmina curva de uma foice sobre um olho aberto — o símbolo do ofício dos ceifadores. Esse símbolo seria tatuado no braço do aprendiz escolhido. Mas ninguém nunca veria essa tatuagem, pois os ceifadores nunca apareciam em público sem seus mantos.

Citra precisou se convencer de que havia uma saída. Ela poderia ter um mau desempenho. Ou ser uma péssima aprendiz. Poderia se sabotar tão bem que o Honorável Ceifador Faraday seria obrigado a escolher Rowan e a mandá-la de volta para a família ao final do ano. O problema era que Citra era muito ruim em deixar as coisas malfeitas. Para ela, falhar seria muito mais difícil do que ter sucesso.

Não vou tolerar nenhum romance entre vocês dois, então tirem esse pensamento da cabeça.

Citra lançou um olhar para Rowan quando o ceifador disse isso, e Rowan deu de ombros.

— Sem problemas — ele disse, o que irritou Citra. No mínimo, ele poderia ter demonstrado uma leve decepção.

— Sim — Citra disse. — Sem chances disso acontecer, com ou sem essa regra.

Rowan respondeu com um sorriso, o que deixou a garota ainda mais incomodada.

Vocês vão estudar história, os grandes filósofos e ciências. Vão passar a entender a natureza da vida e o sentido da humanidade antes de serem encarregados permanentemente de tirar vidas. Vocês também vão estudar todas as formas da arte de matar até se tornarem especialistas.

Assim como Citra, Rowan descobriu que não estava muito certo de sua decisão de assumir esse cargo, mas não queria demonstrar isso. Muito menos para Citra. E apesar da atitude indiferente que assumia em relação à garota, na verdade se sentia atraído por ela. Mas mesmo antes das regras do ceifador, ele sabia que essa atração não acabaria bem. Afinal, eles eram adversários.

Assim como Citra, Rowan ficara ao lado do ceifador Faraday quando ele estendera o anel para cada membro de sua família, lhes concedendo imunidade temporária. Irmãos, irmãs, meios-irmãos, a avó e seu marido perfeito demais, que Rowan desconfiava ser um android. Um após outro, eles se ajoelharam respeitosamente e beijaram o anel, transmitindo seus DNAs para a base mundial de dados da nuvem particular da Ceifa, que era separada da Nimbo-Cúmulo.

A regra determinava que todos os membros da casa de um aprendiz recebessem imunidade por um ano, e havia dezenove pessoas na casa de Rowan. Sua mãe teve sentimentos contraditórios porque, dessa forma, ninguém se mudaria dali por pelo menos um ano para garantir que a imunidade se tornasse permanente depois que Rowan recebesse o anel de ceifador — *se* ele recebesse.

O único problema ocorreu quando o anel do ceifador vibrou em alarme, recusando imunidade ao novo marido da avó, porque ele era de fato um android.

Vocês devem viver como eu: com modéstia e sobrevivendo à base da boa vontade das pessoas. Não pegarão nada a mais do que precisam e não vão gastar. As pessoas vão tentar comprar sua amizade oferecendo muitos presentes. Só aceitem o crucial para atender às necessidades humanas mais básicas.

Faraday levou Rowan e Citra para sua casa para começarem suas novas vidas. O ceifador morava em um pequeno bangalô numa região decadente da cidade, que Rowan nem sabia que existia. "Pessoas brincando de ser pobres", ele comentara, porque não existia mais pobreza. A economia extrema era uma opção, pois havia aqueles que evitavam a abundância do mundo pós-mortal.

A casa de Faraday era austera. Pouca decoração. Móveis simples. O quarto de Rowan só tinha espaço para uma cama e uma cômoda. Citra tinha uma janela pelo menos, mas ela dava para uma parede de tijolos.

Não vou tolerar passatempos infantis nem contatos inúteis com seus amigos. Ingressar nessa vida significa deixar para trás completamente a vida antiga. Quando, daqui a um ano, eu escolher um de vocês, o outro poderá retornar à vida de antes. Mas, por enquanto, considere aquela vida como coisa do passado.

Depois que se acomodaram, Faraday não deu tempo para que refletissem sobre sua situação. Assim que Rowan desfez as malas, o ceifador avisou que iriam ao mercado.

— Para coletar? — Rowan perguntou, com certa repulsa.

— Não, para pegar comida para vocês dois — Faraday disse. — A menos que prefiram comer minhas sobras.

Citra dirigiu um sorriso sarcástico a Rowan por ele ter feito aquela pergunta — como se ela não tivesse o mesmo medo.

— Gostava muito mais de você antes de te conhecer — ele disse para ela.

— Você ainda não me conhece — ela respondeu, o que era verdade. Depois suspirou e, pela primeira vez desde aquela noite na ópera, não foi arrogante. — Estamos sendo forçados a conviver e a competir por algo que nenhum de nós quer. Sei que não é culpa sua, mas isso não nos deixa exatamente numa posição amigável.

— Eu sei — Rowan admitiu. Afinal, Citra não era a única responsável por toda a tensão entre eles. — Mas isso não quer dizer que a gente não possa se apoiar.

Ela não disse nada. Ele não esperava que dissesse. Apenas quis plantar uma semente. Ao longo dos dois últimos meses, descobrira aos poucos que ninguém mais o apoiava. Talvez ninguém nunca o tivesse apoiado. Os amigos haviam se afastado. Ele era um mero detalhe na própria família. Havia apenas uma pessoa que estava passando pela mesma situação que Rowan. E essa pessoa era Citra. Se não podiam confiar um no outro, o que lhes restava além de uma permissão para matar?

A maior conquista da raça humana não foi vencer a morte. Foi vencer o governo.

Nos tempos em que a rede digital era chamada de "nuvem", as pessoas pensavam que dar muito poder a uma inteligência artificial seria uma má ideia. Narrativas de alerta estavam em todas as mídias. As máquinas eram sempre inimigas. Mas então a nuvem evoluiu para a Nimbo-Cúmulo e ganhou consciência — ou, pelo menos, algo muito próximo de consciência. Ao contrário do que se temia, a Nimbo-Cúmulo não tomou o poder. Em vez disso, as pessoas passaram a perceber que ela era muito mais competente do que os políticos para gerenciar as coisas.

Nos tempos antes da Nimbo-Cúmulo, a arrogância humana, o interesse próprio e as rivalidades incessantes determinavam o Estado de direito. Ineficiente. Imperfeito. Vulnerável a todo tipo de corrupção.

Mas a Nimbo-Cúmulo era incorruptível. Além disso, seus algoritmos eram feitos com a soma total do conhecimento humano. Todo o tempo e o dinheiro gasto em politicagens, as vidas perdidas em guerras, as populações exploradas por déspotas... tudo acabou no momento em que a Nimbo-Cúmulo assumiu o poder. É claro que políticos, ditadores e apologistas das guerras não ficaram nada contentes, mas suas vozes, que antes pareciam tão altas e intimidadoras, de repente perderam a autoridade.

A Nimbo-Cúmulo sabia tudo. Quando e onde construir pontes; como eliminar o desperdício de alimentos e, assim, acabar com a fome; como proteger o meio ambiente da população humana crescente. Ela gerou empregos, vestiu os pobres e criou o Código Mundial. Agora, pela primeira vez na história, a lei não era mais uma sombra da justiça, mas era *a* justiça.

A Nimbo-Cúmulo nos proporcionou um mundo perfeito. A utopia com que nossos ancestrais sonhavam é a nossa realidade.

Houve apenas uma questão sobre a qual a Nimbo-Cúmulo não ganhou autoridade.

A Ceifa.

Quando se decidiu que as pessoas precisavam morrer para conter a onda de crescimento populacional, também se decidiu que isso deveria ser responsabilidade dos humanos. O conserto de pontes e o planejamento urbano poderia ser entregue à Nimbo-Cúmulo, mas tirar uma vida era um ato de consciência e senso moral. Como não se podia comprovar que a Nimbo-Cúmulo tinha nenhum dos dois, nasceu a Ceifa.

Não lamento essa decisão, mas sempre me pergunto se a Nimbo-Cúmulo teria feito um trabalho melhor.

Do diário de coleta da ceifadora Curie

5

"Mas eu só tenho noventa e seis anos..."

Embora uma ida ao mercado devesse ser um acontecimento banal e cotidiano, Citra descobriu que comprar comida ao lado de um ceifador era meio esquisito.

Desde o momento em que os três entraram no mercado, o pavor ao redor deles foi o bastante para arrepiar os braços da garota. Não era nada ostensivo como exclamações ou gritos — as pessoas estavam acostumadas a ver ceifadores cruzando seu caminho —, mas silencioso, onipresente, como se eles tivessem acabado de subir num palco de teatro e atrapalhado a peça.

Citra percebeu que, de modo geral, havia três tipos de pessoas:

1) Os cegos por opção: pessoas que agiam como se o ceifador não estivesse lá. Não o ignoravam apenas — ignoravam ativa e deliberadamente a presença dele. Eles fizeram Citra se lembrar de como crianças muito pequenas brincavam de esconde-esconde, cobrindo os olhos para se esconder, pensando que, se não conseguiam ver as pessoas, elas não teriam como vê-las.

2) Os escapologistas: pessoas que fugiam mas tentavam fingir que não estavam fazendo isso. De repente, lembravam que tinham esquecido de pegar os ovos, ou então começavam a procurar algum filho perdido que nem existia. Um freguês chegou a largar o carrinho, resmungando sobre a carteira que devia ter deixado em

casa, apesar de um volume aparente em seu bolso de trás. Ele saiu correndo e não voltou mais.

3) Os puxa-sacos de ceifador: pessoas que se esforçavam ao máximo para abordar o ceifador e lhe oferecer alguma coisa, na esperança (nem tão) secreta de que ele pudesse lhes conceder imunidade ou, no mínimo, algum dia, coletar a pessoa ao lado em vez delas. "Aqui, excelência, pegue meu melão, é maior. Faço questão." Será que essas pessoas sabiam que aquela bajulação só fazia a vontade do ceifador de coletá-las crescer? Não que Citra quisesse condená-las à morte por essa atitude. Se, porém, na hora da coleta, tivesse que escolher entre um transeunte qualquer e alguém que se valesse de uma fruta para mostrar subserviência, ela coletaria o doador do melão.

Houve uma freguesa que não parecia se encaixar em nenhum dos três perfis. Uma mulher que realmente parecia contente ao vê-lo.

— Bom dia, ceifador Faraday — ela disse ao cruzarem com ela perto do balcão da rotisseria; depois lançou um olhar curioso para Citra e Rowan. — São seus sobrinhos?

— Longe disso — ele disse, num tom que mostrava certo desdém por parentes dos quais Citra não tinha o menor interesse em saber mais. — São meus aprendizes.

Os olhos dela se arregalaram levemente.

— Que coisa! — ela exclamou em um tom que não deixava claro se achava a ideia boa ou ruim. — Eles têm vocação para o trabalho?

— Com certeza não.

Ela assentiu.

— Bom, então acho que tudo bem. É como dizem: "Não empunheis a faca de forma impensada".

O ceifador sorriu.

— Espero um dia poder apresentar esses jovens ao seu strudel. Ela meneou a cabeça em direção aos garotos.

— Bom, nem precisa pedir.

Depois que ela saiu, o ceifador Faraday explicou que era uma amiga de longa data.

— Ela cozinha para mim de vez em quando e trabalha no escritório forense. Na minha profissão, é sempre bom ter um amigo por lá.

—Você concede imunidade a ela? — Citra perguntou. Rowan pensou que o ceifador poderia ficar indignado com a pergunta, mas, em vez disso, respondeu:

— A Ceifa reprova aqueles que têm favoritos, mas percebi que posso conceder imunidade para ela em anos alternados sem levantar muita suspeita.

— E se outro ceifador a coletar num ano em que esteja sem imunidade?

— Então irei ao seu funeral com uma tristeza profunda — ele respondeu.

Enquanto compravam, Citra escolheu alguns petiscos que o ceifador encarou com certa desconfiança.

— São mesmo necessários? — ele perguntou.

— Alguma coisa é realmente necessária? — Citra respondeu.

Rowan achou engraçado ver Citra confrontando o ceifador, mas deu certo. Ele deixou que ela levasse os salgadinhos.

Rowan tentou ser mais prático pegando ovos, farinha, várias fontes de proteína e acompanhamentos.

— Não pegue as tiras de frangoide — Citra disse, observando os produtos que ele tinha pegado. — Confie em mim, minha mãe é engenheira de síntese alimentar. Isso daí não é frango de verdade; é criado em uma placa de Petri.

Rowan mostrou outra embalagem de proteína congelada.

— Que tal?

— Bife marinho? Claro, se você gosta de plâncton prensado em formato de carne.

— Bom, então talvez você devesse pegar comida de verdade em vez de doces e salgadinhos.

—Você é sempre tão chato assim? — ela perguntou.

— Ele não mandou a gente levar uma vida como a dele? Não acho que sorvete de flocos faça bem o estilo de um ceifador.

Ela lançou um olhar de desprezo, mas trocou o sorvete por um de baunilha.

Enquanto continuavam escolhendo o que comprar, Citra notou dois adolescentes suspeitos, que pareciam segui-los pela loja, fingindo fazer compras. Talvez fossem apenas infratores — pessoas que se divertiam transgredindo a lei. Alguns deles chegavam a praticar pequenos crimes, embora a maioria desistisse em algum momento, pois sempre eram pegos pela Nimbo-Cúmulo e repreendidos por agentes da paz. No caso dos infratores mais problemáticos, injetavam-se nanitos de choque em seu sangue, com força apenas para impedir qualquer infração da lei. E, se isso não desse certo, a pessoa ganhava seu agente da paz particular, vinte e quatro horas por dia. Citra tinha um tio vigiado dessa forma. Ele costumava chamar sua agente de "anjo da guarda" e, depois de um tempo, se casara com ela.

Ela puxou a manga da camisa de Rowan, chamando a atenção do garoto para os adolescentes sem alertar o ceifador Faraday.

—Você acha que estão nos seguindo?

— Devem achar que vai ter uma coleta por aqui e querem assistir — arriscou Rowan, o que pareceu plausível. Depois, porém, descobriram que suas motivações eram outras.

Enquanto os três esperavam na fila do caixa, um dos infratores pegou a mão do ceifador Faraday e beijou seu anel antes que ele pudesse reagir. O anel emitiu uma luz vermelha, indicando que ele ganhara imunidade.

— Ha! — exclamou o infrator, estufando o peito ante o próprio triunfo. — Ganhei imunidade por um ano… e você não pode fazer nada! Eu conheço as regras!

O ceifador Faraday não se deixou abalar.

— Sim, que bom para você — ele disse. — Você tem trezentos e sessenta e cinco dias de imunidade. — Depois, encarando seus olhos, acrescentou: — Vejo você daqui a trezentos e sessenta e seis dias.

De repente, a arrogância no rosto do adolescente sumiu, como se todos os músculos de sua face tivessem se afrouxado. Ele gaguejou um pouco, e seu amigo o puxou para longe. Correram para fora do mercado o mais rápido que puderam.

— Boa jogada — disse outro homem na fila. Ele se ofereceu para pagar as compras do ceifador, o que não fazia sentido, uma vez que os ceifadores nunca pagavam suas compras.

— O senhor vai mesmo atrás dele daqui a um ano? — Rowan perguntou.

O ceifador pegou um pacote de balas de hortelã da prateleira.

— Não vou desperdiçar meu tempo. Além disso, já dei minha punição a ele. Vai passar o ano todo com medo de ser coletado. É uma lição para vocês dois: um ceifador não precisa cumprir uma ameaça para que ela faça efeito.

Alguns minutos depois, quando guardavam as sacolas de compras em um carro público, o ceifador olhou para o outro extremo do estacionamento.

— Ali — ele disse. — Estão vendo aquela mulher? Aquela que acabou de derrubar a bolsa?

— Sim — disse Rowan.

O ceifador Faraday tirou o celular do bolso, apontou a câmera para a mulher e, em um instante, todas as informações sobre ela começaram a aparecer na tela. Idade real, noventa e seis anos; idade biológica, trinta e quatro. Mãe de quatro filhos. Técnica de gerenciamento de dados para uma pequena empresa marítima.

— Depois de guardar as compras, ela vai para o trabalho — o ceifador disse. — À tarde, vamos até lá para fazer sua coleta.

Citra soltou um suspiro audível, quase uma exclamação abafada. Rowan se concentrou na própria respiração para não revelar suas emoções como a garota.

— Por quê? — ele perguntou. — Por que ela?

O ceifador lançou um olhar frio para ele.

— Por que não ela?

— O senhor tinha um motivo para coletar Kohl Whitlock.

— Quem é esse? — Citra perguntou.

— Um garoto da minha escola. Foi quando conheci o Honorável Ceifador.

Faraday suspirou.

— Mortes em estacionamentos compunham 1,25% de todos os óbitos acidentais durante os últimos dias da Era da Mortalidade. Ontem à noite decidi que hoje escolheria alguém que estivesse num estacionamento.

— Então durante todo esse tempo em que estávamos fazendo compras, o senhor sabia que seria assim? — Rowan disse.

— Sinto pena de você — Citra disse. — Mesmo quando está comprando comida, a morte está escondida atrás do leite.

— Ela nunca se esconde — o ceifador disse com um cansaço muito difícil de descrever. — Ela nunca dorme. Logo vocês vão aprender isso.

Mas era algo que nenhum dos dois estava ansioso para aprender.

Naquela tarde, como o ceifador tinha anunciado, eles foram à empresa marítima onde a mulher trabalhava e ficaram assistindo — assim como Rowan havia assistido a coleta de Kohl. Mas dessa vez ia um pouco além de uma mera observação.

— Escolhi para você um comprimido letal — o ceifador Faraday disse à mulher emudecida e trêmula. Ele retirou do manto um frasco de vidro com comprimidos pequenos. — Ele só é ativado quando mordido, então você pode escolher o momento. Não precisa engolir, apenas morder. A morte será instantânea e indolor.

Sua cabeça balançava feito a de um boneco articulado.

— Posso... posso ligar pros meus filhos?

O ceifador Faraday balançou a cabeça com tristeza.

— Não, sinto muito. Mas podemos transmitir as mensagens que quiser.

— Que mal faria deixar ela se despedir? — Citra perguntou.

Ele ergueu a mão para que a garota ficasse em silêncio e entregou uma caneta e um papel à mulher.

— Diga tudo o que precisa em uma carta. Prometo que entregaremos.

Eles esperaram na porta da sala. O ceifador Faraday parecia ter uma paciência infinita.

— E se ela abrir a janela e decidir se jogar? — Rowan perguntou.

— Então a vida dela vai terminar dentro do cronograma. Seria uma opção mais desagradável, mas o resultado final seria o mesmo.

A mulher não se dispôs a pular. Em vez disso, chamou os três de volta à sala, entregou respeitosamente o envelope ao ceifador e se sentou diante da mesa.

— Estou pronta.

Então o ceifador Faraday fez algo totalmente inesperado. Virou-se para Rowan e lhe entregou o frasco.

— Por favor, coloque o comprimido na boca da sra. Becker.

— Quem? Eu?!

O ceifador Faraday não respondeu. Apenas estendeu o frasco, esperando que Rowan o pegasse. O garoto sabia que não seria uma coleta oficialmente, mas seria um intermediário... Pensar nisso lhe tirava as forças. Ele engoliu em seco, sentindo um gosto amargo, como se o comprimido estivesse em sua boca, e se recusou a pegar.

O ceifador Faraday deu mais tempo para Rowan, depois se voltou para Citra.

—Você, então.

Citra apenas negou com a cabeça.

O ceifador Faraday sorriu.

— Muito bem — ele disse. — Estava testando vocês. Não teria ficado contente se algum de vocês estivesse disposto a administrar a morte.

Ao ouvir a palavra "morte", a mulher suspirou, trêmula.

O ceifador Faraday abriu o frasco e tirou o comprimido com cuidado. Era triangular e tinha uma cobertura verde-escura. Quem iria adivinhar que a morte poderia vir em frascos tão pequenos?

— Mas... eu só tenho noventa e seis anos — disse a mulher.

— Nós sabemos — o ceifador disse. — Agora, por favor, abra a boca. Lembre-se: não é para engolir; basta morder.

Ela abriu a boca, e o ceifador pôs o comprimido em sua língua. Ela fechou a boca, mas não mordeu imediatamente. Olhou para cada um deles. Primeiro para Rowan, depois para Citra, e finalmente repousou o olhar no ceifador Faraday. Então, uma mordida audível. E ela ficou imóvel. Simples assim. Mas nada simples.

Os olhos de Citra estavam úmidos. Ela mordeu o lábio. Por mais que Rowan tentasse controlar as emoções, sua respiração estava agitada e ele se sentia zonzo.

Então o ceifador Faraday se virou para Citra.

— Verifique o pulso, por favor.

— Eu?

O ceifador era paciente. Não repetiu o pedido. Ele nunca pedia alguma coisa duas vezes. Como ela continuou a hesitar, ele finalmente disse:

— Desta vez não é um teste. Realmente quero que você confirme para mim que ela não tem pulso.

Citra levou a mão ao pescoço da mulher.

— Do outro lado — o ceifador explicou.

Ela pressionou os dedos na artéria carótida, logo abaixo da orelha.

— Sem pulso.

Satisfeito, o ceifador Faraday levantou.

— Então é isso? — Citra perguntou.

— O que você estava esperando? — Rowan disse. — Um coro de anjos?

Citra lhe lançou um olhar indiferente.

— Mas, tipo… é tão… simples.

Rowan sabia o que ela queria dizer. Havia sentido o choque elétrico que tirara a vida de seu colega de escola. Era terrível mas, de certo modo, isso era pior.

— E agora? Vamos deixá-la assim?

— É melhor não ficarmos muito por aqui — o ceifador Faraday disse, digitando alguma coisa no celular. — Notifiquei o legista para vir buscar o corpo da sra. Becker. — Depois, ele pegou a carta que ela havia escrito e a guardou em um dos muitos bolsos de seu manto. — Vocês dois vão entregar a carta para a família no funeral.

— Espere — Citra disse. — Vamos no *funeral* dela?

— Pensei que o senhor havia dito que era melhor não demorarmos por aqui — Rowan falou.

— Demorar aqui e prestar condolências são coisas diferentes. Vou ao funeral de todos os que coleto.

— É uma regra dos ceifadores? — Rowan perguntou, pois nunca tinha ido a um funeral.

— Não, é a minha regra — ele disse. — Se chama "decência".

Então eles foram embora. Rowan e Citra evitaram contato visual com os colegas de trabalho da mulher morta. Ambos perceberam que aquele era seu primeiro rito de iniciação. Foi quando seu treinamento realmente começou.

Parte II

NENHUMA LEI ALÉM DESTAS

Os mandamentos do ceifador

1. Matarás.
2. Matarás sem discriminação, fanatismo ou pensamento premeditado.
3. Concederás um ano de imunidade aos entes queridos daqueles que o receberem e a todos que considerar dignos.
4. Matarás os entes queridos daqueles que resistirem.
5. Servirás a humanidade durante todos os dias de tua vida, e tua família receberá imunidade como recompensa enquanto viveres.
6. Levarás uma vida exemplar em palavras e atos, e registrarás todos os teus dias em um diário.
7. Não matarás nenhum ceifador além de ti.
8. Não reclamarás nenhuma posse material além de teus mantos, teu anel e teu diário.
9. Não terás cônjuge nem filhos.
10. Não seguirás nenhuma lei além destas.

Uma vez por ano, jejuo e medito sobre os mandamentos. Na verdade, medito sobre eles todos os dias, mas, uma vez ao ano, permito que sejam meu único sustento. Há algo de engenhoso em sua simplicidade. Antes da Nimbo-Cúmulo, os governos tinham constituições e leis sem fim — que eram, porém, continuamente discutidos, questionados e manipulados. Guerras aconteciam por causa de diferentes interpretações da mesma doutrina.

Quando eu era muito mais ingênua, pensava que a simplicidade dos mandamentos da Ceifa os tornava imutáveis, mesmo diante de exames minuciosos. Qualquer que fosse o ângulo de que se olhasse, continuavam sendo os mesmos. Depois de muitos anos, percebi com perplexidade e horror como podem ser maleáveis e elásticos. As coisas que nós, ceifadores, tentamos justificar. As coisas que desculpamos.

Nos meus primeiros dias, ainda havia muitos ceifadores vivos que estiveram presentes quando os mandamentos foram criados. Agora não há mais nenhum; todos invocaram o sétimo mandamento. Queria ter perguntado a eles como os mandamentos foram definidos. O que levou a cada um? Como decidiram a formulação? Algum deles foi rejeitado antes que os últimos dez fossem gravados em pedra?

E por que dez?

De todos os mandamentos, o décimo é o que mais me faz pensar. Afinal, se colocar acima de todas as outras leis é uma fórmula certa para o desastre.

Do diário de coleta da ceifadora Curie

6

Elegia de ceifadores

O voo estava no horário certo. Como sempre. Embora não se pudesse controlar completamente o clima, era fácil alterar a rota e os aeroportos. A maioria das linhas aéreas se orgulhava de pontualidade em 99,9% dos serviços.

Era um voo cheio, mas, com os assentos luxuosamente equipados dos aviões modernos, não parecia nem um pouco lotado. Voar era tão confortável quanto sentar na sala de casa, e ainda tinha a vantagem extra de entretenimento ao vivo. Quartetos de cordas e cantores cortavam os céus em uma cabine cheia de passageiros contentes. As viagens aéreas eram muito mais civilizadas do que na Era da Mortalidade, e viraram uma forma agradável de chegar ao seu destino. Naquele dia, porém, os passageiros do voo 922 da BigSky Air estavam a caminho de um destino diferente do que haviam planejado.

O executivo estava sentado confortavelmente na poltrona 15C — um assento de corredor. Ele sempre pedia essa poltrona, não por superstição, mas por hábito. Quando não conseguia a 15C, ficava mal-humorado e com raiva de quem estivesse nela. A empresa comandada por ele estava desenvolvendo tecnologia de hibernação, e um dia iria fazer as viagens mais longas parecerem durar minutos, mas, por enquanto, ele se contentava com a BigSky Air, desde que conseguisse a 15C.

As pessoas estavam entrando, sentando nos assentos. Ele observou os passageiros que avançavam no corredor com pouco interesse, apenas para garantir que, na correria, não bateriam em seu ombro com a bagagem.

—Você está indo ou voltando? — perguntou a mulher sentada ao lado dele, na 15A. Não havia nenhum assento 15B; o conceito de poltrona B, em que era preciso ficar entre dois passageiros, havia sido eliminado junto com outras coisas desagradáveis, como doenças e governos.

— Indo — ele respondeu. — E você?

—Voltando — ela disse, soltando um suspiro forte, mas aliviado.

A cinco minutos da partida, uma agitação na parte da frente da aeronave chamou a atenção do executivo. Um ceifador havia entrado no avião e conversava com uma aeromoça. Quando um ceifador quer viajar, todo lugar está disponível. Um ceifador pode mudar um passageiro de lugar, fazendo com que ele ocupe uma poltrona diferente ou mesmo que pegue outro voo, se não houver nenhum outro assento desocupado. Mais perturbadoras, porém, eram as histórias de ceifadores que coletavam o passageiro da poltrona na qual queriam sentar.

O executivo só podia torcer para que esse ceifador em particular não estivesse de olho na poltrona 15C.

O manto do ceifador era fora do comum: azul royal, cravejado de joias cintilantes que pareciam diamantes. Pomposo demais para alguém com a sua função. O executivo não soube bem o que pensar sobre aquilo. O ceifador aparentava trinta e poucos anos, embora isso não significasse muito. Ninguém mais parecia ter a idade real; ele podia ter entre trinta e poucos e duzentos e trinta e poucos anos. Seu cabelo era escuro e bem cortado. O olhar, invasivo. Enquanto vasculhava a cabine, o executivo tentou não encarar seus olhos.

Então, três outros ceifadores surgiram atrás do primeiro. Eram mais jovens — talvez vinte e poucos anos. Seus mantos, todos em cores brilhantes diferentes, também eram cravejados com pedras. Havia uma mulher morena com um manto verde-maçã cravejado de esmeraldas, um homem com um cor de laranja cravejado de rubis. O manto do terceiro era amarelo, cravejado com citrinas douradas.

Qual era o coletivo de ceifadores? Uma "elegia", não? Estranho haver uma palavra para uma situação tão rara. Pela experiência do executivo, os ceifadores eram sempre solitários, nunca andavam em grupos. A aeromoça cumprimentou a elegia de ceifadores e, no segundo em que passaram por ela, ela se virou, desceu do avião e saiu correndo pela ponte de embarque.

Ela está fugindo, pensou o executivo. Mas reprimiu esse pensamento. Ela não podia estar fugindo. Devia apenas estar correndo para avisar o agente de portão sobre os passageiros extras. Só isso. Ela certamente não estava em pânico — aeromoças eram treinadas para não entrarem em pânico. Mas então a outra aeromoça fechou a porta, e a expressão de seu rosto não era nada tranquilizadora.

Os passageiros começaram a conversar entre si. Ouviram-se murmúrios. Risos nervosos.

Então, o ceifador-chefe falou com os passageiros.

— Atenção, por favor — ele disse, com um sorriso perturbador. — Sinto informar, mas todo esse voo foi selecionado para coleta.

O executivo ouviu, mas seu cérebro disse que não podia ter entendido direito. Ou talvez fosse uma piada do ceifador, se é que eles faziam piadas. *Todo esse voo foi selecionado para coleta*. Não poderia ser verdade. Não poderia ser permitido. Ou poderia?

Pouco depois, os passageiros começaram a compreender o que o ceifador havia dito. Então vieram os gritos, os lamentos, os protestos e, finalmente, os choros descontrolados. A angústia não poderia ter sido maior se tivessem perdido um motor em pleno voo, como acontecia com os aviões na Era Mortal, em que a tecnologia falhava de vez em quando.

O executivo era sagaz e capaz de tomar decisões rápidas em momentos de crise. Ele soube o que precisava fazer. Talvez os outros estivessem pensando o mesmo, mas ele foi o primeiro a agir. Abandonou sua poltrona e disparou pelo corredor em direção aos fundos do avião. Outros passageiros o seguiram, mas ele foi o primeiro a chegar à porta dos fundos. Leu rapidamente as instruções sobre seu funcionamento, em seguida puxou a alavanca vermelha e abriu a porta para a manhã ensolarada.

Um salto daquela altura rumo ao asfalto poderia quebrar um osso ou torcer um tornozelo, mas os nanitos curativos em seu sangue logo liberariam opiatos para acabar com a dor. Ele conseguiria escapar a despeito de qualquer lesão. Antes que pudesse saltar, porém, ouviu o ceifador-chefe dizer:

— Sugiro que todos vocês retornem aos seus assentos, se dão valor à vida de seus entes queridos.

Era procedimento padrão dos ceifadores coletar as famílias daqueles que resistiam ou fugiam. A coleta de toda a família era um poderoso recurso de dissuasão. Mas o avião estava cheio — se ele pulasse e fugisse, como saberiam quem ele era?

Como se lesse sua mente, o ceifador-chefe disse:

— Temos a lista de passageiros deste voo. Sabemos os nomes de todos a bordo. Incluindo o nome da aeromoça que demonstrou covardia ao abandonar o posto e fugir. Toda a sua família pagará o preço, assim como ela própria.

O executivo se ajoelhou e apoiou o rosto entre as mãos. Um homem atrás passou por ele e pulou mesmo assim. Ele caiu no chão e correu, mais preocupado com o que estava acontecendo agora do que com o que aconteceria no dia seguinte. Talvez não tivesse parentes com quem se importasse ou preferisse que o acompanhassem rumo ao esquecimento. Quanto ao executivo, ele não suportava a ideia de que sua mulher e seus filhos pudessem ser coletados por sua culpa.

A coleta é necessária, disse a si mesmo. Todos sabiam disso; todos concordavam que era uma necessidade crucial. Quem era ele para contrariar? Só parecia terrível agora porque ele estava na mira fria da morte.

Então, o líder dos ceifadores apontou para ele. Suas unhas pareciam um pouco compridas demais.

—Você, o atrevido — ele disse. —Venha até aqui.

Os outros no corredor abriram espaço, e o executivo percebeu que estava se movendo para a frente. Mal conseguia sentir as pernas. Era como se o ceifador o estivesse puxando com uma corda invisível. A presença dele era autoritária.

— Devíamos coletar esse primeiro — disse o ceifador loiro, bruto, de manto laranja brilhante, portando o que parecia um lança-chamas. — Coletá-lo primeiro para dar o exemplo.

Mas o líder dos ceifadores fez que não.

— Primeiro de tudo, guarde isso. Não vamos brincar com fogo num avião. Em segundo lugar, para servir de exemplo é preciso que sobre alguém para aprender. É inútil quando não há ninguém para quem dar o exemplo.

Ante a repreensão, ele abaixou a arma e fitou o chão. Os outros dois ceifadores continuaram em silêncio.

—Você deixou sua poltrona muito depressa — o líder dos ceifadores disse ao executivo. — Certamente é o alfa deste avião e, como alfa, vou deixar que escolha a ordem em que essas pessoas serão coletadas. Você pode ser o último, se quiser, mas antes deve escolher a ordem dos outros.

— Eu... eu...

— Ora essa, nada de indecisão! Você foi muito decidido quando correu para o fundo do avião. Mostre aquele ímpeto formidável agora.

Estava claro que o ceifador se divertia com a situação. Ele não deveria estar se divertindo — esse era um dos preceitos básicos da Ceifa, lembrou o executivo. Aleatoriamente, sua mente pensou: *Eu deveria prestar uma queixa.* O que seria muito difícil de fazer se estivesse morto.

Observou as pessoas aterrorizadas à sua volta. Agora, elas sentiam medo dele. Naquele momento, ele também era o inimigo.

— Estamos esperando — disse a mulher com o manto verde, ansiosa para começar.

— Como? — o executivo perguntou, tentando controlar sua respiração para ganhar tempo. — Como vão nos coletar?

O líder dos ceifadores abriu uma dobra do manto para mostrar toda uma coleção de armas muito bem escondidas sob ela. Facas de vários tamanhos. Pistolas. Outros objetos que o homem sequer reconheceu.

— Nosso método vai variar conforme nosso humor. Não vamos usar equipamentos incendiários, claro. Agora, por favor, comece a escolher as pessoas para que possamos dar início às coletas.

A ceifadora apertou o cabo de um facão e ajeitou o cabelo preto para trás com a mão livre. Ela tinha acabado de lamber os lábios? Aquilo não seria uma coleta, seria um massacre, e o executivo percebeu que não queria fazer parte daquilo. Sim, seu destino estava selado — nada poderia mudar isso. O que significava que ele não precisava entrar no jogo do ceifador perverso. De repente, pegou-se vencendo o medo, até conseguir fitar os olhos escuros do ceifador, do mesmo tom azul de seu manto.

— Não — o homem disse. — Não vou decidir e não vou dar a você o prazer de me ver sofrer. — Então, voltou-se para os outros passageiros. — Aconselho vocês a tirarem suas próprias vidas antes desses ceifadores apanharem vocês. Eles sentem prazer demais nisso. Não são dignos da posição que ocupam e não merecem a honra de coletar ninguém aqui.

O líder dos ceifadores o encarou, mas por apenas um momento. Então, voltou-se para seus três companheiros.

— Comecem! — ele ordenou. Os outros sacaram as armas e começaram a pavorosa coleta. — Eu sou seu fim — disse o líder dos ceifadores para os moribundos. — Sou a última palavra de suas vidas bem vividas. Agradeçam. E adeus.

O líder dos ceifadores pegou sua lâmina, mas o executivo estava preparado. No momento em que a arma foi sacada, ele se lançou contra ela — um ato final deliberado, tornando a morte uma opção própria, e não do ceifador, negando a ele se não seu método, sua loucura.

Nos meus primeiros anos, eu me perguntava por que era tão raro encontrar um ceifador com roupas comuns, sem seus mantos. É uma regra em alguns lugares, mas não na MidMérica. Aqui, é apenas uma prática usual, mas raramente violada. Então, quando estava me acostumando ao ofício, entendi qual devia ser o motivo. Para nossa paz de espírito, nós, ceifadores, devemos manter certa distância do resto da humanidade. Mesmo na intimidade da minha casa, às vezes me vejo vestindo sempre a simples bata lavanda que uso sob os mantos.

Alguns chamariam esse comportamento de reservado. Acho que de certo modo é, mas para mim trata-se mais da necessidade de me lembrar que sou "diferente".

Claro, ocupações que exigem uniformes permitem que os profissionais tenham uma vida à parte dos demais. Agentes da paz e bombeiros, por exemplo, são definidos apenas parcialmente por sua profissão. Nas horas de folga, usam calça jeans e camiseta. Fazem churrascos com os vizinhos e praticam esportes com os filhos. Mas ser um ceifador significa ser um ceifador em todas as horas de todos os dias. Isso define a pessoa até o âmago de seu ser, e apenas nos sonhos se é livre do jugo.

Mas, mesmo nos sonhos, me pego coletando...

Do diário de coleta da ceifadora Curie

7

A arte de matar

— Durante seu tempo comigo — o ceifador Faraday disse a Rowan e Citra —, vocês vão aprender a forma correta de usar diversas lâminas, vão se tornar peritos em dezenas de armas de fogo, vão ter conhecimento profissional em toxicologia e treinar as artes marciais mais letais. Não vão se tornar mestres nessas técnicas, pois isso demora muitos anos, mas vão adquirir as habilidades básicas para desenvolvê-las mais tarde.

— Habilidades que serão inúteis para aquele que você não escolher — Citra comentou.

— Nenhum aprendizado é inútil — ele respondeu.

Embora a casa do ceifador fosse modesta e despojada, o lugar tinha um cômodo espetacular: o gabinete das armas. Era a antiga garagem, que agora estava tomada pela extensa coleção de armas do ceifador. Numa parede, estavam penduradas as facas; em outra, as armas de fogo. Uma terceira parecia uma estante de farmácia, e a quarta exibia objetos mais arcaicos — arcos de fino entalhe, uma aljava de flechas com pontas de obsidiana, balestras assustadoramente potentes... até mesmo uma clava, embora fosse difícil imaginar o ceifador Faraday acertando alguém com aquilo. A quarta parede era mais um museu, pensaram Rowan e Citra, mas o fato de não terem certeza era perturbador.

O regime diário era rigoroso. Os dois treinavam com lâminas e bastões, lutando contra Faraday, que era surpreendentemente forte e ágil para sua idade aparente. Aprenderam a atirar em um campo de tiro para ceifadores e aprendizes, onde armas que eram proibidas para uso público não eram apenas permitidas, mas incentivadas. Aprenderam o básico de bokator viúva-negra — uma versão letal da antiga arte marcial cambojana desenvolvida especialmente para a Ceifa. As atividades os deixavam exaustos, mas estavam ficando muito mais fortes que antes.

O treinamento físico, porém, constituía apenas metade do programa. Havia uma antiga mesa de carvalho no centro do gabinete das armas, uma relíquia da Era da Mortalidade. Era lá que o ceifador Faraday passava várias horas por dia ensinando a eles os métodos dos ceifadores.

Estudos em perspicácia mental, história e química dos venenos — além dos registros diários em seus cadernos de aprendiz. Havia mais a aprender sobre a morte do que eles jamais imaginaram.

— História, química, redação... tudo igual à escola — Rowan resmungava para Citra, porque não ousava reclamar para o ceifador Faraday.

E havia as coletas.

— Todo ceifador deve realizar uma cota de duzentas e sessenta coletas por ano — o ceifador Faraday disse —, o que dá uma média de cinco por semana.

— Então você não trabalha no fim de semana — brincou Rowan, tentando tornar a conversa um pouco mais leve com um riso nervoso. Mas Faraday não achou graça. Para ele, nada em relação às coletas era engraçado.

— Nos dias que não coleto, vou a funerais e faço pesquisas para as futuras coletas. Ceifadores... ou melhor, *bons* ceifadores não tiram dias de folga.

O fato de que nem todos os ceifadores eram bons nunca havia

passado pela cabeça de Rowan ou Citra. Todos tinham como certo que os ceifadores seguiam os mais elevados princípios morais e éticos. Eles eram sábios em sua conduta e justos em suas escolhas. Mesmo os que buscavam a fama eram considerados merecedores dela. A ideia de que alguns ceifadores poderiam não ser tão honrados quanto Faraday desagradou os dois aprendizes.

Citra não deixava de sentir repulsa a cada coleta. Ainda que, desde o primeiro dia, o ceifador Faraday nunca lhes tivesse pedido para ser a mão que tira a vida, ser cúmplice era difícil o bastante. Toda morte precoce vinha envolta na mortalha do pavor, como um pesadelo recorrente que nunca perdia a força. Ela pensou que pouco a pouco ficaria menos sensível e terminaria por se acostumar com o trabalho. Mas isso não acontecera.

— Isso significa que escolhi bem — disse o ceifador Faraday a ela. — Se você não chorar toda noite, não tem a compaixão necessária para ser um ceifador.

Ela duvidava que Rowan chorasse toda noite. Ele era do tipo que mantinha as emoções muito bem guardadas. Citra não conseguia saber o que ele estava pensando. Ele era fechado, e isso a incomodava. Ou talvez fosse tão transparente que ela enxergava através dele. Não sabia muito bem.

Eles logo descobriram que o ceifador Faraday era muito criativo em seus métodos de coleta — nunca repetia exatamente o mesmo.

— Mas e os ceifadores que são ritualísticos e fazem todas as coletas exatamente do mesmo jeito? — Citra perguntou.

— Eles existem, mas devemos encontrar nossa própria maneira de atuar — o ceifador respondeu. — Nosso próprio código de conduta. Prefiro ver cada pessoa que coleto como um indivíduo que merece um fim único.

Ele descreveu os sete métodos básicos da arte de matar.

— Os mais comuns são os três Fs: facas, armas de fogo e força bruta. Depois vem asfixia, veneno e indução a acidentes, como eletrocussão ou fogo, embora eu ache que coletar com fogo seja um modo muito cruel que eu nunca usaria. O último método é a luta sem armas, por isso treinamos vocês em bokator.

Ao ser um ceifador, ele explicara, era necessário ser bem versado em todos os métodos. Citra se deu conta de que, para ser "bem versada", teria de participar de diversos tipos de coleta. Será que ele pediria para ela puxar o gatilho? Enfiar a faca? Acertar o golpe? Ela queria acreditar não ser capaz disso. Queria desesperadamente acreditar que não tinha talento para ser uma ceifadora. Era a primeira vez na vida em que torcia para não ser boa o suficiente.

Os sentimentos de Rowan eram contraditórios. Percebeu que os imperativos morais e os princípios éticos do ceifador Faraday davam um propósito a ele — mas apenas na presença do ceifador. Quando ficava sozinho com seus pensamentos, Rowan duvidava de tudo. A expressão da mulher enquanto abria a boca para ser envenenada — amedrontada, mas obediente — ficara gravada em sua mente. A expressão dela logo antes de morder. *Sou um cúmplice do crime mais antigo do mundo*, ele dizia a si mesmo em seus momentos mais solitários. *E isso só tende a piorar.*

Embora os diários dos ceifadores fossem públicos, os aprendizes tinham o luxo da privacidade. O ceifador Faraday presenteou Rowan e Citra com volumes de pergaminho áspero encadernados em couro claro. Para Rowan, parecia uma relíquia da idade das trevas. Ele não ficaria surpreso se Faraday lhes desse uma pena junto com os volumes. Felizmente, porém, podiam usar instrumentos normais de escrita.

— Tradicionalmente, o diário do ceifador é escrito em pergaminho de pele de cordeiro e de filhote.

— Espero que você esteja falando de filhote de cabra, e não de crianças — Rowan disse.

Isso, finalmente, fez o ceifador rir. Citra pareceu incomodada por ele ter feito Faraday dar risada — como se isso lhe desse um ponto de vantagem em relação a ela. Rowan sabia que, por mais que ela odiasse a ideia de ser uma ceifadora, usaria de todos os meios para ficar à frente dele, porque era o jeito dela. A competição estava em seu sangue; ela não conseguia evitar.

Rowan sabia escolher melhor suas batalhas. Podia competir quando necessário, mas raramente era mesquinho a ponto de querer passar na frente dos outros. Ele não sabia se isso lhe daria uma vantagem sobre Citra. Não sabia se queria ter essa vantagem.

Ser um ceifador não teria sido uma opção em sua vida. Como ainda não havia tomado nenhuma decisão, não fazia ideia do que faria em seu futuro eterno. Mas no momento em que começara a ser treinado por um ceifador, passara a sentir que poderia ter jeito para a coisa. Se Faraday o tinha escolhido como moralmente capaz para a função, talvez ele fosse mesmo.

Quanto ao diário, Rowan o odiava. Por ser de uma família grande na qual ninguém se importava com sua opinião sobre qualquer coisa, ele se acostumara a guardar os pensamentos para si.

— Não entendo qual é o problema — Citra disse enquanto escreviam em seus diários depois do jantar. — Ninguém além de você vai ler.

— Então por que escrever? — Rowan retrucou.

Citra suspirou e começou a falar como se Rowan fosse uma criança.

— É para preparar você para escrever um diário oficial de ceifador. Quem ganhar o anel será obrigado pelo sexto mandamento a manter um diário até o fim da vida.

— E tenho certeza de que ninguém vai ler esse diário também — Rowan acrescentou.

— Mas as pessoas *podem* ler. O Arquivo da Ceifa está aberto para todos.

— Sim, assim como a Nimbo-Cúmulo — Rowan disse. — As pessoas podem ler tudo, mas ninguém lê. Só aproveitam para jogar e assistir a hologramas de gatinhos.

Citra deu de ombros.

— Mais um motivo para não ter medo de escrever no diário. Se vai ficar perdido entre zilhões de páginas, você pode até escrever sua lista de compras e o que comeu no café da manhã. Ninguém vai se importar.

Mas Rowan se importava. Se era para pôr no papel — se era para fazer exatamente como os ceifadores —, ele faria do jeito certo ou então não faria. E no momento, enquanto encarava a dolorosa página em branco, ele estava tendendo a abrir mão de tudo.

Ele ficou observando Citra escrever, completamente absorta em seu diário. De onde estava, não dava para ler o que ela havia escrito, mas dava para ver que sua caligrafia era primorosa. Fazia sentido ela ter feito caligrafia na escola. Era o tipo de matéria que as pessoas só cursavam para se sentir superiores. Como latim. Ele imaginava que teria de aprender a desenhar a letra cursiva caso se tornasse um ceifador, mas, por enquanto, ia continuar com seus caracteres tipográficos irregulares e deselegantes.

Será que, caso Citra e ele estivessem na mesma escola, teriam se dado bem? Era provável que nunca tivessem sequer se conhecido. Ela era o tipo de garota que participava, enquanto Rowan era o tipo de garoto que se escondia. Suas órbitas deviam estar tão longe de se cruzar quanto Júpiter e Marte no céu. Agora, porém, tinham sido postos em convergência. Não eram exatamente amigos — nunca tiveram a oportunidade de desenvolver uma amizade antes de iniciarem o treinamento. Eram parceiros; eram adversários — e Rowan achava cada vez mais difícil entender o que sentia por Citra. Tudo o que sabia era que gostava de vê-la escrevendo.

O ceifador Faraday era rígido em sua política antifamiliar.

— É desaconselhável manter contato com sua família durante o treinamento. — Isso era difícil para Citra. Ela sentia falta dos pais, mas sentia ainda mais saudades do irmão, Ben, o que a surpreendeu, pois em casa nunca tinha muita paciência com ele.

Rowan parecia não ter problemas em ficar afastado da família.

— Eles preferem ter imunidade a me ter por perto — ele disse a Citra.

— Coitadinho — Citra disse. — Quer que eu sinta pena de você?

— De jeito nenhum. Talvez inveja. Para mim, é mais fácil deixar tudo para trás.

O ceifador Faraday, porém, abriu uma exceção. Depois de um mês de treinamento, permitiu que Citra comparecesse ao casamento de sua tia.

Embora todos estivessem usando vestidos e smokings, Faraday não deixou que Citra se arrumasse, "para não se sentir parte daquele mundo". Deu certo. Usar roupas simples em meio a toda aquela pompa fez com que ela se sentisse uma intrusa, e o bracelete de aprendiz só piorou as coisas. Talvez por isso Faraday tenha permitido que ela fosse: para deixar clara a diferença entre quem ela tinha sido e quem era agora.

— Então, como é? — perguntou sua prima Amanda. — Coletar e tal. É, tipo... nojento?

— Não temos permissão para falar sobre isso — Citra respondeu. O que não era verdade. Mas ela não queria falar das coletas como se fosse uma fofoca da escola.

Mas Citra devia ter alimentado a conversa em vez de cortá-la, pois Amanda tinha sido uma das poucas pessoas que falara com ela. Houve vários olhares desconfiados e conversas *sobre* ela quando achavam que não estava olhando, mas quase todo mundo a evitava, como se fosse portadora de alguma doença da Era da Mortalidade. Se ela já tivesse o anel, talvez tentassem agradá-la, na esperança de ganhar imunidade. Mas, pelo visto, como aprendiz, apenas lhes inspirava medo.

Seu irmão mostrara-se retraído, e até a conversa com a mãe tinha sido embaraçosa. Ela respondera às perguntas de sempre, como "Está comendo direitinho?" e "Tem dormido bem?".

— Fiquei sabendo que tem um garoto morando com você — seu pai comentara.

— Ele fica em outro quarto e não está nem um pouco interessado em mim — ela havia respondido, com vergonha de admitir.

Citra ficara sentada durante toda a cerimônia de casamento, mas pedira licença antes da recepção e voltou à casa de Faraday em um carro público, sem suportar nem mais um minuto da festa.

—Você voltou cedo — o ceifador Faraday comentou quando ela voltou. E, embora fingisse surpresa, seu prato estava na mesa para o jantar.

Os ceifadores devem ter uma compreensão profunda sobre a morte, mas existem certas coisas que estão além até mesmo de nossa compreensão.

A mulher que coletei hoje me fez uma pergunta estranhíssima.

— Para onde vou agora? — ela perguntou.

— Bom, suas lembranças e seu registro de vida já estão armazenados na Nimbo-Cúmulo, então nada será perdido — expliquei com calma. — Seu corpo será devolvido à terra da forma determinada por seu parente mais próximo.

— Sim, eu sei de tudo isso — ela disse. — Mas e quanto a mim?

A pergunta me deixou perplexa.

— Como eu disse, sua memória vai existir na Nimbo-Cúmulo. Seus entes queridos vão poder conversar com ela, e sua memória vai responder.

— Sim — ela disse, ficando um pouco agitada. — Mas e quanto a *mim*?

Então a coletei. Só depois que ela se foi, respondi:

— Não sei.

Do diário de coleta da ceifadora Curie

8

Uma questão de escolha

—Vou coletar sozinho hoje — o ceifador Faraday disse a Rowan e Citra em um dia de fevereiro, o segundo mês de treinamento. — Enquanto estiver fora, tenho uma tarefa para cada um de vocês. — Ele levou Citra até o gabinete das armas. — Você, Citra, vai polir todas as minhas lâminas.

Ela havia passado quase todos os dias de treinamento naquele lugar, mas ficar sozinha lá, sem ninguém além dos instrumentos da morte, era completamente diferente.

O ceifador foi até a parede das armas brancas, com lâminas como espadas e canivetes.

— Algumas estão empoeiradas, outras sem brilho. Você deve avaliar que cuidado cada uma precisa.

A garota observou como o olhar dele passava de uma lâmina a outra, talvez demorando tempo suficiente para evocar alguma lembrança.

— O senhor já usou todas? — ela perguntou.

— Só metade. E nenhuma arma foi usada mais de uma vez. — Ele estendeu o braço e tirou um florete da quarta parede, aquela com as armas mais antigas. Parecia do tipo que os Três Mosqueteiros usavam. — Quando eu era jovem, gostava mais de efeitos teatrais. Fui coletar um homem que era esgrimista. Então o desafiei para um duelo.

— E você venceu?

— Perdi duas vezes. Ele perfurou meu pescoço na primeira e abriu minha artéria femoral na segunda. Ele era muito bom. Depois de acordar no centro de revivificação, eu voltava para desafiá-lo. Com suas vitórias, o esgrimista ganhava tempo, mas ele tinha sido escolhido para a coleta, e eu não iria ceder. Alguns ceifadores mudariam de ideia, mas isso constitui uma concessão, e favorece aqueles com maior talento para a persuasão. As minhas decisões são firmes.

"Na terceira luta, perfurei o coração dele com a ponta da minha espada. Enquanto dava o último suspiro, ele me agradeceu por deixar que morresse lutando. Foi a única vez em todos os meus anos como ceifador que me agradeceram pelo meu trabalho."

Ele suspirou e guardou o florete no suporte de onde o tinha tirado, e Citra percebeu que se tratava de um lugar de honra.

— Se o senhor tem todas essas armas, por que pegou a *nossa* faca naquele dia em que foi coletar minha vizinha? — Citra tinha de perguntar.

O ceifador sorriu.

— Para avaliar sua reação.

— Eu joguei fora — ela respondeu.

— Imaginei — ele disse. — Mas essas você vai polir. — Depois saiu e a deixou sozinha na sala.

Quando o ceifador foi embora, Citra examinou as armas. Ela não tinha muitas curiosidades mórbidas, mas se pegou pensando quais lâminas já haviam sido usadas e como. Ela achava que uma arma nobre merecia que sua história fosse passada adiante e, se não fosse para ela ou Rowan, para quem mais seria?

Ela tirou uma cimitarra da parede; uma monstruosidade capaz de decapitar alguém com um único golpe. Será que o ceifador Faraday a utilizara para uma decapitação? Combinava, de certa forma, com o estilo dele: rápido, indolor, eficiente. Enquanto a movia desajeitadamente no ar, se perguntou se tinha força suficiente para decapitar alguém.

Meu Deus, em que estou me transformando?

Ela pôs a arma sobre a mesa, pegou um pano e a poliu. Quando terminou, passou para outra, depois outra, tentando não ver a própria imagem refletida nas lâminas reluzentes.

A tarefa de Rowan não era tão visceral, mas era ainda mais perturbadora.

— Hoje você vai escolher minha próxima coleta — o ceifador Faraday disse, depois entregou a Rowan uma lista de parâmetros em que o indivíduo a ser coletado deveria se enquadrar. — Todas as informações de que precisa estão na Nimbo-Cúmulo, se você for esperto o bastante para encontrar. — Depois, o ceifador saiu para a coleta do dia.

Rowan quase cometeu o erro de informar a lista de parâmetros à Nimbo-Cúmulo para que ela lhe indicasse alguém, mas lembrou que pedir auxílio à Nimbo-Cúmulo era estritamente proibido para os ceifadores. Eles tinham acesso total ao fabuloso acervo de informações da grande nuvem, mas não à "consciência" algorítmica. Faraday contara que um ceifador havia tentado acessá-la. A própria Nimbo-Cúmulo o denunciou ao Alto Punhal, e ele foi "severamente punido".

— Como disciplinam os ceifadores? — Rowan perguntara no momento.

— Ele foi condenado à morte doze vezes por um júri de ceifadores, e por doze vezes foi revivido. Após a décima segunda, ele ficou em liberdade condicional por um ano.

Rowan imaginou que um júri de ceifadores seria muito criativo em seus métodos de punição. Desconfiava que morrer doze vezes pelas mãos deles seria muito pior do que se jogar do alto de um prédio.

Ele começou a digitar os parâmetros de busca. Foi instruído a incluir não apenas a cidade em que estavam, mas toda a MidMérica — que se estendia por cerca de mil e quinhentos quilômetros na região central do continente. Então restringiu a busca a cidades com populações abaixo de dez mil pessoas e localizadas à margem de rios. Depois, a casas ou apartamentos a menos de trinta metros das margens. Em seguida, buscou pessoas acima de vinte anos que viviam nessas residências.

Isso lhe deu mais de quarenta mil pessoas.

Ele fez tudo isso em cinco minutos. Mas os requisitos seguintes não eram tão fáceis de encontrar.

O indivíduo deve ser bom nadador.

Ele acessou a lista de todas as escolas e universidades de cada uma das cidades ribeirinhas e cruzou as informações de todas as pessoas que participaram de uma equipe de natação nos últimos vinte anos ou que tivessem se inscrito para um triatlo. Cerca de oitocentas pessoas.

O indivíduo deve adorar cachorros.

Usando o código de acesso do ceifador Faraday, ele encontrou as listas de todas as publicações e blogs sobre cachorros. Acessou bases de dados de lojas de animais para pegar uma lista de todos os compradores regulares de ração de cachorro nos últimos anos. Isso reduziu o número para cento e doze.

O indivíduo deve ter antecedentes de heroísmo fora do âmbito de sua profissão.

Meticulosamente, ele pesquisou as palavras "herói", "coragem" e "resgate" com todos os cento e doze nomes. Pensou que teria sorte se encontrasse um único resultado — mas, para sua surpresa, quatro deles tinham realizado um feito heroico em algum momento da vida.

Ele clicou em cada um dos nomes e acessou quatro fotos. Arrependeu-se na mesma hora porque, no momento em que os nomes passaram a ter rostos, já não eram mais parâmetros, mas pessoas.

Um homem de rosto arredondado e sorriso vitorioso.

Uma mulher com cara de mãe.

Um cara com o cabelo desalinhado.

Um homem que parecia não se barbear havia dias.

Quatro pessoas. E Rowan estava prestes a decidir qual delas morreria amanhã.

Imediatamente notou que se via inclinado a escolher o homem de barba, mas percebeu que estava sendo tendencioso. Ninguém devia ser discriminado por não ter se barbeado para tirar uma foto. E será que ele estava descartando a mulher só porque era mulher?

Certo, então o moço sorridente. Mas será que agora Rowan não estava tentando reparar o erro, escolhendo o que parecia mais alegre?

Ele decidiu saber mais sobre cada um deles, usando o código de acesso de Faraday para encontrar mais informações do que lhe seria permitido; se o que estava em jogo era a vida das pessoas, ele não deveria usar todos os meios necessários para tomar uma decisão justa?

Uma das opções tinha entrado num prédio em chamas quando era jovem para salvar alguém da família. Outra tinha três filhos pequenos. Mas outra voluntariava num abrigo de animais. Mas não fazia nem dois anos que o irmão de outra possível vítima tinha sido coletado...

Ele pensava que todo fato poderia ser útil, mas, quanto mais sabia sobre cada um, mais difícil era decidir. Rowan continuou vasculhando informações sobre a vida deles, cada vez mais desesperado, até a porta da frente se abrir e o ceifador Faraday entrar. Estava escuro lá fora. Quando havia escurecido?

O ceifador parecia cansado, e sua roupa estava manchada de sangue.

— A coleta de hoje foi… mais problemática do que eu esperava — ele disse.

Citra saiu do gabinete de armas.

— Todas as lâminas já estão brilhando! — a garota anunciou.

Faraday aprovou com um aceno de cabeça. Depois, voltou-se para Rowan, ainda sentado diante do computador.

— E quem vamos coletar amanhã?

— Eu… hum… restringi a quatro pessoas.

— E? — perguntou o ceifador.

— Todas as quatro se encaixam no perfil.

— E? — o ceifador repetiu.

— Bom, uma delas acabou de se casar, outra comprou uma casa…

— Escolha uma — disse o ceifador.

— … outra recebeu um prêmio humanitário no ano passado…

— ESCOLHA UMA! — o ceifador gritou com uma ferocidade que Rowan nunca vira nele. Até as paredes pareciam se encolher com a sua voz. Rowan pensou que poderia se livrar da tarefa, como havia acontecido quando Faraday lhe pedira para entregar o comprimido de cianeto. Mas não; o teste de hoje era diferente. O garoto lançou um olhar para Citra, que ainda estava na porta do gabinete de armas, paralisada como alguém de passagem diante de um acidente. Ele estava totalmente sozinho nessa decisão terrível.

Rowan olhou para a tela, fez uma careta e apontou para o homem de cabelo desalinhado.

— Hum… — Rowan murmurou. — Colete este.

Rowan fechou os olhos. Tinha acabado de condenar um homem à morte porque ele estava com o cabelo feio naquele dia.

Então, sentiu a mão firme de Faraday em seu ombro. Pensou que levaria uma bronca, mas, em vez disso, o ceifador disse:

— Bom trabalho.

Rowan abriu os olhos.

— Obrigado, senhor.

— Se essa não tivesse sido a coisa mais difícil que você teve de fazer, eu estaria preocupado.

—Vai ficar mais fácil? — Rowan perguntou.

— Eu realmente espero que não.

Na tarde seguinte, Bradford Ziller voltou para casa e encontrou um ceifador sentado em sua sala. O ceifador se levantou quando Bradford entrou. Seus instintos lhe disseram para se virar e fugir, mas, antes disso, um adolescente com um bracelete verde, que estava ao seu lado, fechou a porta.

Com um pavor crescente, o homem esperou o ceifador falar, mas, em vez de dizer alguma coisa, o ceifador apontou para o garoto, que pigarreou e disse:

— Sr. Ziller, o senhor foi selecionado para coleta.

— Fale tudo, Rowan — disse o ceifador, paciente.

— Quer dizer... *eu* selecionei o senhor para a coleta.

Bradford olhava de um para o outro, sentindo um alívio súbito e profundo, porque era óbvio que aquilo era algum tipo de brincadeira.

— Certo, quem são vocês? Quem armou essa para mim?

Então, o ceifador ergueu a mão, mostrando o anel. O homem sentiu o ânimo despencar novamente, como a segunda queda em uma montanha-russa. Não era mentira; era verdade.

— O garoto é um dos meus aprendizes — disse o ceifador.

— Sinto muito — o garoto disse. — Não é nada pessoal; o senhor apenas se encaixa em um determinado perfil. Na Era da Mortalidade, muitas pessoas morriam tentando realizar resgates. Muitas delas pulavam em rios em época de cheia para salvar seus animais de estimação. A maioria nadava bem, mas isso não importa em uma enchente.

Os cachorros!, pensou Bradford. *É isso, os cachorros!*

— Vocês não podem me machucar — ele disse. — Se fizerem isso, meus cachorros vão estraçalhar vocês. — Mas onde estariam eles?

Então, uma garota saiu de seu quarto, usando um bracelete igual ao do garoto.

— Eu sedei os três — ela disse. — Eles vão ficar bem, mas não vão nos atrapalhar. — Seu braço estava manchado de sangue. Não dos cachorros, mas dela. Eles a tinham mordido. Que bom.

— Não é nada pessoal — o garoto repetiu. — Sinto muito.

— Um pedido de desculpas já basta — o ceifador disse ao garoto. — Ainda mais quando é sincero.

Bradford deu risada, mesmo sabendo que era sério. Achava aquilo engraçado. Seus joelhos fraquejaram, ele sentou no sofá, e o riso foi dando lugar ao desespero. Não era justo. Não era nem um pouco justo.

Mas então o garoto se ajoelhou ao seu lado e, quando Bradford ergueu os olhos, ficou hipnotizado pelo seu olhar. Era como se encarasse os olhos de uma alma muito mais antiga.

— Escute, sr. Ziller — disse o garoto. — Sei que o senhor salvou sua irmã de um incêndio quando ela tinha a minha idade. Sei que se esforça para salvar seu casamento. Sei também que acha que sua filha não ama você, mas ela ama.

Bradford o encarou, incrédulo.

— Como você sabe de tudo isso?

O garoto mordeu o lábio.

— É nosso trabalho saber. A sua coleta não vai mudar nada disso. Você teve uma vida boa. O ceifador Faraday está aqui e vai encerrá-la para você.

Bradford suplicou para fazer uma ligação, implorou por mais um dia, mas, claro, não era possível conceder essas coisas. Disseram que poderia escrever um bilhete, mas ele não conseguiu pensar em nada para escrever.

— Eu sei como você se sente — o garoto disse.

— Como vai ser? — ele perguntou finalmente.

O ceifador respondeu.

— Escolhi um afogamento tradicional. Vamos até o rio, submergir você na água até sua vida se esvair.

Bradford cerrou os dentes.

— Ouvi dizer que os afogamentos são um jeito ruim de morrer.

— Posso dar a ele um pouco do que dei aos cachorros? — a garota perguntou. — Para que ele já fique inconsciente?

O ceifador pensou um pouco e consentiu.

— Se preferir, podemos poupá-lo do sofrimento.

Mas Bradford fez que não, percebendo que queria todos os segundos que lhe restavam.

— Não, quero ficar acordado. — Se o afogamento seria sua última experiência de vida, então que a vivesse. Ele sentiu o coração batendo mais rápido, o corpo tremendo com a descarga de adrenalina. Estava com medo, mas o medo significava que ainda estava vivo.

— Então vamos — o ceifador disse com gentileza. — Vamos todos para o rio.

Citra ficou fascinada com a forma como Rowan se comportou. Mesmo tendo começado um pouco inseguro, ele assumiu o controle. Pegou as rédeas do medo daquele homem e lhe proporcionou paz. Citra só podia torcer para que, quando chegasse a sua vez de fazer uma escolha, pudesse manter a compostura tão bem quanto Rowan. A única coisa que ela tinha feito naquele dia fora sedar os cachorros. Claro, levou uma mordida, mas isso não era quase nada. Tentou convencer Faraday a levá-los para um abrigo, mas ele se recusou. No entanto, deixou que ela ligasse para o abrigo para virem buscá-los. E para o legista, para vir buscar o homem. O ceifador se ofereceu para levar Citra a um hospital para uma cura rápida do ferimento, mas ela disse que não precisava. Seus próprios nanitos o cicatrizariam até de manhã e, além disso, sentia certa necessidade daquela dor. Ela achava que funcionaria como uma compensação pelo sofrimento do falecido.

— Você foi impressionante — ela disse a Rowan durante o longo trajeto de volta.

— Sim… até a hora em que vomitei na beira do rio.

— Mas só depois de ele ser coletado — disse Citra. —Você deu forças para aquele homem enfrentar a morte.

Rowan deu de ombros.

— Talvez.

Citra achava ao mesmo tempo irritante e encantador o modo como ele manifestava sua modéstia.

Existe um poema do Honorável Ceifador Sócrates — um dos primeiros ceifadores. Ele escreveu vários, mas este é o meu favorito:

Não empunheis a faca de forma impensada.
Apartai do rebanho os corrompidos e ousados,
pois um cão que venha a adorar
o latir e abocanhar
é corvo de carniça, covarde de tempos passados.

Ele me lembra que, apesar dos ideais grandiosos e das muitas defesas para proteger a Ceifa da corrupção e perversão, devemos estar sempre atentos, pois o poder vem infectado com a única doença que nos resta: a natureza humana. Temo por todos nós se os ceifadores começarem a amar o que fazem.

Do diário de coleta da ceifadora Curie

9

Esme

Esme comia pizza demais. Sua mãe dizia que as pizzas ainda acabariam com ela. Ela nunca imaginou o quanto aquilo podia ser verdade.

O ataque dos ceifadores veio menos de um minuto depois de ela pegar uma fatia fumegante. Era o fim do dia letivo, e os trabalhos diários do quarto ano a deixaram exausta. O almoço era uma droga. A salada de atum que a mãe tinha preparado já estava morna e meio fermentada. Nem um pouco apetitosa. Na verdade, ela não recebia bem nenhuma das comidas que a mãe lhe preparava. Ela tentava dar à filha uma alimentação saudável, porque Esme tinha certo problema de peso. E, embora seus nanitos pudessem ser programados para acelerar o metabolismo, sua mãe se recusava a fazer isso. Argumentava que seria tratar os sintomas, não o problema.

— Não dá para resolver tudo com seus nanitos — a mãe dizia. —Você precisa aprender a se controlar.

Bom, ela podia aprender a se controlar amanhã. Hoje, queria pizza.

Sua pizzaria favorita, Luigi's, ficava na praça de alimentação da Galeria da Cidade Fulcral, no caminho da escola para casa. Mais ou menos. Ela estava examinando o queijo, tentando encontrar um jeito de dar a primeira mordida sem queimar o céu da boca, quando os ceifadores chegaram. Como estava de costas para eles, a princípio não os viu. Mas ouviu — ou pelo menos a um deles.

— Boa tarde, pessoal — ele disse. — Suas vidas estão prestes a mudar radicalmente.

Esme se virou para encará-los. Eram quatro. Estavam vestindo mantos cintilantes. Eram diferentes de tudo que Esme vira até então. Nunca havia encontrado um ceifador. Ficou fascinada. Pelo menos até três deles sacarem armas ainda mais reluzentes que seus mantos cravejados de joias, e o quarto pegar um lança-chamas.

— Esta praça de alimentação foi selecionada para coleta — o líder deles disse. E começaram sua missão pavorosa.

Esme sabia o que precisava ser feito. Deixando a pizza pra lá, se jogou embaixo da mesa e saiu engatinhando. Mas ela não era a única a fazer isso. Parecia que todos estavam se arrastando no chão. Mas aquilo não pareceu perturbar os ceifadores. Ela enxergava os pés deles em meio à multidão agachada. O fato de suas vítimas estarem de quatro não retardava nem um pouco o trabalho.

Foi então que Esme começou a entrar em pânico. Já tinha ouvido dizer que ceifadores faziam coletas em massa, mas até aquele dia pensava que fossem meras histórias.

Viu à sua frente o manto do ceifador de amarelo e deu meia-volta, mas a ceifadora de verde já se aproximava dela. Esme rastejou por um espaço entre as mesas e entre dois vasos de palmeira que o ceifador de laranja incendiara e, quando saiu do outro lado, se viu totalmente sem escudo.

Agora ela estava junto dos balcões de comida. O homem que lhe servira a pizza estava caído sobre o balcão, morto. Havia um espaço entre uma lata de lixo e a parede. Como não era uma menina magra, encheu a mente de pensamentos esguios e se apertou dentro do espaço. Não era um esconderijo muito bom, mas se saísse dali estaria bem na linha de fogo. Tinha visto duas pessoas tentando ir para o corredor de entrada, mas ambas foram abatidas por flechas de aço disparadas por balestras. Não tinha coragem de se mexer. Então, em vez disso, afundou o rosto entre as mãos. Ficou assim, chorando, ouvindo os sons terríveis à sua volta, até que se fez silêncio. Mesmo assim, manteve os olhos fechados até ouvir um homem dizer:

— Olá, olá.

Esme abriu os olhos e viu o líder dos ceifadores — o de azul — parado em sua frente.

— Por favor... — ela suplicou. — Por favor, não me colete.

O homem estendeu-lhe a mão.

— A coleta acabou — ele disse. — Não sobrou ninguém além de você. Agora, pegue minha mão.

Com medo de recusar, Esme estendeu o braço, segurou a mão dele e saiu de seu esconderijo.

— Estava procurando você, Esme — ele disse.

Esme levou um susto ao ouvir seu nome. Por que um ceifador a estaria procurando?

Os outros três ceifadores a rodearam. Nenhum deles apontou a arma para ela.

— Agora você vai vir conosco — o ceifador de azul disse.

— Mas... mas minha mãe.

— Sua mãe sabe. Concedi imunidade a ela.

— Jura?

— Sim, juro.

Então, a ceifadora de verde entregou um prato para Esme.

— Creio que esta seja sua pizza.

A menina pegou o prato. A pizza esfriara o bastante para ser comida.

— Obrigada.

—Venha com a gente — disse o ceifador de azul —, e prometo

que de agora em diante sua vida vai ser tudo o que você sempre sonhou.

E então Esme saiu com os quatro ceifadores, grata por estar viva e tentando não pensar nos muitos ao seu redor que não tiveram a mesma sorte. O dia definitivamente não correra como planejado — mas quem era ela para resistir ao que claramente parecia obra do destino?

Será que houve um tempo em que as pessoas não sofriam de tédio? Um tempo em que não era tão difícil se motivar? Quando vejo os arquivos de notícias da Era da Mortalidade, parece que as pessoas se sentiam mais motivadas para fazer o que faziam. Para elas, viver era inventar, criar o tempo e não simplesmente deixar o tempo passar.

E aquelas reportagens... como eram emocionantes! Repletas de todo tipo de crime. Seu vizinho podia ser um vendedor de substâncias químicas recreativas ilegais. Pessoas comuns tiravam vidas sem a permissão da sociedade. Indivíduos furiosos se apropriavam de veículos que não lhes pertenciam, causando perseguições perigosas em rodovias entre eles e agentes da lei.

Nós temos infratores hoje em dia, mas eles fazem pouco mais do que jogar lixo no chão ou trocar os produtos de lugar no mercado. Ninguém se enfurece mais com o sistema. No máximo, olham feio para ele.

Talvez seja por isso que a Nimbo-Cúmulo ainda permite certo grau de desigualdade econômica. Ela sem dúvida é capaz de distribuir as riquezas igualmente, mas isso só aumentaria a praga do tédio que aflige os imortais. Embora todos tenhamos o necessário, ainda podemos lutar por mais coisas que queremos. Claro, não é uma luta como a dos tempos mortais, quando a desigualdade era tanta que as pessoas roubavam umas às outras, chegando a tirar vidas para isso.

Longe de mim querer o retorno da criminalidade, mas me aborrece o fato de nós, ceifadores, sermos os únicos provedores de medo. Seria bom ter concorrentes.

Do diário de coleta da ceifadora Curie

10

Respostas proibidas

— Cara, eu juro, todo mundo só fala disso. A galera pensa que você vai virar ceifador para se vingar do pessoal da escola!

Em um dia ameno de março — uma das raras tardes em que o ceifador Faraday deu folga para Rowan —, ele foi visitar o amigo Tyger, que nos últimos três meses não havia se atirado de nenhum lugar. Estavam jogando basquete num parque a poucas quadras da casa de Rowan — que ele não tinha permissão de visitar. E mesmo se tivesse, talvez não se animasse com a ideia.

Rowan jogou a bola para Tyger.

— Não foi por *isso* que aceitei o treinamento.

— *Eu* sei e *você* sabe disso, mas as pessoas acreditam no que querem. — Ele sorriu. — De repente comecei a ganhar tudo quanto é jogo porque sou seu amigo. Eles acham que posso dar acesso ao seu anel. A imunidade abre todas as portas.

Pensar em Tyger dando uma de intercessor quase fez Rowan cair na gargalhada. Ele conseguia imaginar Tyger explorando isso ao máximo. Talvez até cobrando pelo serviço.

Rowan roubou a bola e fez um arremesso. Ele não costumava jogar antes de iniciar o treinamento com o ceifador, mas redescobrira o poder do próprio braço, e sua mira. Estava mais forte do que nunca e tinha uma energia inesgotável, tudo graças à prática de bokator.

— Então, quando ganhar o anel, você vai *me* dar imunidade, certo? — perguntou Tyger, errando um arremesso. Era óbvio que tinha sido intencional. Estava deixando Rowan vencer.

— Em primeiro lugar, não sei se vou ser o escolhido para ficar com o anel. Segundo, não posso te dar imunidade.

Tyger parecia sinceramente chocado.

— O quê?! Por que não?

— Não posso agir com favoritismo.

— Mas não é para isso que servem os amigos?

Alguns garotos vieram para a quadra e perguntaram se também podiam jogar, mas logo que viram o bracelete de Rowan, mudaram de ideia.

— Relaxa — disse o mais velho dos garotos. — A quadra é toda sua.

Isso foi irritante.

— Não, podemos jogar juntos…

— Não… vamos para outro lugar.

— Eu disse que podemos jogar juntos! — Rowan insistiu, viu o medo no olhar do garoto e sentiu vergonha por forçar.

— Sim, sim, claro — disse o garoto. Ele se virou para os amigos:
—Vocês ouviram o cara! Joguem!

Eles entraram na quadra compenetrados e, assim como Tyger, se esforçaram para perder. Agora ia ser sempre assim? Sua presença seria tão intimidadora que até mesmo seus amigos teriam medo de desafiá-lo? A única pessoa que ainda batia de frente com ele era Citra.

Rowan logo perdeu o interesse pelo jogo e saiu com Tyger, que achou tudo muito engraçado.

— Cara, você não é mais o alface, é a comigo-ninguém-pode. Virou a erva do mal!

Tyger estava certo. Se Rowan tivesse falado para os garotos ficarem de quatro e lamberem o chão, eles teriam obedecido. Era inebriante e terrível ao mesmo tempo, e ele não queria pensar sobre isso.

Rowan não soube o que deu nele para fazer o que fez em seguida. Frustração com seu isolamento, talvez — ou quem sabe só quisesse levar um pouco de sua vida antiga para a nova.

— Quer conhecer a casa do ceifador?

Tyger ficou um pouco desconfiado.

— Ele não vai se importar?

— Ele não está em casa — Rowan disse. — Está coletando em outra cidade hoje. Vai voltar tarde. — Ele sabia que o ceifador Faraday seria capaz de estourar sua cabeça se descobrisse que levara alguém para casa. Isso tornou aquela ideia ainda mais tentadora. Ele vinha sendo tão comportado, tão obediente... Já era hora de fazer alguma coisa do *seu* jeito.

Quando chegaram, a casa estava vazia. Citra, que também ganhara a tarde livre, tinha saído. Ele queria que Tyger a conhecesse, mas depois pensou: *E se eles se curtirem? E se Tyger a seduzir?* O amigo sempre tivera jeito com as garotas. Certa vez até tinha convencido uma menina a se jogar com ele e morrer só para poder dizer: "As garotas caem aos meus pés... literalmente".

—Vai ser como Romeu e Julieta — ele lhe dissera. — Só que vamos voltar à vida.

Desnecessário dizer que os pais da garota ficaram furiosos e, depois de revivida, ela foi proibida de se encontrar com Tyger.

Tyger nem se importou.

— O que posso dizer? A vida dela é uma história contada por idiotas. — O que Rowan pensou ser uma frase de Shakespeare muito mal citada.

A ideia de Citra caindo aos pés de Tyger — ainda que não literalmente — deixou Rowan meio enjoado.

— Isso é tudo? — Tyger perguntou enquanto observava o lugar. — É só uma casa.

— O que você esperava? Um covil secreto subterrâneo?

— Para ser sincero, sim. Algo do tipo. Sério, saca só esses móveis. Nem dá pra acreditar que ele obriga vocês a viver neste buraco.

— Não é tão ruim assim. Vem, vou te mostrar um lance da hora.

Ele levou Tyger para o gabinete de armas e, como esperado, o amigo achou realmente impressionante.

— Que incrível! Nunca vi tantas facas assim. E essas pistolas? Só vi em fotos! — Ele pegou uma da parede e olhou dentro do cano.

— Não faz isso!

— Calma aí! Sou da galera de se jogar, não de atirar.

Rowan tirou a arma dele mesmo assim e, enquanto a ajeitava de volta na parede, Tyger pegou uma machete e começou a brandi-la no ar.

— Acha que posso pegar emprestada?

— De jeito nenhum!

— Poxa! Ele tem tantas... Nem vai sentir falta!

Rowan sabia que Tyger era a encarnação da "má ideia". Essa sempre foi parte da graça de ser amigo dele. Mas, agora, essa era uma desvantagem enorme. Rowan agarrou o braço de Tyger, deu um chute atrás do joelho do garoto para fazer sua perna ceder e o jogou no chão — tudo num único golpe de bokator. Então, segurou o braço de Tyger em um ângulo forçado, puxando apenas o bastante para doer.

— O que é isso? — Tyger disse entre dentes.

— Solta a machete. Agora!

Tyger obedeceu e, na mesma hora, ouviram a porta da frente abrir. Rowan o soltou.

— Silêncio! — ele disse em um sussurro furioso.

Espiou pela porta, mas não conseguia ver quem tinha entrado.

— Fique aqui — ele disse a Tyger, saiu discretamente e deu com Citra fechando a porta da frente. Ela devia ter saído para correr, porque estava usando uma roupa de ginástica que revelava muito mais do que Rowan desejava no momento; ela drenou muito sangue do cérebro dele. Então, ele se concentrou em seu bracelete de aprendiz para lembrar que as respostas hormonais eram estritamente proibidas. Citra ergueu os olhos e fez um cumprimento automático.

— Oi, Rowan.

— Oi.

— Algum problema?

— Não.

— Por que está aí parado?

— Onde mais eu poderia estar?

Ela revirou os olhos, foi para o banheiro e fechou a porta. Rowan voltou sem fazer barulho para o gabinete de armas.

— Quem é? — Tyger perguntou. — É a... como é o nome dela? Quero conhecer sua concorrente. Vai que *ela* me dá imunidade. Ou alguma outra coisa.

— Não — Rowan disse. — É o ceifador Faraday, e ele vai coletar você na mesma hora se encontrá-lo aqui.

De repente, a arrogância de Tyger evaporou.

— Merda! O que a gente vai fazer?

— Calma. Ele está tomando banho. Se você ficar em silêncio, consigo tirar você daqui.

Eles saíram para o corredor. Dito e feito: o som de um chuveiro chiou atrás da porta fechada do banheiro.

— Ele está lavando o sangue?

— Sim. É sangue que não acaba mais. — Ele levou Tyger para a porta da frente e praticamente o empurrou para fora.

Após quase três meses de aprendizado, Citra não conseguia mais negar que queria ser escolhida pelo ceifador Faraday para receber o anel. Por mais que resistisse, por mais que dissesse a si mesma que aquela vida não era para ela, tinha passado a ver a importância do ofício e a perceber que seria uma boa ceifadora. Ela sempre quis levar uma vida significativa e fazer a diferença. Como ceifadora, isso seria possível. Sim, teria sangue em suas mãos, mas o sangue podia ser purificador.

Sem dúvida, era assim que a questão seria encarada do ponto de vista da arte marcial bokator.

Citra descobriu que bokator viúva-negra era a atividade mais exigente, em termos físicos, que já havia praticado. O treinador deles era o ceifador Yingxing, que, para coletar, não usava nenhuma arma além dos próprios pés e mãos. Ele tinha feito um voto de silêncio. Parecia que todos os ceifadores abriam mão de uma parte de si — não porque precisavam, mas porque queriam — como meio de pagar pelas vidas que levavam.

— Do que *você* abriria mão? — Rowan tinha perguntado para Citra certa vez. A pergunta a deixara incomodada.

— Se eu virar ceifadora, já estarei abrindo mão da minha vida, não? Acho que já é o bastante.

— Também vai abrir mão de uma família. — Rowan a lembrara.

Ela tinha concordado com um gesto, sem querer falar sobre o assunto. A ideia de ter uma família parecia tão distante, que a ideia de *não* ter parecia igualmente longe. Era difícil ter sentimentos em relação a algo tão remoto que ela sequer cogitava em considerar no momento. Além disso, essas coisas precisavam ficar longe de sua cabeça durante as sessões de bokator. A mente precisava estar vazia.

Citra nunca tinha praticado nenhum tipo de arte marcial. Sempre preferira esportes sem contato, como atletismo, natação, tênis…

qualquer um que tivesse uma faixa, raia ou rede entre ela e seu oponente. Bokator era o oposto; era combate corpo a corpo. Até a comunicação era apenas física durante a aula, já que o instrutor mudo corrigia as posições como se fossem bonecos. Era tudo mente e corpo, sem a frágil mediação das palavras.

Eram oito alunos na turma deles, e embora o instrutor fosse um ceifador, Citra e Rowan eram os únicos aprendizes. Os outros eram ceifadores jovens em seus primeiros anos de ceifa. Havia outra garota que não tentou em nenhum momento fazer amizade com Citra. As garotas não recebiam nenhum tratamento especial, e esperava-se delas o mesmo que se esperava dos garotos.

Nas sessões de bokator, o combate era árduo. Toda luta começava simples, com os dois combatentes girando de modo ritualístico, provocando um ao outro, numa espécie de dança agressiva. Então, as coisas ficavam brutais: acontecia todo tipo de chute e soco e golpe que estatelavam o adversário no chão.

Naquele dia, Citra lutou contra Rowan. Ele era mais hábil nos golpes, mas ela era mais rápida. Ele era mais forte, porém mais alto, o que não era uma vantagem. Citra tinha mais estabilidade com seu centro de gravidade corporal mais baixo. Considerando tudo isso, lutavam em condições de igualdade.

Ela girou, deu um chute forte no peito de Rowan e quase o derrubou.

— Boa — Rowan disse.

O ceifador Yingxing fingiu fechar a boca com um zíper, para lembrar a eles que era proibido falar durante o combate.

Citra investiu contra Rowan pela esquerda, e ele rebateu tão rápido que a garota não percebeu de onde tinha vindo a mão dele, como se, de repente, ele tivesse três mãos. Ela perdeu o equilíbrio, mas apenas por um instante. Sentiu o calor onde a mão de Rowan havia acertado seu torso. *Vai ficar roxo.* Ela sorriu. *Ele vai pagar por isso!*

Ela simulou um ataque pela esquerda de novo, depois investiu contra ele pela direita, com toda a força. Ele caiu e ela o prendeu no chão — mas a gravidade pareceu se inverter, e de repente ela percebeu que Rowan havia virado o jogo. Agora ele estava por cima e a imobilizava. Ela o poderia ter repelido novamente — sua posição lhe dava a vantagem para forçar uma alavanca —, mas não o fez. Sentia o pulsar do coração dele como se estivesse dentro de seu peito… e percebeu que queria sentir isso um pouco mais. Desejava mais do que vencer a luta.

Isso a deixou furiosa o bastante para desvencilhar-se e abrir um espaço entre os dois. Não havia faixa, raia ou rede; nada além da muralha de sua força de vontade, para mantê-los separados. Mas essa muralha estava perdendo tijolos.

O ceifador Yingxing sinalizou o fim da luta. Citra e Rowan fizeram uma reverência e assumiram seus lugares em lados opostos do círculo, e outros foram chamados para lutar. Citra observava a movimentação atentamente, decidida a não olhar nem de relance na direção de Rowan.

Não somos os mesmos seres que fomos no passado.

Considere nossa incapacidade de compreender a literatura e o entretenimento da Era da Mortalidade. O que emocionava os humanos mortais é incompreensível para nós. Apenas as histórias de amor atravessaram nossa barreira pós-mortal e, mesmo assim, ficamos atônitos diante da intensidade do desejo e da ameaça de perda que pairava sobre as histórias de amor daquela época.

Poderíamos pôr a culpa em nossos emonanitos, que limitam nosso desespero, mas o problema vai além disso. Os mortais fantasiavam que o amor era eterno, e sua perda, inimaginável. Agora sabemos que nada disso é verdade. O amor permaneceu mortal, enquanto nós nos tornamos eternos. Apenas os ceifadores são capazes de mudar isso, mas todos sabem que a chance de ser coletado neste ou no próximo milênio é quase nula.

Não somos os mesmos seres que fomos no passado.

Então, se não somos mais humanos, o que somos afinal?

Do diário de coleta da ceifadora Curie

11

Transgressões

Citra e Rowan nem sempre estavam juntos nas coletas. Às vezes, o ceifador Faraday levava apenas um deles. A pior coleta que Citra presenciou aconteceu no início de maio, apenas um mês antes do Conclave Primaveril — o primeiro dos três de que ela e Rowan participariam durante o período de treinamento.

A vítima era um homem que estava tentando ser uma pessoa melhor e havia restaurado a idade para vinte e quatro anos. Ele estava em casa jantando com a esposa e os dois filhos, que pareciam ter mais ou menos a idade de Citra. Quando o ceifador Faraday anunciou quem tinham vindo coletar, a família chorou e o homem se escondeu num quarto.

Faraday havia escolhido uma sangria tranquila para o homem, mas não foi o que acontecera. Quando Citra e o ceifador entraram no quarto, ele os atacou de surpresa. O homem estava em ótimas condições físicas e, com a arrogância do rejuvenescimento recente, renegou a coleta e lutou com o ceifador, quebrando seu queixo com um soco feroz. Citra foi em seu auxílio, arriscando alguns golpes de bokator, mas logo descobriu que uma arte marcial na prática era muito diferente de um treinamento. O homem a jogou para o lado e avançou contra Faraday, ainda cambaleante por causa do ferimento.

Citra investiu contra o homem novamente, agarrou-se a ele, desistindo por enquanto de qualquer coisa além de apertar seus olhos e puxar o cabelo. Isso o distraiu por tempo suficiente para que Faraday pegasse uma faca de caça escondida em seu manto e cortasse sua garganta. Ele começou a ofegar, levando as mãos ao pescoço em uma tentativa inútil de estancar o sangue.

E o ceifador Faraday, apertando a mão contra seu queixo inchado, dirigiu-se a ele — não com maldade, mas com grande tristeza:

— Você entende as consequências do que acabou de fazer?

O homem não conseguiu responder. Caiu no chão, tremendo, sem ar. Citra pensou que a morte com um corte assim seria instantânea, mas pelo visto não era. Ela nunca tinha visto tanto sangue.

— Fique aqui — o ceifador lhe disse. — Olhe para ele com carinho e seja a última coisa que ele verá.

Então saiu do quarto. Citra sabia o que ele iria fazer. A lei era muito clara em relação às consequências de fugir ou resistir à coleta. Ela não podia fechar os olhos, porque recebeu instruções para não fazer isso, mas se houvesse um jeito, queria poder tapar os ouvidos, pois sabia os sons que ouviria em seguida, vindos da sala.

Começou com súplicas da mulher, implorando pela vida dos filhos, que choravam em desespero.

— Não implore! — Citra ouviu o ceifador dizer, ríspido. — Mostre mais coragem aos seus filhos do que seu marido.

Citra fitou os olhos do moribundo até que finalmente a vida se apagou. Então ela foi ao encontro do ceifador Faraday, preparando-se para o que estava por vir.

Os dois filhos estavam no sofá; seus choros se transformaram em gemidos lacrimosos. A mulher estava de joelhos sussurrando algo para eles, consolando-os.

— Já terminou? — o ceifador perguntou, impaciente.

Por fim, a mulher se levantou. Seus olhos estavam cheios de lágrimas, mas não pareciam mais suplicantes.

— Faça o que é preciso fazer — ela disse.

— Que bom — disse o ceifador. — Parabéns por sua coragem. Quero que saiba que seu marido não resistiu à coleta. — Então, ele tocou o rosto inchado. — No entanto, minha aprendiz e eu tivemos uma briga, que resultou nestes ferimentos.

A mulher apenas o encarou, ligeiramente boquiaberta. Citra também estava surpresa. O ceifador se voltou para Citra e fixou os olhos nela.

— Minha aprendiz será severamente disciplinada por lutar contra mim. — Então, voltou-se para a mulher. — Por favor, se ajoelhe.

A mulher caiu de joelhos, quase desabando.

O ceifador Faraday estendeu o anel para ela.

— Como é de costume, você e seus filhos terão imunidade de coleta por um ano a partir de hoje. Por favor, beijem meu anel.

A mulher beijou, beijou e tornou a beijar.

O ceifador falou pouco depois que saíram. Pegaram um ônibus porque, sempre que possível, ele evitava carros públicos. Considerava-os uma extravagância.

Quando desceram do ônibus, Citra se atreveu a perguntar:

—Vou ser disciplinada por quebrar seu queixo? — Citra sabia que o ferimento estaria cicatrizado até de manhã, mas os nanitos de cicatrização não eram instantâneos. O ceifador ainda estava com uma cara péssima.

— Não ouse falar sobre isso com ninguém — ele disse, severo. —Você não vai nem mesmo escrever sobre isso em seu diário, está claro? A transgressão de um homem nunca deve se tornar pública.

— Sim, excelência.

Ela queria lhe dizer o quanto o admirava pelo que havia feito. Escolher a compaixão em vez do dever. Havia uma lição a ser aprendida em todas as coletas, e a de hoje tinha sido inesquecível. O caráter sagrado da lei... e o bom senso de saber quando ela deve ser quebrada.

Por mais que tentasse ser uma aprendiz exemplar, Citra também era passível de cometer transgressões. Uma de suas tarefas era levar um copo de leite morno para o ceifador Faraday na hora em que ele ia dormir.

— Assim como na minha infância, o leite morno abranda as asperezas do dia — o ceifador lhe dissera. — No entanto, dispensei o biscoito que costumava acompanhá-lo.

Para Citra, pensar em um ceifador tomando leite com biscoito antes de dormir beirava o absurdo. Mas ela imaginava que mesmo um agente da morte devia ter seus prazeres secretos.

Muitas vezes, porém, depois de uma coleta difícil, Faraday pegava no sono antes que ela entrasse no quarto na hora marcada para levar o leite. Nesses casos, ela mesma o bebia ou o dava a Rowan, pois o ceifador Faraday tinha deixado claro que não deveria haver desperdício em sua casa.

Na noite da terrível coleta, Citra se demorou um pouco mais no quarto dele.

— Ceifador Faraday — ela disse quase em um sussurro. Depois repetiu, sem resposta. Notou pela respiração que ele já estava dormindo.

Havia um objeto em sua mesa de cabeceira. Na verdade, estava lá todas as noites.

O anel.

Ele refletia a luz oblíqua que vinha do corredor. Mesmo na penumbra do quarto, ele brilhava.

Citra tomou todo o leite e deixou o copo vazio na mesa de cabeceira para que, de manhã, o ceifador visse que ela o havia trazido e que o leite não fora desperdiçado. Depois, se ajoelhou ali, encarando o anel. Ficou curiosa para saber por que Faraday nunca dormia com ele, mas sentiu que perguntar seria uma espécie de intromissão.

Quando recebesse o dela — se recebesse —, continuaria com aquela aura de mistério que tinha ou se tornaria banal? Será que deixaria de dar valor ao anel?

Ela estendeu a mão e logo a recolheu. Então estendeu mais uma vez e tocou o anel devagar. Girou-o entre os dedos para que refletisse a luz. A pedra era grande, mais ou menos do tamanho de uma avelã. Diziam que era um diamante, mas seu núcleo escuro a tornava diferente de um anel de diamante comum. Havia algo no centro daquela pedra que ninguém sabia o que era. Ela não tinha nem certeza se os próprios ceifadores sabiam. O núcleo não era exatamente preto — era de um tom escuro que variava conforme a luz, como os olhos de algumas pessoas.

Então, lançou um olhar para o ceifador e viu que seus olhos estavam abertos e a observavam.

Ela ficou paralisada, sabendo que tinha sido pega, sabendo que de nada adiantaria devolver o anel à mesinha.

— Quer experimentar? — o ceifador Faraday perguntou.

— Não — ela disse. — Desculpa. Não devia ter tocado nele.

— Não devia, mas tocou.

Ela se perguntou se ele estava acordado o tempo todo.

—Vá em frente — ele disse. — Experimente. Faço questão.

Citra ficou desconfiada, mas obedeceu porque, apesar do que havia dito, queria sim experimentar.

Era quente em seu dedo. Feito do tamanho ideal para Faraday, ficava grande demais nela. E era mais pesado do que imaginava.

— O senhor não tem medo de que ele seja roubado? — ela perguntou.

— Não muito. Quem é tolo o bastante para roubar o anel de um ceifador logo é removido do mundo e deixa de ser um problema.

Dava para perceber que o anel estava esfriando.

— Mas é um objeto que desperta cobiça, não acha? — o ceifador disse.

De repente, Citra percebeu que o anel não estava apenas frio, estava gelado. Em questão de segundos, o metal tinha ficado branco de tanto gelo. O frio causou uma dor tão intensa em seu dedo que ela gritou, arrancou o anel e o jogou no chão.

Não apenas o anelar ficou gravemente queimado pelo frio, mas todos os dedos que o haviam tocado para removê-lo. Ela conteve um soluço. Sentia agora o calor correndo pelo corpo conforme os nanitos de cicatrização liberavam morfina. Ficou zonza, mas se esforçou para continuar alerta.

— Uma medida de segurança que eu mesmo instalei — o ceifador disse. — Um microchip de refrigeração na argola. Deixe-me ver. — Ele acendeu a luz da mesa de cabeceira, pegou a mão dela e examinou seu anelar. A carne na articulação estava sem cor, congelada. — Na Era da Mortalidade, você poderia ter perdido o dedo, mas acredito que seus nanitos já estejam reparando o dano. — Ele soltou a mão da garota. — Você vai estar bem de manhã. Quem sabe, da próxima vez, pense antes de tocar em coisas que não são suas. — Ele pegou o anel, o pôs de volta na mesa de cabeceira e entregou o copo vazio para ela. — De agora em diante, Rowan vai me trazer o leite — ele disse.

Citra se encolheu.

— Sinto muito por ter desapontado o senhor, excelência. Você está certo: não sou digna de trazer seu leite.

Ele ergueu uma sobrancelha.

—Você entendeu errado. Não é uma punição. A curiosidade é

uma característica humana; apenas permiti que ela se manifestasse. Devo admitir que demorou bastante — acrescentou ele, abrindo um pequeno sorriso cúmplice. — Agora, vamos ver quanto tempo Rowan vai levar para tentar segurar o anel.

Às vezes, quando o peso de minha tarefa se torna esmagador, começo a lamentar tudo aquilo que se perdeu quando vencemos a morte. Penso sobre religião e que, depois que nos tornamos nossos próprios salvadores, nossos próprios deuses, a maioria das crenças... tudo passou a ser irrelevante. Como seria acreditar em algo maior que nós mesmos? Aceitar a imperfeição e erguer os olhos para contemplar tudo o que nunca poderíamos ser. Devia ser reconfortante. Devia ser assustador. Devia afastar as pessoas das coisas mundanas, mas também justificar todo tipo de crueldade. Sempre me pergunto se o fulgurante benefício da fé compensava a negra escuridão em que as pessoas podiam cair se abusassem dela.

Claro, existem as seitas tonais que se vestem com trajes de juta e veneram vibrações sônicas, mas, assim como tantas coisas de nosso mundo, elas tentam imitar o passado. Seus rituais não são para serem levados a sério. Existem apenas para dar sentido e profundidade à passagem do tempo.

Recentemente, fiquei apreensiva com uma seita tonal na minha vizinhança. Fui ao local de encontro deles outro dia. Estava lá para coletar um de seus membros — um homem que ainda nunca havia se restaurado. Eles estavam entoando o que chamavam de "frequência ressonante do universo". Um deles me disse que o som vive e que se harmonizar com ele traz paz interior. Será que, quando olham para o grande diapasão que constitui o símbolo de sua fé, realmente acreditam que se trata de um símbolo de poder ou estão apenas participando de uma piada coletiva?

Do diário de coleta da ceifadora Curie

12

Não há lugar para a mediocridade

— A Ceifa é o único órgão autônomo do mundo — disse o ceifador Faraday. — O resto está sob o controle da Nimbo-Cúmulo. É por isso que fazemos conclaves três vezes ao ano para resolver disputas, rever as regras e lamentar as vidas que tiramos.

Faltava menos de uma semana para o Conclave Primaveril, que aconteceria na primeira semana de maio. Rowan e Citra tinham estudado o bastante sobre a estrutura da Ceifa para saber que todas as vinte e cinco regiões do mundo realizavam conclaves no mesmo dia e que no momento havia trezentos e vinte e um ceifadores na região deles, que abrangia o centro do continente norte-americano.

— O Conclave Midmericano é importante — o ceifador Faraday lhes disse — porque costumamos definir a tendência para a maior parte do mundo. Existe até uma expressão que diz: "Diga-me como vai a MidMérica que te direi como vai o planeta". Os grandes ceifadores do Conclave Global sempre estão de olho em nós.

O ceifador Faraday explicou que os dois seriam testados em cada conclave.

— Não sei qual é a natureza desse primeiro teste, por isso vocês devem estar o mais preparados possível em todos os aspectos do treinamento.

Rowan percebeu que tinha milhões de dúvidas sobre o conclave, mas ficou em silêncio. Deixou que Citra fizesse as perguntas — principalmente porque o ceifador Faraday ficava irritado com perguntas e nunca as respondia.

—Vocês vão descobrir tudo que precisam saber quando chegarem lá — o ceifador dizia. — Por enquanto, concentrem toda a sua atenção no treinamento.

Rowan nunca tinha sido um aluno excepcional, mas isso era de propósito. Ser bom demais ou ruim demais chamava atenção. Por mais que odiasse ser o alface, era a sua zona de conforto.

— Se você se dedicar, não tenho dúvida de que consegue ser o melhor da turma — seu professor de ciência lhe dissera depois de ele ter tirado a nota mais alta numa prova do ano anterior. Ele tinha feito isso só para ver se era capaz. Agora que sabia, não via muita necessidade de continuar se esforçando. Havia muitos motivos, um dos quais, e não menos importante, era sua ignorância em relação aos ceifadores na época. Ele tinha feito que ser um aluno exemplar faria dele um alvo. Diziam que um amigo de um amigo foi coletado aos onze anos porque era o garoto mais inteligente do quinto ano. Não passava de uma lenda urbana, mas Rowan acreditava nela o suficiente para não querer se destacar. Ele se perguntava se outras crianças também tentavam não chamar atenção por medo de serem coletadas.

Rowan não estava acostumado a estudar tanto. Achava exaustivo, e as matérias não eram apenas química de venenos, história pós--mortal e a escrita no diário. Estudavam também metalurgia aplicada às armas, filosofia da mortalidade, psicologia da imortalidade e literatura da Ceifa, cujo campo se estendia da poesia à sabedoria encontrada nos diários de ceifadores famosos. E, claro, as estatísticas que o ceifador Faraday tanto usava.

Não havia lugar para a mediocridade, muito menos tão perto do conclave.

Rowan fez uma única pergunta sobre o conclave.

—Vamos ser desclassificados se não passarmos no teste?

Faraday levou um momento para responder.

— Não — ele respondeu —, mas *há* uma consequência. — Mas não contou qual seria. Rowan concluiu que não saber dava mais medo do que saber.

Alguns dias antes do conclave, ele e Citra ficaram acordados até tarde estudando no gabinete de armas. Rowan estava quase pegando no sono, mas despertou subitamente quando Citra fechou um livro com força.

— Odeio isso! — ela afirmou. — Cerberina, acônito, cônio, polônio... os venenos estão todos se misturando na minha cabeça.

— Isso com certeza faria a pessoa morrer mais rápido — Rowan ironizou.

Ela cruzou os braços.

— *Você* sabe os venenos de cor?

— A gente só tem que conhecer quarenta até o conclave — ele lembrou.

— E você sabe quarenta?

—Vou saber até lá — ele respondeu.

— Qual é a fórmula molecular da tetrodoxina?

Ele queria ignorá-la, mas percebeu que não conseguia fugir do desafio. Talvez ela estivesse passando um pouco da sua natureza competitiva para ele.

— $C_{11}H_{17}N_3O_6$.

— Errado! — ela disse, apontando-lhe o dedo. — É O_8, não O_6. Você foi reprovado!

Ela estava tentando irritá-lo para não ser a única irritada ali. Ele não entraria na dela.

— Acho que sim — ele disse, e tentou voltar aos estudos.

—Você não está nem um pouco preocupado?

Ele respirou fundo e fechou o livro. Quando Faraday começou a ensiná-los, Rowan achou muito incômodo usar livros impressos, à moda antiga, mas, com o tempo, descobriu que havia certa satisfação em virar as páginas e — como Citra já havia percebido — na catarse emocional de fechar um livro com força.

— É claro que estou preocupado, mas eu penso o seguinte: nós sabemos que não vão nos desclassificar, sabemos que não podemos ser coletados e vamos ter mais duas chances para compensar qualquer besteira até escolherem um de nós. Qualquer que seja a consequência na primeira rodada de testes se algum de nós for reprovado, vamos saber como lidar com isso.

Citra se curvou na cadeira.

— Eu nunca sou reprovada — ela disse, mas não soava muito confiante. Vendo sua expressão amuada, Rowan teve vontade de sorrir, mas não o fez porque sabia que Citra ficaria furiosa. Ele até gostava de vê-la furiosa, mas os dois tinham trabalho de sobra para perder tempo com instabilidades emocionais.

Rowan guardou o livro de toxicologia e pegou o tomo sobre identificação de armas. Eles deviam ser capazes de identificar trinta armas diferentes, saber empunhá-las e conhecer sua história detalhada. Rowan estava mais preocupado com essa questão do que com a dos venenos. Ele lançou um olhar para Citra, e ao notar que ela percebeu, procurou não olhar mais para ela.

Porém, do nada, Citra disse:

— Eu sentiria sua falta.

Ele se virou para ela e a garota desviou o olhar.

— Como assim?

— Quero dizer que, se a desclassificação estivesse prevista no regulamento, eu sentiria falta de ter você por perto.

Ele pensou em estender o braço para segurar sua mão, que repousava tranquilamente sobre a mesa. Mas a mesa era muito grande, e a mão dela estava tão longe que o gesto não deixaria de ser tremendamente constrangedor. E, mesmo se estivessem perto, seria loucura fazer isso.

— Mas não está prevista — ele disse. — O que significa que, aconteça o que acontecer, você vai ter que me aguentar por mais oito meses.

Ela sorriu.

— Sim. Com certeza vou me cansar de você até lá.

Foi a primeira vez que ocorreu a Rowan que talvez ela não o odiasse tanto quanto ele pensava.

O sistema de cotas funciona há mais de duzentos anos e, embora varie de região para região, deixa bem claro qual é a responsabilidade de cada ceifador. Obviamente tudo se baseia em médias — podemos passar dias ou semanas sem coletar, mas devemos atingir a cota até o conclave seguinte. Há aqueles que coletam sua cota logo e ficam sem nada o que fazer às vésperas do conclave. Há aqueles que adiam e acabam tendo de apressar-se perto do final. Ambas as estratégias resultam em desleixo e parcialidade involuntária.

Sempre me pergunto se a cota vai mudar algum dia e, se isso acontecer, quanto mudará. O crescimento populacional continua extraordinário, mas é equilibrado pela capacidade da Nimbo-Cúmulo de sustentar uma população crescente. Recursos renováveis, residências subterrâneas, ilhas artificiais, e tudo sem destruir o meio ambiente ou causar uma sensação de superlotação. Dominamos este planeta, mas o protegemos de uma forma com que nossos ancestrais mal podiam sonhar.

Porém todas as coisas têm limitações. Ainda que a Nimbo-Cúmulo não interfira na Ceifa, ela indica o número de ceifadores que deve existir no mundo. Atualmente, são cerca de cinco milhões de pessoas coletadas por ano — uma fração minúscula da taxa de mortes na Era da Mortalidade, e bem longe do necessário para contrabalançar o crescimento populacional. Tremo só de pensar em quantas coletas e quantos ceifadores seriam necessários se tivéssemos de controlar totalmente o crescimento populacional.

Do diário de coleta da ceifadora Curie

13

Conclave Primaveril

A Cidade Fulcral era uma metrópole pós-mortal em pleno centro da MidMérica. Ali, perto de um rio, em meio aos topos de arranha-céus da encantadora vida urbana, ficava uma venerável estrutura de pedra, impressionante se não pela altura, pela solidez. Colunas e arcos de mármore sustentavam um grande domo de cobre. Era uma construção robusta em homenagem às antigas Grécia e Roma, os berços da civilização. A construção era chamada de Capitólio, uma vez que, antigamente, esse era o nome da capital do Estado, na época em que ainda havia Estados. Agora, tinha a honra de abrigar os escritórios administrativos da Ceifa Midmericana, além de sediar seu conclave três vezes por ano.

Chovia torrencialmente no dia do Conclave Primaveril.

Citra raramente se incomodava com a chuva, mas o tempo fechado num dia de pura tensão não estava fazendo bem. Mas, pensando melhor, se fizesse sol, ela sentiria como se estivessem zombando dela. Citra concluiu que não havia tempo bom para ser apresentada a uma elegia assustadora de ceifadores.

A Cidade Fulcral ficava a apenas uma hora de viagem de hipertrem, mas, obviamente, o ceifador Faraday achava os hipertrens uma extravagância desnecessária.

— Além disso, prefiro observar a paisagem do que um túnel subterrâneo sem janelas. Sou um ser humano, não uma toupeira.

Um trem comum levava seis horas, e Citra não gostou nem um pouco da paisagem ao longo do caminho, embora tivesse passado a maior parte do trajeto estudando.

A Cidade Fulcral ficava à beira do rio Mississippi. Ela lembrou que, antigamente, havia um gigantesco arco prateado na margem do rio. Tinha sido destruído na Era da Mortalidade por algo chamado "terrorismo". Se não estivesse tão concentrada em seus venenos e armas, ela teria tentado aprender mais sobre a cidade.

Eles chegaram na noite anterior ao conclave e se hospedaram em um hotel no centro da cidade. A manhã da reunião chegou rápido demais.

Quando Citra, Rowan e o ceifador Faraday saíram do hotel no péssimo horário das seis e meia da manhã, as pessoas nas ruas correram para lhes oferecer guarda-chuvas, preferindo se molhar a ver um ceifador e seus aprendizes encharcados.

— Eles sabem que o senhor escolheu dois aprendizes em vez de um? — Citra perguntou.

— É claro que sabem — Rowan disse. — Por que não saberiam?

Mas o silêncio do ceifador Faraday sobre o assunto foi um sinal de alerta para Citra.

— O senhor pediu permissão do Alto Punhal, não pediu, ceifador Faraday?

— Depois de um tempo em meu cargo, percebi que, com a Ceifa, é melhor pedir perdão do que permissão — ele respondeu.

Citra lançou um olhar para Rowan que significava "Eu te avisei", e ele inclinou um pouco o guarda-chuva para não encarar a garota de volta.

— Não será um problema — Faraday disse, embora não parecesse tão convencido.

Citra olhou novamente para Rowan, que não estava mais escondido pelo guarda-chuva.

— Será que sou a única aqui preocupada com isso?

Rowan deu de ombros.

— Temos imunidade irrevogável até o Conclave Invernal. Todo mundo sabe disso. Que outro grande mal eles podem nos fazer?

Alguns ceifadores chegaram ao Capitólio a pé assim como eles; outros vieram em carros públicos; outros, em carros particulares, e muitos de limusine. Havia cordas cercando as escadarias de mármore do prédio para conter os espectadores, além de agentes da paz e membros da Guarda da Lâmina — a força de segurança de elite da Ceifa. Os ceifadores que chegavam eram protegidos do público admirador, ainda que o público não tivesse proteção contra eles.

— Detesto "desfilar" — o ceifador Faraday disse, referindo-se a subir as escadas para o conclave. — É ainda pior quando não está chovendo. Ficam dezenas e dezenas de pessoas em cada lado.

Não havia dezenas e dezenas de pessoas no momento. Nunca passou pela cabeça de Citra que a população teria interesse em ver os ceifadores chegando para o conclave, mas, enfim, todos os eventos com celebridades atraíam curiosos, então por que uma reunião de ceifadores não atrairia?

Alguns dos ceifadores que chegavam acenavam, outros brincavam com o público, beijando bebês e concedendo imunidades aleatoriamente. Citra e Rowan seguiram o exemplo de Faraday, que ignorava a multidão por completo.

Havia dezenas de outros ceifadores no pátio de entrada. Eles tiraram os casacos impermeáveis, revelando mantos de todas as cores e texturas. Era um arco-íris que evocava tudo, menos a ideia da morte. Aquilo, Citra percebeu, era intencional. Os ceifadores queriam ser vistos como as muitas manifestações da luz, não das trevas.

Atrás de um arco suntuoso ficava uma câmara ainda mais luxuosa sob o domo central — uma rotunda onde centenas de ceifadores se cumprimentavam, conversando descontraidamente em volta de uma mesa com um café da manhã caprichado no centro. Citra se perguntou sobre o que conversavam. As ferramentas de coleta? O clima? O incômodo provocado pelos mantos? Estar na presença de um único ceifador já era muito assustador. Ver-se cercada por centenas deles podia fazer qualquer um desmaiar.

Faraday se aproximou de seus aprendizes e sussurrou:

— Estão vendo ali? — ele apontou para um homem careca com uma barba farta. — É o ceifador Arquimedes, um dos mais antigos ceifadores vivos. Ele vai dizer que viveu o Ano do Condor, quando a Ceifa foi criada, mas é mentira. Ele não é *tão* velho assim. E ali… — Ele apontou para uma mulher de cabelo prateado longo com um manto cor de lavanda. — Aquela é a ceifadora Curie.

Citra conteve uma exclamação.

— A Grande Dama da Morte?

— É como a chamam.

— É verdade que ela coletou o último presidente, antes da Nimbo-Cúmulo assumir o controle? — Citra perguntou.

— Sim. E todo o gabinete dele. — Citra pensou que Faraday observava a ceifadora com uma certa melancolia. — As ações dela foram bem polêmicas na época.

A mulher notou que os três estavam olhando em sua direção e se virou para eles. Citra se arrepiou quando aqueles olhos cinza e penetrantes se voltaram para ela. Então a mulher sorriu para os três, fez-lhes um aceno de cabeça e retomou sua conversa.

Havia um grupo de quatro ou cinco ceifadores mais perto da entrada do salão da assembleia, cujas portas ainda estavam fechadas.

Eles vestiam mantos brilhantes cravejados de pedras preciosas. A figura central do grupo era um ceifador de manto azul royal cravejado de diamantes. Ele disse alguma coisa, e os outros riram com tanto entusiasmo que só podiam estar bajulando.

— Quem é aquele? — Citra perguntou.

A expressão do ceifador Faraday ficou séria.

— Aquele — ele disse, sem tentar disfarçar sua repulsa — é o ceifador Goddard. Acho melhor manter distância dele.

— Goddard... Não é o mestre das coletas em massa? — Rowan perguntou.

Faraday olhou para ele com certa preocupação.

— Onde você ouviu isso?

Rowan deu de ombros.

— Tenho um amigo que é obcecado por esse tipo de coisa, e ele costuma se interessar por conversas desse tipo.

Citra começou a ficar ofegante, lembrando que já tinha ouvido falar de Goddard, se não pelo nome, pelas ações. Ou, mais precisamente, pelos boatos, porque nunca havia nenhum relato oficial. Mas, como Rowan disse, as pessoas se interessavam por fofocas desse tipo.

— Foi ele que coletou um avião inteiro?

— Por quê? — Faraday perguntou, dirigindo a Citra um olhar frio e acusador. — Isso a impressiona?

— Não, muito pelo contrário — Citra respondeu. Mas ela não conseguia deixar de se deslumbrar com os reflexos da pedraria no manto do homem. Todos se sentiam assim; talvez essa fosse a intenção.

E, no entanto, o manto dele não era o mais pomposo do recinto. Um ceifador com um manto dourado avançava por entre a multidão. O homem era tão grande que a vestimenta parecia uma tenda de ouro.

— Quem é o gordão? — Citra perguntou.

— Ele parece importante — Rowan disse.

— E é — o ceifador Faraday disse. — O ceifador que vocês estão chamando de "gordão" é o Alto Punhal. O homem mais poderoso da Ceifa da MidMérica. É ele quem preside os conclaves.

O Alto Punhal atraía a multidão como um enorme planeta, encurvando o espaço à sua volta. Ele poderia ter ativado seus nanitos para eliminar pelo menos parte de sua circunferência, mas estava claro que optara por não fazer isso. Sua escolha era uma atitude audaciosa e seu tamanho fazia dele uma figura imponente. Quando viu Faraday, pediu licença aos seus interlocutores e caminhou até o ceifador e seus aprendizes.

— Honorável Ceifador Faraday, sempre um prazer ver você — disse ele apertando as mãos de Faraday, no que pretendia ser um cumprimento caloroso, mas parecia forçado e artificial.

— Citra, Rowan, gostaria de lhes apresentar ao Alto Punhal Xenócrates — Faraday disse, depois voltou-se para o homem corpulento. — Estes são meus novos aprendizes.

Ele levou um momento para avaliá-los.

— Uma aprendizagem dupla — ele disse, jovialmente. — Acredito que seja a primeira vez. A maioria dos ceifadores já tem problemas apenas com um. O melhor dos dois receberá minha bênção para o anel. E o outro — continuou o Alto Punhal — ficará profundamente decepcionado, tenho certeza. — E saiu para cumprimentar outros ceifadores, que acabavam de sair da chuva.

—Viu? — Rowan disse. — E você estava toda preocupada!

Para Citra, porém, nada naquele homem soava sincero.

Rowan estava nervoso *sim*, só não queria admitir. Ele sabia que admitir deixaria Citra mais preocupada, o que, por sua vez, o deixaria mais preocupado. Então guardou seus medos e apreensões para si e ficou de olhos e ouvidos bem abertos, prestando atenção em tudo o que acontecia à sua volta. Havia outros aprendizes por ali. Ele ouviu dois comentando que aquele era o "grande dia". Um garoto e uma garota — ambos mais velhos do que ele, talvez com uns dezoito ou dezenove anos, receberiam seus anéis naquele dia e se tornariam ceifadores. A garota lamentava que eles teriam de receber a aprovação do comitê de seleção para suas coletas nos primeiros quatro anos.

— Em cada uma delas! — ela reclamou. — Como se fôssemos bebês.

— Pelo menos o treinamento não dura quatro anos — Rowan interveio, para ter um pretexto para entrar na conversa. Os dois o encararam com certa repulsa. — Quero dizer, uma faculdade dura quatro anos, não é? — Rowan sabia que só estava piorando as coisas, mas já havia se intrometido. — Pelo menos não demora tanto tempo para conseguir uma licença para coletar.

— Quem é você? — perguntou a garota.

— Ignore esse moleque, ele não passa de um *espato*.

— Um o quê? — Rowan já havia sido chamado de muitas coisas, mas nunca disso.

Os dois sorriram maldosamente.

— Você não sabe de absolutamente nada, não é mesmo? — perguntou a garota. — "Espato" vem de "espátula". Chamam os aprendizes novos assim porque vocês não servem para nada além de virar os hambúrgueres do seu ceifador.

Rowan riu, o que só serviu para deixá-los ainda mais irritados.

Então, Citra se aproximou deles.

— Então, se somos espátulas, o que vocês são? Tesouras sem ponta? Ou apenas marionetes?

O garoto parecia prestes a dar um soco na cara de Citra.

— Quem é o seu mentor? — ele lhe perguntou. — Ele vai ser informado dessa falta de respeito.

— Já estou informado — disse Faraday, pondo a mão no ombro de Citra. — E você não é digno do respeito de ninguém até receber o anel.

O garoto pareceu encolher uns oito centímetros.

— Honorável Ceifador Faraday! Sinto muito, eu não sabia — disse a garota, dando um passo para trás para se distanciar dele.

— Muito boa sorte hoje — ele disse com um gesto magnânimo que eles não mereciam.

— Obrigada — disse a garota. — Mas, se me permite dizer, a sorte não influi em nada. Nós dois fomos treinados por bastante tempo e muito bem instruídos por nossos ceifadores.

— Com certeza — Faraday disse. Eles se despediram com acenos respeitosos, quase reverências, e saíram.

Depois que foram embora, Faraday se virou para Rowan e Citra.

— A garota vai receber o anel hoje — ele disse. — O garoto vai ser rejeitado.

— Como o senhor sabe? — Rowan perguntou.

— Tenho amigos no comitê de concessão de joias. O garoto é inteligente, mas se irrita facilmente. É um defeito que não pode ser tolerado.

Por mais irritante que o garoto fosse, Rowan não pôde deixar de sentir uma ponta de compaixão.

— O que acontece com os aprendizes rejeitados?

— Eles voltam para retomar a vida do ponto em que a deixaram.

— Mas a vida nunca será a mesma depois de um ano treinando para virar ceifador — Rowan comentou.

— Verdade — disse Faraday —, mas uma compreensão profunda sobre o que é necessário para ser um ceifador só pode trazer coisas boas.

Rowan assentiu, mas pensou que, para um homem de tanta sabedoria, aquilo soava muito ingênuo. O treinamento deixava cicatrizes. Claro que havia um propósito nelas, mas não deixavam de ser cicatrizes.

A rotunda estava ficando cada vez mais cheia de ceifadores, e as paredes de mármore, o piso e o domo faziam as vozes ecoar numa cacofonia. Rowan tentou ouvir outras conversas, mas elas se perdiam em meio à algazarra geral. Faraday lhes dissera que as grandes portas de bronze da sala da assembleia se abririam pontualmente às sete da manhã e que os ceifadores seriam dispensados às sete da noite. Doze horas para resolver todos os assuntos. Tudo o que não fosse resolvido teria de esperar quatro meses até o conclave seguinte.

— Antigamente, o conclave durava três dias — o ceifador Faraday disse quando as portas se abriram para receber a multidão. — Mas notou-se que, depois do primeiro dia, não restava muita coisa além de atritos e jogos de cena. Ainda há muito disso, mas reduziu. Temos de cumprir a agenda rapidamente.

O salão era um enorme semicírculo com uma tribuna de madeira na frente, onde ficava o Alto Punhal e cadeiras um pouco mais baixas enfileiradas em cada um dos lados, destinadas ao escrivão do conclave, encarregado dos registros, e ao parlamentar, que interpretava as leis e os procedimentos, caso surgissem dúvidas. Como o ceifador Faraday lhes falara extensamente sobre a estrutura de poder da Ceifa, Rowan estava inteirado de tudo.

Depois que todos sentaram, passaram ao Carrilhão dos Nomes. Um a um, sem ordem preestabelecida, os ceifadores iam até a frente para recitar o nome das pessoas que haviam coletado nos últimos quatro meses.

— Não temos como citar todos — o ceifador Faraday disse. — Com mais de trezentos ceifadores, seriam mais de vinte e seis mil nomes. Devemos escolher dez. Aqueles que morreram mais bravamente, aqueles cujas vidas foram mais notáveis.

Depois de cada nome, ouvia-se um sino de ferro solene e retumbante. Rowan ficou contente ao ouvir o ceifador Faraday recitar o nome de Kohl Whitlock.

Logo Citra se cansou do Carrilhão dos Nomes. Mesmo reduzida a dez nomes por ceifador, a recitação durou quase duas horas. Era nobre da parte dos ceifadores achar necessário homenagear os coletados, mas, se dispunham de apenas doze horas para contemplar três meses de trabalho, ela não entendia o porquê disso.

Como não havia pauta por escrito, ela e Rowan não tinham como saber o que aconteceria em seguida, e o ceifador Faraday só explicava as coisas à medida que aconteciam.

— Quando é o nosso teste? Vamos ser levados para outro lugar? — Citra perguntou, mas Faraday respondeu com um "shhh".

Depois do Carrilhão dos Nomes, fez-se uma lavagem cerimonial das mãos. Todos os ceifadores se levantaram e formaram uma fila na frente de duas bacias, uma de cada lado da tribuna. Citra também não entendeu o porquê disso.

— Todo esse ritual… parece tirado da seita tonal — ela disse quando Faraday voltou ao seu lugar, com as mãos ainda molhadas.

Faraday se aproximou e sussurrou:

— Não deixe nenhum dos outros ceifadores ouvir isso.

— O senhor se sente limpo depois de enfiar as mãos na água em que uma centena de outras mãos também mergulharam?

Faraday suspirou.

— A cerimônia traz consolo. Une a nossa comunidade. Não menospreze nossas tradições porque um dia elas podem vir a ser suas.

— Ou não — provocou Rowan.

Incomodada e inquieta, Citra resmungou:

— Pra mim parece perda de tempo.

Faraday devia saber que o que a incomodava de verdade era não saber quando seriam apresentados ao conclave e levados para o teste. Citra não suportava ficar no escuro por muito tempo. Talvez por isso Faraday fizesse questão de deixá-la sem saber de nada. Ele estava o tempo todo cutucando seus pontos fracos.

Depois, chamou-se a atenção de alguns ceifadores por terem se mostrado parciais em suas coletas. Isso despertou o interesse de Citra e lhe deu uma noção de como as coisas funcionavam nos bastidores.

Uma ceifadora havia coletado pouquíssimas pessoas ricas. Ela foi repreendida e recebeu ordens de coletar apenas milionários até o próximo conclave.

Outro ceifador foi julgado por questões de índice racial. Alta em hispânica, baixa em áfrico.

— É a população da região onde moro — ele argumentou. — As pessoas têm uma porcentagem maior de hispânico em seus índices pessoais.

O Alto Punhal Xenócrates não se deixou convencer.

— Então aumente a sua rede — ele disse. — Colete em outro lugar.

Ele foi encarregado de realinhar seus índices ou enfrentar uma punição — que consistia em ter suas coletas futuras pré-aprovadas pelo comitê de seleção. Perder a liberdade para coletar era uma humilhação que nenhum ceifador desejava.

Dezesseis ceifadores receberam ordens de coleta específicas. Dez foram advertidos, seis punidos. A situação mais peculiar foi a de um ceifador cuja beleza lhe trazia problemas. Ele foi repreendido por coletar muitas pessoas feias.

— Que ideia! — um dos outros ceifadores gritou. — Imagine como seria o mundo se coletássemos só pessoas feias!

Isso provocou gargalhadas no salão.

O ceifador tentou se defender, citando o velho ditado: "A beleza está nos olhos de quem vê", mas o Alto Punhal não se convenceu. Pelo visto, era a terceira vez que ele cometia essa transgressão, por isso foi posto em regime de vigilância permanente. Poderia viver como ceifador, mas sem poder coletar:

— Até o próximo ano reptiliano — anunciou o Alto Punhal.

— Que loucura! — Citra comentou em voz baixa para que apenas Rowan e Faraday ouvissem. — Ninguém sabe como os próximos anos vão se chamar, a qual espécie vão se referir... Tipo, o último ano reptiliano foi o Ano da Lagartixa, e isso foi antes de eu nascer.

— Exatamente! — disse Faraday, sentindo-se meio culpado por rir. — Isso significa que a punição dele pode acabar ano que vem ou nunca. Agora ele vai passar o tempo todo tentando convencer o escritório da Calendária a batizar um ano de monstro-de-gila ou outro réptil que ainda não foi usado.

Antes de encerrarem a parte disciplinar, havia mais um ceifador a ser interpelado. Mas não por uma questão de parcialidade.

— Tenho diante de mim um bilhete anônimo — disse o Alto Punhal — que acusa o Honorável Ceifador Goddard de transgressão.

Murmúrios se espalharam pelo salão. Citra viu o ceifador Goddard sussurrar para seu círculo íntimo de companheiros, depois levantar-se.

— De que tipo de transgressão estou sendo acusado?

— Crueldade desnecessária em suas coletas.

— E, no entanto, a acusação é anônima! — disse Goddard. — Não consigo acreditar que um ceifador seja capaz de tamanha covardia. Exijo que o acusador se identifique.

Mais murmúrios pelo salão. Ninguém se levantou; ninguém assumiu a responsabilidade.

— Muito bem, então — disse Goddard. — Me recuso a responder a um acusador invisível.

Citra pensou que o Alto Punhal Xenócrates insistiria na questão — afinal, a acusação de um ceifador deveria ser levada a sério —, mas ele deixou o papel de lado e disse:

— Bom, se não há nada além disso, vamos ao nosso intervalo matinal.

E os ceifadores, os grandes portadores da morte na Terra, começaram a sair em fila para comer rosquinhas e tomar café.

Quando já estavam na rotunda, Faraday sussurrou para Citra e Rowan:

— Não havia acusador anônimo coisa nenhuma. Tenho certeza de que o ceifador Goddard acusou a si mesmo.

— Por que ele faria isso? — Citra perguntou.

— Para desencorajar seus inimigos. É o truque mais antigo do mundo. Agora vão supor que qualquer pessoa que o acuse seja o acusador anônimo covarde. Ninguém mais vai atacá-lo.

Rowan percebeu que estava menos interessado na encenação e nas disputas dentro do salão de assembleia do que no que acontecia fora de lá. Ele já começava a entender o que era a Ceifa e como realmente funcionava. As negociações mais importantes não aconteciam atrás das portas de bronze, mas na rotunda e nas alcovas do prédio — que eram muitas, talvez exatamente para esse fim.

As conversas do início da manhã não foram muito além do banal. Mas, agora, com o passar do tempo, Rowan observou vários ceifadores formando panelinhas e alianças durante o intervalo, fazendo acordos paralelos, promovendo interesses secretos.

Ele ouviu um grupo planejar propor a proibição de detonadores remotos como método de coleta — não por uma questão ética, mas porque o lobby de armas tinha feito uma doação generosa a determinado ceifador. Outro grupo estava tentando preparar um dos ceifadores mais jovens para um cargo no comitê de seleção, assim ele influenciaria as escolhas de coleta quando julgassem necessário.

Jogos de poder podiam ser coisa do passado em outros âmbitos, mas ainda estavam muito vivos na Ceifa.

Faraday não se juntou a nenhum dos conspiradores. O mentor continuou solitário e acima da política banal, como talvez metade dos ceifadores.

— Nós conhecemos os planos dos conspiradores — ele disse a Rowan e Citra enquanto comia uma rosquinha recheada de geleia. — Eles só conseguem o que querem quando nós desejamos que consigam.

Rowan ficou observando o ceifador Goddard. Muitos ceifadores o abordaram para conversar. Outros falavam mal dele em voz baixa. Seu grupo de jovens ceifadores era um conjunto multicultural, no sentido ultrapassado da palavra. Ainda que ninguém mais tivesse uma etnogenética pura, os membros do círculo do ceifador exibiam traços que tendiam a uma ou a outra etnia. A garota de verde parecia ligeiramente panasiática, o homem de amarelo tinha tendências áfricas, o de laranja era o mais caucasoide possível, e o próprio Goddard tendia levemente ao hispânico. Não havia dúvidas de que ele queria muita visibilidade — até mesmo seu gesto magnânimo de equilíbrio étnico tinha algo de ostensivo.

Embora Goddard não tivesse se voltado nem uma vez para encará-lo, Rowan teve a impressão de que o ceifador sabia que ele o observava.

Durante o resto da manhã, propostas foram debatidas acaloradamente no salão de assembleia. Como o ceifador Faraday havia dito, os conspiradores só prevaleciam quando o grupo ético da Ceifa permitia. A proibição dos detonadores remotos foi aprovada — não por causa do lobby de armas, mas porque foi decretado que explodir pessoas era brutal, cruel e indigno da Ceifa. E o jovem ceifador apresentado para integrar o comitê de seleção foi rejeitado porque ninguém do comitê deveria ser uma marionete de terceiros.

— Eu bem que gostaria de estar em um comitê da Ceifa no futuro — Rowan disse com um tom pomposo.

Citra lhe lançou um olhar surpreso e desconfiado.

— Por que você está falando igual a Faraday?

Rowan deu de ombros.

— Quando em Roma, faça como os romanos.

— Não estamos em Roma — a garota respondeu. — Se estivéssemos, o conclave seria realizado num lugar muito mais legal.

Os restaurantes locais disputavam a oportunidade de fornecer alimentos para o conclave, então o almoço na rotunda foi um bufê ainda mais suntuoso do que o café da manhã — e Faraday encheu o prato, uma atitude rara.

— Não pensem mal dele — a ceifadora Curie falou a Rowan e Citra, num tom suave e cortante ao mesmo tempo. — Para aqueles de nós que levam os votos de austeridade a sério, o conclave é o único momento em que nos permitimos o luxo de comer e beber bem. Isso nos lembra que somos humanos.

Citra, que não conseguia pensar em outra coisa, aproveitou a oportunidade para tentar conseguir informações.

— Quando os aprendizes serão testados? — ela perguntou.

A ceifadora Curie sorriu e jogou o cabelo prateado e sedoso para trás.

— Os que pretendem receber o anel hoje foram testados ontem à noite. Quanto aos demais, serão testados em breve — ela disse. A frustração de Citra fez Rowan rir baixo, e a garota logo lhe lançou um olhar irritado.

— Cale a boca e encha o bucho — ela disse. Rowan obedeceu de bom grado.

Por mais concentrada que estivesse no teste que faria em breve, Citra se perguntava o que perderia do conclave quando fosse levada para a prova. Assim como Rowan, ela achou o conclave uma oportunidade única de aprender. Pouquíssimas pessoas além dos ceifadores e seus aprendizes testemunhavam aquilo. E as demais nem tinham uma ideia mínima do que se passava no encontro. Era o caso, por exemplo, da fila de vendedores que se formara depois do almoço — cada um dos quais tinha apenas dez minutos para expor as vantagens de uma determinada arma ou veneno que tentavam vender para a Ceifa e, mais importante, para o Mestre de Armas, que tinha a decisão final sobre o que a Ceifa comprava. Eles pareciam figuras horrendas de hologramas comerciais: "Ela corta e fatia! Mas não é só isso! Tem mais!".

Um vendedor estava promovendo um veneno digital, capaz de transformar os nanitos de cura da corrente sanguínea em seres minúsculos e famintos que devoravam a vítima de dentro para fora em menos de um minuto. Ele chegou realmente a usar a palavra "vítima", provocando a repulsa imediata dos ceifadores. Com isso, ele ouviu um não categórico do Mestre de Armas.

A pessoa que mais vendeu oferecia um produto chamado "Toque de Tranquilidade", nome que não remetia a um sistema de execução. A vendedora exibiu um pequeno comprimido que deveria ser tomado pelo ceifador, e não pelo indivíduo a ser coletado.

— Tome com água e, em segundos, seus dedos vão expelir um

veneno transdérmico. Qualquer pessoa que você tocar durante a hora seguinte será coletada de maneira instantânea e indolor.

O Mestre de Armas ficou tão impressionado que subiu ao palco para tomar uma dose; em seguida, em uma demonstração definitiva, coletou a vendedora. Ela vendeu cinquenta frascos do produto para a Ceifa — postumamente.

O resto da tarde foi tomado por mais debates, discussões e votação de projetos. O ceifador Faraday só achou conveniente emitir sua opinião uma vez — quando se tratou de formar um comitê de imunidade.

— Parece claro para mim que a concessão de imunidades deveria ser supervisionada, da mesma forma que as coletas.

Rowan e Citra ficaram contentes ao ver que a opinião de seu mestre teve um peso grande. Vários ceifadores que inicialmente votaram contra a formação de um comitê de imunidade mudaram seus votos. No entanto, antes que a contagem final fosse feita, o Alto Punhal Xenócrates anunciou que o tempo para questões legislativas havia se esgotado.

— O assunto será o primeiro da pauta do próximo conclave — ele anunciou.

Vários ceifadores aplaudiram, mas alguns se ergueram e repudiaram o arquivamento da questão. O ceifador Faraday não expressou seu desagrado, apenas respirou fundo.

— Interessante... — Foi tudo o que disse.

Isso tudo poderia ter tido um forte efeito sobre Rowan e Citra, caso o Alto Punhal não tivesse anunciado logo em seguida que a próxima questão a ser discutida eram os aprendizes.

Ansiosa, Citra quis segurar a mão de Rowan e apertá-la até ela perder a cor, mas se conteve.

Rowan, por outro lado, seguiu o exemplo de seu mentor. Respirou fundo e tentou controlar a inquietação. Ele tinha estudado tudo o que pôde e aprendera todo o possível. Ele faria seu melhor. Se fosse reprovado naquele dia, haveria muitas chances de se redimir até o final do treinamento.

— Boa sorte — Rowan disse para Citra.

— Para você também — ela retribuiu. — Vamos deixar o ceifador Faraday orgulhoso!

Rowan sorriu e pensou que Faraday poderia sorrir para Citra também, mas não foi o que aconteceu. Ele manteve o olhar fixo em Xenócrates.

Primeiro, os aprendizes foram chamados. Quatro deles já haviam terminado completamente seu treinamento. Como tinham feito o teste final na noite anterior, só precisavam ser ordenados. Ou não, dependendo do caso. O boato era que havia uma quinta pessoa reprovada no teste final. Ela sequer tinha sido chamada para o conclave.

Três anéis foram trazidos sobre almofadas de veludo vermelho. Os quatro se entreolharam, descobrindo que, mesmo tendo passado no teste final, um deles não seria ordenado e sofreria a vergonha de ter que voltar para casa.

Faraday virou-se para o ceifador ao seu lado e disse:

— Apenas um ceifador se coletou desde o último conclave, mas três novos serão ordenados hoje... A população cresceu tão drasticamente em três meses para precisarmos de dois ceifadores a mais?

Os três aprendizes escolhidos foram chamados um a um pelo ceifador Mandela, que presidia o comitê de concessão de joias. À medida que cada um se ajoelhava à sua frente, Mandela dizia algo sobre eles e, em seguida, lhes entregava o anel. Os formandos os punham no dedo e os erguiam para mostrar ao conclave, que respondia com os aplausos esperados pela tradição. Em seguida, anunciavam seu patrono histórico, o sábio da história de quem tomariam o nome. O conclave aplaudiu cada anúncio, acolhendo os ceifadores Goodall, Schrödinger e Colbert na Ceifa Midmericana.

Quando os três saíram do palco, o garoto de temperamento explosivo ficou, como Faraday comentara de manhã. Ele continuou parado ali depois que os aplausos cessaram. Então, o ceifador Mandela disse:

— Ransom Paladini, decidimos não ordená-lo como ceifador. Aonde quer que o destino o leve, desejamos-lhe o melhor. Você está dispensado.

Ele continuou parado por mais um tempo, como se achasse que aquilo podia ser uma piada — ou talvez um último teste. Então, mordeu o lábio, enrubesceu e atravessou o corredor central rapidamente e em silêncio, empurrando as portas pesadas de bronze, cujas dobradiças gemeram à sua saída.

— Que horrível — Citra disse. — Pelo menos podiam aplaudir por ter tentado.

— Não há louvor para os indignos — Faraday disse.

— Um de nós vai sair dessa forma — Rowan comentou. O garoto havia decidido que, se fosse ele, desceria o corredor devagar, faria contato visual e cumprimentaria o máximo de ceifadores possível. Se fosse dispensado, deixaria o último conclave com dignidade.

— Agora os demais aprendizes podem se apresentar — disse Xenócrates. Rowan e Citra levantaram, prontos para enfrentar o que quer que a Ceifa lhes tivesse preparado.

Acredito que as pessoas ainda temem a morte, mas apenas um centésimo do que temiam antigamente. Digo isso porque, com base nas cotas, a chance de uma pessoa ser coletada dentro dos próximos cem anos é de apenas um por cento. Ou seja, a chance de uma criança nascida agora ser coletada entre hoje e seu aniversário de cinco mil anos é de apenas cinquenta por cento.

Claro, como não contamos mais os anos de vida com algarismos, com a exceção de crianças e adolescentes, ninguém mais sabe a idade de ninguém — às vezes, nem a própria idade. Hoje em dia, as pessoas sabem mais ou menos quantas décadas têm de vida. Enquanto escrevo, posso dizer que tenho algo entre cento e sessenta e cento e oitenta anos, embora não goste de aparentar minha idade. Como todo mundo, me recupero de tempos em tempos e restauro minha aparência consideravelmente — mas, como muitos ceifadores, não a restauro para menos de quarenta anos. Apenas ceifadores realmente jovens gostam de parecer jovens.

Até agora, o ser humano mais velho que ainda vive tem por volta de trezentos anos, mas apenas porque ainda não faz muito tempo que a Era da Mortalidade acabou. Eu me pergunto como será a vida daqui a um milênio, quando a idade média será em torno de mil anos. Seremos como crianças renascentistas, habilidosas em todas as artes e ciências porque tivemos tempo demais para as dominar? Ou será que o tédio e a rotina escravizadora nos atormentarão ainda mais do que hoje, nos oferecendo menos motivos para prolongar nossas vidas indefinidamente? Sonho com a primeira alternativa, mas receio a segunda.

Do diário de coleta da ceifadora Curie

14

Uma pequena condição

A caminho do corredor, Rowan pisou no pé de Citra. Ela resmungou, mas não fez nenhuma brincadeirinha.

Afinal, a garota estava ocupada demais repassando nomes de venenos e armas em sua cabeça. O fato de Rowan ser atrapalhado era a última de suas preocupações.

Ela pensou que seriam levados para uma sala em outro lugar do prédio — um lugar silencioso para a prova —, mas os aprendizes que já tinham assistido a outros conclaves estavam passando pelo corredor em direção ao espaço aberto diante da tribuna. Eles formaram uma fila sem nenhuma ordem em particular, de frente para o conclave, como um corpo de balé, então Citra se postou ao lado de Rowan.

— O que é isso? — ela sussurrou.

— Não faço ideia — ele respondeu.

Eram oito no total. Alguns exibiam uma expressão dura, controlando as emoções, outros se esforçavam para não parecer aterrorizados. Citra não sabia direito que imagem estava projetando, e ficou irritada com Rowan, que se mostrava tranquilo como se estivesse esperando um ônibus.

— A Honorável Ceifadora Curie será a examinadora de hoje — Xenócrates anunciou.

Um silêncio caiu sobre o salão quando a ceifadora Curie, a

Grande Dama da Morte, veio à frente. Ela passou duas vezes pela fileira de aprendizes, avaliando-os. Depois disse:

— A cada um de vocês se fará uma pergunta. Vocês terão uma só chance de dar uma resposta aceitável.

Uma pergunta? Que tipo de prova poderia se limitar a uma pergunta? Como poderiam testar o conhecimento de alguém dessa forma? O coração de Citra batia tão rápido que ela pensou que fosse explodir dentro do peito. No dia seguinte, acordaria num centro de revivificação e seria motivo de piada.

A ceifadora Curie começou pela ponta esquerda da fila — o que significava que Citra seria a quarta a ser avaliada.

— Jacory Zimmerman — a ceifadora chamou o garoto desengonçado. — Uma mulher se joga na frente de sua lâmina em sacrifício para impedir que você colete o filho dela e morre. O que você faz?

O garoto hesitou apenas por um instante e respondeu:

— Ao resistir à coleta, ela violou o terceiro mandamento. Portanto, sou obrigado a coletar os demais membros de sua família.

A ceifadora Curie ficou em silêncio por um momento e depois disse:

— Não é uma resposta aceitável!

— Mas… mas… — balbuciou Jacory. — Ela resistiu! A regra diz…

— A regra diz que isso deve acontecer se a pessoa resistir à *própria* coleta. Se a escolhida fosse ela, sem dúvida o terceiro mandamento deveria ser aplicado. Mas quando não há certeza sobre a regra, deve-se sempre dar preferência à compaixão. Nesse caso, você deve coletar o filho e providenciar que ela seja mandada para um centro de revivificação, concedendo um ano de imunidade a ela e ao restante da família. — Então, fez um gesto indicando a assembleia. — Desça. Seu mentor vai escolher sua punição.

Citra engoliu em seco. A punição não deveria ser apenas a terrível consciência do erro? Que tipos de punição os ceifadores inventariam para os discípulos desonrados?

A ceifadora Curie se voltou para uma garota de aspecto robusto, maçãs do rosto pronunciadas e expressão que parecia capaz de resistir a um furacão.

— Claudette Catalino — disse a ceifadora Curie —, você cometeu um erro em seu veneno...

— Isso nunca aconteceria — Claudette disse.

— Não me interrompa.

— Mas a sua premissa é falha, Honorável Ceifadora Curie. Conheço muito bem todos os venenos, jamais cometeria um erro desses. Nunca.

— Bom — disse Curie, com evidente ironia —, seu ceifador mentor deve sentir orgulho por ter a primeira pupila perfeita na história da humanidade.

Isso provocou risos no salão.

— Certo — continuou a ceifadora Curie. — Digamos que alguém irritado com sua arrogância sabotou seu veneno. O indivíduo, um homem que não ofereceu resistência, começa a sofrer convulsões, e tudo indica que o fim dele será lento e provavelmente com muito mais dor do que seus nanitos são capazes de suprimir. O que você faz?

Sem hesitar, Claudette respondeu:

— Saco a pistola que sempre trago comigo para emergências e dou fim ao sofrimento com uma única bala certeira. Mas, primeiro, pediria que todos os membros da família deixassem o ambiente, para poupá-los do trauma de testemunhar uma coleta feita com um disparo.

A ceifadora ergueu as sobrancelhas, considerando a resposta, e disse:

— Aceitável. E foi um belo toque pensar na família, ainda que hipotética — acrescentou, abrindo um sorriso. — Fico desapontada por você não conseguir provar que é imperfeita.

Ao lado dela havia um garoto que fitava um ponto qualquer na parede ao fundo, evidentemente tentando se acalmar.

— Noah Zbarsky — disse Curie.

— Sim, excelência — ele disse com a voz trêmula. Citra se perguntou que tipo de reação Curie poderia ter diante daquilo. Que tipo de pergunta ela faria a um garoto tão visivelmente aterrorizado?

— Cite cinco espécies animais que geram neurotoxinas poderosas o bastante para serem efetivas em um dardo envenenado.

O garoto, que prendia a respiração, expirou aliviado.

— Bom, *Phyllobates aurotaenia*, é claro, mais conhecida como rã-dardo-venenoso — ele disse. — O polvo-de-anéis-azuis, o caracol-cone-de-mármore, a cobra taipan do interior e… hum… o escorpião-amarelo-da-palestina.

— Excelente — disse a ceifadora Curie. — Consegue citar mais alguma?

— Sim — Noah disse —, mas a senhora disse que cada um de nós responderia apenas uma pergunta.

— E se eu dissesse que mudei de ideia e que quero saber seis espécies em vez de cinco?

Noah respirou fundo, mas não prendeu o ar.

— Nesse caso, diria da maneira mais respeitosa possível que a senhora não está honrando a sua palavra e que os ceifadores têm esse dever.

A ceifadora Curie sorriu.

— Resposta aceitável! Muito bem!

E então ela chegou a Citra.

— Citra Terranova.

Ela já havia notado que a ceifadora sabia o nome de todos, mas mesmo assim foi um choque ouvi-la dizer o seu.

— Sim, Honorável Ceifadora Curie.

A mulher se aproximou, encarando Citra nos olhos.

— Qual é a pior coisa que você já fez?

Citra estava preparada para praticamente qualquer pergunta. Qualquer pergunta menos essa.

— Como assim?

— É uma pergunta simples, minha cara. Qual é a pior coisa que você já fez?

Citra cerrou os dentes. Sua boca ficou seca. Ela sabia a resposta. Nem precisava pensar para responder.

— Pode me dar um momento?

— Fique à vontade.

Então, um ceifador qualquer, no meio do público, interrompeu:

— Ela fez tantas coisas horríveis que não consegue escolher uma só?

Risos por toda parte. Naquele momento, ela odiou todos eles.

Citra manteve contato visual com a ceifadora Curie, com aqueles olhos cinza que tudo viam. Ela sabia que não havia como fugir da pergunta.

— Quando eu tinha oito anos — começou —, fiz uma menina tropeçar na escada. Ela quebrou o pescoço e teve de passar três dias em um centro de revivificação. Nunca contei para ela que fui eu. Essa foi a pior coisa que eu já fiz.

A ceifadora Curie assentiu, abriu um sorriso solidário e então disse:

—Você está mentindo, querida — afirmou ela voltando-se para a multidão e balançando a cabeça com certa tristeza. — Resposta inaceitável. — Então, voltou-se para Citra. — Desça — ela disse. — O ceifador Faraday vai escolher sua punição.

Ela não discutiu, não insistiu que estava dizendo a verdade. Porque não estava. Não fazia ideia de como a ceifadora Curie sabia disso.

Citra retornou ao seu lugar, sem conseguir olhar para o ceifador Faraday, e ele não disse nada.

Então, a ceifadora Curie passou para Rowan, cuja presunção era tão grande que tudo o que Citra queria era lhe dar um soco na cara.

— Rowan Damisch — a ceifadora Curie chamou. — De que você mais tem medo? O que você teme acima de tudo?

Rowan não hesitou em responder. Deu de ombros e disse:

— Não tenho medo de nada.

Citra não sabia se tinha ouvido direito. Ele disse que não tinha medo de nada? Estava maluco?

— Talvez seja melhor esperar um pouco para responder — a ceifadora Curie insistiu, mas Rowan fez que não.

— Não preciso de mais tempo. Essa é a minha resposta. Não vai mudar.

Silêncio absoluto no salão. Citra se pegou balançando a cabeça sem querer. Então percebeu que ele estava fazendo isso por ela. Para que ela não tivesse de sofrer sozinha a punição que a aguardava. Para ela não sentir que tinha ficado para trás. Embora ainda quisesse bater nele, agora era por um motivo completamente diferente.

— Então, hoje temos uma aprendiz perfeita e um absolutamente destemido — disse a ceifadora Curie e em seguida soltou um suspiro. — Como receio que ninguém seja inteiramente destemido, sua resposta, com certeza você deve saber, é inaceitável.

Ela esperou, talvez pensando que Rowan pudesse mudar a resposta, mas ele não disse nada. Apenas esperou que a ceifadora dissesse:

— Desça. O ceifador Faraday vai escolher sua punição.

Rowan voltou a seu lugar ao lado de Citra, mostrando-se o mais indiferente possível.

—Você é um idiota! — ela sussurrou.

Ele deu de ombros como tinha feito para a ceifadora Curie.

— Acho que sim.

— Acha que não sei por que você fez isso?

—Talvez eu tenha feito para parecer melhor no próximo conclave. Se eu tivesse dado uma resposta boa demais hoje, talvez minha próxima pergunta fosse mais difícil.

Mas Citra sabia que era uma lógica ruim. Rowan não pensava dessa forma. Então o ceifador Faraday falou, com a voz baixa e comedida, mas transmitindo uma intensidade arrepiante:

—Você não deveria ter feito isso.

—Vou aceitar qualquer punição que o senhor considerar adequada — Rowan disse.

— O problema não é a punição — ele retrucou.

A essa altura, a ceifadora Curie já havia avaliado mais alguns aprendizes. Um foi mandado para o seu lugar, dois outros ficaram.

—Talvez a ceifadora Curie veja o que fiz como algo nobre — Rowan sugeriu.

— Sim, e todos os outros vão ver também — Faraday disse. — As motivações podem ser facilmente transformadas em armas.

— O que prova que você é um idiota — Citra disse para Rowan. Mas ele apenas sorriu com cara de idiota.

Ela pensou que tinha tido a última palavra sobre o assunto, que ficaria por isso mesmo até chegarem em casa. Lá, sem dúvida, o ceifador Faraday infligiria alguma punição incômoda, mas justa, de acordo com o delito. Mas Citra estava errada.

Depois que terminaram de traumatizar os aprendizes, os ceifadores começaram a ficar cansados. Perto das sete horas da noite, ouvia-se um murmúrio constante enquanto discutiam os planos para o jantar. Poucos se interessavam pelos tópicos restantes, como manutenção predial e se os ceifadores deviam anunciar previamente suas restaurações para não chocarem a todos quando aparecessem trinta anos mais jovens no conclave seguinte.

Quando a sessão estava chegando ao fim, uma ceifadora se levantou e se dirigiu a Xenócrates. Era a mulher de manto verde cravejado de esmeraldas que pertencia ao bando do ceifador Goddard.

— Com licença, excelência — ela começou, embora claramente estivesse se dirigindo a toda a assembleia, e não apenas ao Alto Punhal. — Estou me sentindo um tanto apreensiva com esses aprendizes novos. Mais especificamente, com os aprendizes admitidos pelo Honorável Ceifador Faraday.

Citra e Rowan ergueram os olhos. Faraday não. Ele parecia imóvel, com o olhar baixo, quase em meditação. Ou talvez estivesse se preparando para o que estava por vir.

— Até onde sei, nunca nenhum ceifador admitiu dois aprendizes e os fez competir pelo anel — ela continuou.

Xenócrates olhou para o parlamentar, que deliberava sobre esses assuntos.

— Não há nenhuma lei contra isso, ceifadora Rand — disse o parlamentar.

— Sim — a ceifadora Rand continuou —, mas está claro que a competição se transformou em camaradagem. Como vamos saber qual é de fato o melhor candidato se continuarem a se ajudar?

— Sua queixa está devidamente anotada — disse Xenócrates, mas a ceifadora Rand não havia terminado.

— Proponho que, para garantir que essa competição seja *realmente* efetiva, acrescentemos uma pequena condição.

O ceifador Faraday se levantou em um salto.

— Protesto! — ele gritou. — Este conclave não pode estipular a forma como treino meus aprendizes! Tenho direito exclusivo de lhes ensinar, treinar e disciplinar!

Rand ergueu as mãos em um gesto de magnanimidade irônica.

— Apenas busco tornar sua decisão final justa e honesta.

—Você acha que pode iludir esse conclave com suas futilidades e sua vaidade? Não somos vis a ponto de nos deixar encantar por coisas reluzentes.

— Qual é a sua proposta, ceifadora Rand? — Xenócrates perguntou.

— Protesto! — gritou Faraday.

—Você não pode protestar o que ela ainda não disse!

Faraday se conteve e esperou.

Citra observava, sentindo-se quase distante, como se aquilo fosse uma partida de tênis prestes a ser decidida. Mas ela não era uma espectadora, era? Ela era a bola. E Rowan também.

— Proponho que — disse a ceifadora Rand, com a astúcia de um escorpião-amarelo —, após a confirmação do vencedor, seu primeiro ato seja coletar quem perder.

Exclamações e murmúrios soaram por todo o salão. E — Citra mal podia acreditar — alguns risos e concordâncias também. Ela torcia para que a mulher de verde não estivesse falando sério. Para que aquilo fosse mais uma parte do teste.

Faraday estava tão fora de si que a princípio não disse nada. Ele mal conseguia encontrar as palavras para protestar. Finalmente, sua fúria explodiu como uma força da natureza, uma onda martelando a costa.

— Isso é um insulto contra tudo o que somos. Tudo o que fazemos! Estamos no ramo da coleta, mas você, o ceifador Goddard e todos os seus discípulos querem transformar isso num esporte sangrento!

— Bobagem — Rand disse. — Faz todo o sentido. A ameaça da coleta vai garantir que o melhor candidato seja o vencedor.

Para o horror de Citra, em vez de desconsiderar a ideia como uma coisa ridícula, Xenócrates virou para o parlamentar e perguntou:

— Há alguma regra contra isso?

O parlamentar refletiu e disse:

— Como não há precedentes sobre treinamento duplo, não há leis que determinem como tratar essa questão. A proposta está dentro de nossas diretrizes.

— Diretrizes?! — gritou o ceifador Faraday. — Diretrizes?! A *moralidade* da Ceifa deveria ser nossa diretriz! Chegar a considerar isso é uma coisa bárbara!

— Ah, faça-me o favor! — disse Xenócrates com um gesto exagerado com a mão. — Poupe-nos de todo o melodrama, Faraday. Afinal, essa é a consequência de sua decisão de admitir dois aprendizes quando um teria bastado.

Então, o relógio começou a badalar sete horas.

— Exijo um amplo debate e a votação da proposta! — o ceifador Faraday pleiteou, mas três badaladas já haviam soado, e Xenócrates o ignorou.

— Como é minha prerrogativa como Alto Punhal, determino que, no caso de Rowan Damisch e Citra Terranova, quem quer que seja o vencedor, colete o outro assim que receber o anel.

Então, ele bateu o martelo contra a tribuna violentamente, finalizando o conclave e selando o destino dos jovens.

Há momentos em que anseio por uma relação com a Nimbo-Cúmulo. Imagino que todos sempre queremos alguma coisa que não podemos ter. Outras pessoas podem pedir conselhos à Nimbo-Cúmulo, pedir que ela resolva conflitos. Há quem a utilize como confidente, pois ela é conhecida como uma ouvinte bondosa e imparcial, que não admite fofocas. A Nimbo-Cúmulo é a melhor ouvinte do mundo.

Mas não para os ceifadores. Para nós, a Nimbo-Cúmulo é eternamente silenciosa.

Temos total acesso a seu tesouro de conhecimentos, claro. A Ceifa utiliza a Nimbo-Cúmulo para diversas tarefas, porém, ela não passa de uma base de dados para nós. Uma ferramenta e nada além disso. Como entidade — como uma mente —, a Nimbo-Cúmulo não existe para os ceifadores.

E, no entanto, existe e nós a conhecemos.

O distanciamento da consciência coletiva do conhecimento é apenas mais uma das coisas que distingue os ceifadores dos demais seres humanos.

A Nimbo-Cúmulo deve ver. Deve saber das disputas mesquinhas da Ceifa e da corrupção frequente, por mais que tenha prometido não interferir. Será que ela despreza os ceifadores, mas tolera porque precisa deles? Ou simplesmente prefere não pensar em nós? E o que é pior? Ser desprezado ou ser ignorado?

Do diário de coleta da ceifadora Curie

15

A distância entre eles

A noite estava sombria e a chuva escorria pelas janelas do trem, distorcendo as luzes lá fora. Rowan sabia que estavam cruzando o interior no momento, mas a escuridão parecia mais o vácuo de um espaço vazio.

— Não vou fazer isso — Citra disse finalmente, quebrando o silêncio que pairava entre eles desde que saíram do conclave. — Eles não podem me obrigar.

Como Faraday não disse nada — nem sequer lançou um olhar para ela —, Rowan se encarregou de responder.

— Sim, podem.

Finalmente, Faraday olhou para eles.

— Rowan está certo — ele disse. — Eles vão encontrar um botão para fazê-la dançar, e você vai ter que dançar, por mais abominável que seja a melodia.

Citra chutou a poltrona vazia à sua frente.

— Como podem ser tão horríveis? E por que nos odeiam tanto?

— Não são todos — Rowan disse. — E não acho que a questão seja eu e você... — Sem dúvida, Faraday era um ceifador respeitado; e, embora não tivesse atacado Goddard hoje, estava claro o que pensava sobre aquele homem. Goddard devia considerar Faraday uma ameaça; atacar Rowan e Citra era uma advertência.

— E se *nós dois* formos reprovados? — Citra sugeriu. — Se formos péssimos aprendizes, não vão poder escolher nenhum de nós.

— Mesmo assim, vão escolher — Faraday disse num tom de autoridade que não deixava espaço para dúvida. — Por pior que seja o desempenho de vocês, ainda assim vão escolher um dos dois, nem que seja pelo espetáculo. — Então fechou a cara, enojado. — E para abrir um precedente.

— Aposto que Goddard tem amigos o bastante para garantir que isso aconteça — disse Rowan. — Acho que o Alto Punhal está do lado dele também.

— Com certeza — Faraday disse com suspiro de exaustão. — Nunca houve tantas maquinações e armadilhas na Ceifa.

Rowan fechou os olhos, desejando poder fechar a mente também e se esconder de seus pensamentos. *Daqui a oito meses, Citra vai me matar*, ele pensou. *Ou vou matá-la.* E chamar isso de "coleta" não mudava a realidade. Ele gostava de Citra, mas gostava o suficiente para desistir de sua vida e deixar que ela vencesse? Citra certamente não desistiria para deixar que ele ganhasse o anel.

Quando abriu os olhos, o garoto notou que ela o encarava. Citra não desviou os olhos dele.

— Rowan — ela disse —, aconteça o que acontecer, quero que você saiba…

— Não — Rowan disse. — Não fale nada.

E o resto do trajeto foi feito em silêncio.

Citra não tinha o sono pesado, e passou a noite em claro depois que chegaram em casa. Imagens dos ceifadores que vira no conclave ocupavam até as sombras de seus sonhos e a arrastavam de volta para a vigília indesejada. Os sábios, os conspiradores, os compassivos e os que pareciam não se importar. Uma incumbência tão delicada quanto expurgar a raça humana não deveria estar sujeita a caprichos pessoais. Os ceifadores deveriam estar acima da mesquinharia, assim como estavam acima da lei. Faraday definitivamente estava. Se Citra se tornasse uma ceifadora, seguiria o exemplo dele. E, se não se tornasse, isso não importaria, porque ela estaria morta.

Talvez houvesse algum tipo de sabedoria perversa na decisão de obrigar um deles a coletar o outro. Quem quer que vencesse começaria a vida de ceifador carregando uma tristeza terrível e nunca esqueceria o preço daquele anel.

A manhã chegou sem alarde. Era um dia como qualquer outro. A chuva havia passado, e o sol espiava por detrás das nuvens tangidas pelo vento. Era a vez de Rowan fazer o café da manhã. Ovos e batatas rosti. Ele nunca fritava bem as batatas. "Estão cruas", Citra sempre dizia. Faraday nunca se queixava quando a comida não estava boa. Comia o que quer que lhe servissem e não tolerava reclamações de nenhum dos dois. A punição por cozinhar algo intragável era ter que comer o que cozinhara.

Citra comeu, apesar de estar sem fome. Apesar de o mundo inteiro ter saído do eixo. Café da manhã continuava sendo café da manhã. Como podia ser assim?

Quando Faraday quebrou o silêncio, foi como se um tijolo atingisse a janela.

—Vou sair sozinho hoje. Vocês dois vão continuar seus estudos.

— Sim, ceifador Faraday — Citra disse, e Rowan disse o mesmo meio segundo depois.

— Para vocês, nada mudou.

Citra olhou para seu cereal. Foi Rowan quem teve coragem de dizer o óbvio.

—Tudo mudou, senhor.

Então Faraday disse algo enigmático que eles só entenderiam mais tarde.

— Talvez tudo venha a mudar novamente.

E saiu.

O espaço entre Rowan e Citra não demorou para se transformar em um campo minado. Uma perigosa terra de ninguém que não prometia nada além de tormento. Já era difícil transpor esse espaço com o ceifador Faraday ali, mas a ausência dele deixou os dois sem ninguém para mediar a distância entre eles.

Rowan ficou estudando em seu quarto em vez de ir ao gabinete de armas, que lhe pareceria mais do que estranho sem a companhia de Citra. No entanto, deixou a porta entreaberta com a leve esperança de que ela tentasse vencer o abismo. Ele a ouviu sair, provavelmente para correr. Ela ficou fora por bastante tempo. A maneira dela de lidar com o desconforto sombrio da nova situação era se afastar ainda mais do que Rowan havia se afastado.

Quando Citra voltou, Rowan sentiu que não teria paz consigo mesmo nem com ela se não desse o primeiro passo para entrar no campo minado.

Ele ficou parado diante da porta fechada do quarto de Citra por pelo menos um minuto inteiro até criar coragem para bater.

— O que você quer? — ela perguntou, com a voz abafada pela porta.

— Posso entrar?

— Não está trancada.

Ele virou a maçaneta e abriu a porta devagar. Ela estava no meio do quarto com uma faca de caça, praticando a arte da lâmina contra o ar vazio, como se lutasse contra fantasmas.

— Bela técnica — Rowan disse, e acrescentou —, se estiver planejando coletar uma matilha de lobos furiosos.

— Habilidade é habilidade, quer você use ou não. — Ela embainhou a faca e jogou-a sobre a mesa. Apoiando as mãos nos quadris, perguntou: — Então, o que você quer?

— Só queria pedir desculpas por ter interrompido você antes. No trem, quero dizer.

Citra deu de ombros.

— Eu estava falando demais. Você fez bem em me mandar ficar quieta.

Aquilo estava ficando constrangedor, por isso Rowan decidiu simplesmente falar de uma vez:

— Vamos conversar sobre isso?

Ela virou de costas para ele, sentou na cama, pegou um livro de anatomia e o abriu, como se fosse começar a estudar. Não percebeu que o segurava de ponta-cabeça.

— O que há para conversar? Eu vou matar você ou você vai me matar. Seja como for, não quero pensar nisso até ser obrigada. — Ela olhou para o livro aberto, virou-o do jeito certo e então, desistindo do fingimento, fechou e o jogou no chão. — Só quero ficar sozinha, está bem?

Mesmo assim, Rowan sentou na beira da cama. Como Citra não o mandou ir embora, ele se aproximou um pouco. Ela notou, mas não disse nada.

Ele queria estender o braço, talvez tocar seu rosto. Mas pensar nisso o fez lembrar da vendedora coletada com apenas um toque. Que veneno perverso aquele! Rowan queria dar um beijo nela. Não havia mais como negar. Ele reprimia o desejo havia semanas, porque sabia que o ceifador não toleraria. Mas Faraday não estava ali, e o furacão em que os dois tinham sido lançados havia varrido todas as apostas da mesa.

Então, para sua surpresa, ela avançou bruscamente e o beijou.

— Pronto — ela disse. — Nos beijamos. Agora isso é carta fora do baralho e você pode sair.

— E se eu não quiser sair?

Ela hesitou tempo suficiente para deixar claro que ficar não estava fora de questão.

— Que bem isso faria? Para qualquer um de nós?

Ela se deslocou na cama, afastando-se dele e encostando os joelhos no peito.

— Não me apaixonei por você, Rowan. E quero que as coisas continuem assim.

Rowan se levantou, foi se refugiar na porta do quarto e se virou para ela.

— Tudo bem, Citra — ele disse. — Também não me apaixonei por você.

Não sou de me irritar facilmente, mas como os ceifadores da velha guarda ousam querer ditar meu comportamento? Que todos coletem uns aos outros para que possamos acabar com seus métodos hipócritas nascidos da autorrejeição. Sou um homem que escolhe coletar com orgulho, não com vergonha. Prefiro abraçar a vida, por mais que trabalhe com a morte. Não se engane: nós, ceifadores, estamos acima da lei porque merecemos. Prevejo o dia em que os novos ceifadores serão escolhidos não por causa de alguma moralidade esotérica, mas porque gostam de tirar vidas. Afinal, este é um mundo perfeito — e, num mundo perfeito, não devemos todos ter o direito de amar o que fazemos?

Do diário de coleta do ceifador Goddard

16

O rapaz da piscina

Havia um ceifador na porta da mansão do executivo. Na verdade, eram quatro ceifadores, embora os três outros estivessem atrás, deixando que o de azul royal ficasse na frente.

O executivo estava com medo — apavorado, na verdade —, mas ele não havia alcançado o sucesso profissional deixando transparecer seus sentimentos. Tinha a mente astuta e o rosto impassível de um jogador de pôquer. Não se deixaria intimidar pela morte em sua porta — ainda que o manto da morte fosse cravejado de diamantes.

— Fico surpreso por terem chegado à minha porta sem que os guardas do portão me avisassem — o executivo disse no tom mais indiferente que lhe foi possível.

— Eles teriam avisado, mas nós os coletamos — disse uma ceifadora, uma mulher de verde com traços panasiáticos.

O executivo não ia permitir que essa notícia o intimidasse.

— Ah, então vocês precisam que eu passe os dados pessoais deles para vocês poderem alertar as famílias?

— Não exatamente — disse o líder dos ceifadores. — Podemos entrar?

Como o executivo sabia que não podia recusar, deixou que entrassem.

O ceifador com o manto cravejado de diamantes e seu arco-

-íris de subordinados o seguiram, lançando olhares para a opulência discreta da mansão.

— Eu sou o Honorável Ceifador Goddard. Estes são meus jovens associados, os ceifadores Volta, Chomsky e Rand.

— Mantos elegantes — comentou o executivo, ainda conseguindo disfarçar o medo.

— Obrigado — disse o ceifador Goddard. — Posso ver que você é um homem de bom gosto. Meus cumprimentos ao decorador.

— Que na verdade é minha esposa — ele disse, mas logo se censurou por ter chamado a atenção dos portadores da morte para a sua mulher.

O ceifador Volta — de amarelo, com uma aparência áfrica — andou pelo grande vestíbulo, espiando pelo vão dos arcos que davam para as outras áreas da mansão.

— Excelente Feng Shui — ele disse. — O fluxo de energias é muito importante em uma casa tão grande.

— Imagino que tenha uma piscina grande — disse o de manto cor de fogo cravejado de rubis; o ceifador Chomsky. Ele era loiro, pálido e parecia brutal.

O executivo se perguntou se eles estavam gostando de prolongar o encontro. Quanto mais entrava no jogo dos ceifadores, mais poder tinham sobre ele, por isso interrompeu a conversa mole antes que eles o vissem ceder.

— Posso saber o que desejam?

O ceifador Goddard olhou para ele mas ignorou a pergunta. Acenou para seus subordinados e dois deles saíram. O de amarelo subiu a escada em espiral, a mulher de verde foi explorar o restante do primeiro andar. O mais pálido, de laranja, continuou por perto. Era o maior dos três e talvez fosse o guarda-costas do chefe — para o caso de alguém ser idiota o bastante para atacar um ceifador.

O executivo se perguntou onde seus filhos estariam no momento. Saíram com a babá? Lá em cima? Ele não sabia ao certo, e a última coisa que queria era ter ceifadores em sua casa fora de seu campo de visão.

— Esperem! — ele disse. — Qualquer que seja a intenção de vocês, tenho certeza de que podemos chegar a algum tipo de acordo. Vocês sabem quem eu sou, não sabem?

Em vez de olhar para ele, o ceifador Goddard se pôs a apreciar uma obra de arte exposta no vestíbulo.

— Alguém rico o bastante para ter um Cézanne.

Seria possível que ele não soubesse? Que a presença deles ali não fosse planejada, mas aleatória? A escolha dos ceifadores deveria ser aleatória, mas *tão* aleatória assim? Ele percebeu que a represa que continha seu medo estava se rompendo.

— Por favor — disse o executivo. — Sou Maxim Easley. Esse nome com certeza significa algo para vocês, não?

O ceifador lançou um olhar para ele sem o menor sinal de reconhecimento. Quem reagiu foi o do manto cor de chamas:

— O cara que dirige a Regenesis?

Finalmente Goddard reconheceu.

— Ah, claro… A sua empresa é a segunda no ramo de restauração.

— Em breve será a primeira — Easley se gabou. — Assim que lançarmos nossa tecnologia que permite a regressão celular para uma idade abaixo do limite de vinte e um anos.

— Tenho amigos que já utilizaram seus serviços. Eu ainda não me restaurei.

— O senhor poderia ser o primeiro a utilizar nosso novo processo oficialmente.

Goddard deu risada e se voltou para seu associado.

— Pode me imaginar como adolescente?

— De jeito nenhum.

Quanto mais riam, mais aterrorizado Easley ficava. Não havia mais por que esconder seu desespero.

— Deve haver algo que o senhor deseje, algo de valor que eu possa oferecer...

Por fim, Goddard pôs as cartas na mesa.

— Eu quero o seu imóvel.

Easley resistiu ao impulso de dizer "Como assim?", porque a afirmação não era nem um pouco ambígua. Era uma exigência audaciosa. Mas Maxim Easley era um negociante de primeira.

— Tenho uma garagem com mais de dez veículos motorizados da Era da Mortalidade. Valiosíssimos. Todos eles. Você pode ficar com qualquer um. Pode ficar com todos.

O ceifador deu um passo à frente e Easley de repente sentiu uma lâmina pressionando seu pescoço. Nem chegou a ver o ceifador sacá-la; foi tão rápido que a lâmina pareceu simplesmente surgir em sua jugular.

— Vamos ser claros — Goddard disse calmamente. — Não estamos aqui para negociar ou barganhar. Somos ceifadores, o que significa que, por lei, podemos pegar o que quisermos. Podemos pôr fim à vida de qualquer um. Simples assim. Você não tem nenhum poder aqui. Está claro?

Easley assentiu, sentindo a lâmina prestes a cortar seu pescoço. Satisfeito, Goddard afastou a lâmina.

— Um imóvel como este deve precisar de muitos empregados. Governantas, jardineiros... talvez até em tempo integral. Quantos você emprega?

Easley tentou falar, mas a voz não saiu. Ele pigarreou e tentou novamente.

— Doze — ele disse. — Doze empregados em tempo integral.

Então a mulher de verde — a ceifadora Rand — saiu da cozinha trazendo com ela um homem contratado pela esposa de Easley havia pouco tempo. Ele tinha vinte e poucos anos, ou pelo menos aparentava essa idade. Easley não conseguia lembrar o nome dele.

— E quem é esse? — perguntou Goddard.

— O rapaz da piscina.

— Rapaz da piscina — imitou a ceifadora Rand.

Goddard apontou para o ceifador musculoso com o manto laranja, que se aproximou do jovem, ergueu a mão e tocou em sua face. O rapaz da piscina caiu, batendo a cabeça no mármore do piso. Seus olhos continuaram abertos, mas não havia mais vida neles. Ele tinha sido coletado.

— Funciona! — disse o ceifador Chomsky, encarando a própria mão. — Definitivamente, valeu o preço que o Mestre de Armas pagou.

— Bom — Goddard disse —, embora esteja dentro dos nossos direitos pegar tudo que quisermos, sou um homem justo. Em troca deste imóvel encantador, vou oferecer a você, à sua família e aos empregados imunidade total por todos os anos que decidirmos continuar aqui.

O alívio de Easley foi intenso e imediato. *Que estranho*, ele pensou, *perder a casa e mesmo assim se sentir aliviado.*

— De joelhos — Goddard disse, e Easley obedeceu.

— Beije.

Easley não hesitou. Levou os lábios ao anel, pressionando com força, sentindo a ponta da armação se prender em seu lábio.

— Agora, vá ao seu escritório e se demita de seu cargo.

Dessa vez, Easley chegou a indagar:

— Como assim?

— Outra pessoa pode fazer o seu trabalho. Tenho certeza de que há outros que estão loucos pela oportunidade.

Easley levantou, com as pernas bambas.

— Mas... por quê? Não pode simplesmente deixar minha família e eu irmos embora? Não vamos incomodar você. Não vamos levar nada além de nossas roupas. Você nunca vai nos ver de novo.

— Infelizmente, não posso deixar você ir — disse o ceifador Goddard. — Preciso de um novo rapaz da piscina.

Acho sábio que os ceifadores não possam coletar uns aos outros. É óbvio que isso foi instituído para evitar golpes para a tomada do poder; mas, onde há poder, sempre há aqueles que descobrem formas de tomá-lo.

Também acho sábio termos a permissão de coletar a nós mesmos. Admito que houve vezes em que considerei essa possibilidade. Quando o peso da responsabilidade beirava o insuportável, livrar-me da opressão do mundo parecia a melhor saída. Mas um pensamento sempre impediu minha mão de cometer esse ato final.

Se não eu, quem?

Será que o ceifador que me substituir será igualmente justo e compassivo?

Consigo aceitar um mundo sem mim... mas não consigo suportar a ideia de outros ceifadores coletando na minha ausência.

Do diário de coleta da ceifadora Curie

17

O sétimo mandamento

Citra e Rowan acordaram depois da meia-noite com alguém batendo à porta da frente. Saíram dos quartos e, ao se encontrarem no corredor, olharam automaticamente para a porta fechada do quarto do ceifador. Citra girou a maçaneta, descobriu que estava destrancada e a abriu apenas o bastante para ver que Faraday não estava lá. A cama ainda estava feita.

Era pouco frequente mas não inédito ele ficar fora até tão tarde. Nenhum dos dois fazia ideia do que Faraday fazia nessas raras noites em que chegava mais tarde, mas não queriam perguntar. A curiosidade foi uma das primeiras vítimas do treinamento. Fazia tempo que haviam aprendido que era melhor não saber muita coisa sobre a vida de um ceifador.

As batidas insistentes continuaram — e não eram batidinhas com os nós dos dedos, mas o martelar de um punho cerrado.

— E então? — disse Rowan. — Ele esqueceu as chaves. E daí?

Era a explicação mais razoável, e a explicação mais razoável não tendia a ser a correta? Eles se aproximaram da porta, preparando-se para a bronca.

Como não me ouviram batendo?, ele ralharia. *Até onde sei, faz duzentos anos que não existem surdos.*

Porém, quando abriram a porta, não encontraram o ceifador Faraday, mas uma dupla de agentes. Não agentes da paz, mas membros da Guarda da Lâmina, com o símbolo da Ceifa nitidamente estampado no peito de seus uniformes.

— Citra Terranova e Rowan Damisch? — um dos guardas perguntou.

— Pois não? — Rowan respondeu. Ele se adiantou um pouco, posicionando o ombro na frente de Citra, numa atitude protetora. Ele achou que se tratava de um ato cavalheiresco, mas Citra só achou irritante.

—Vocês precisam nos acompanhar.

— Por quê? — Rowan perguntou. — O que está acontecendo?

— Não nos cabe dizer — o segundo guarda respondeu.

Citra empurrou o ombro protetor de Rowan para o lado.

— Somos aprendizes de ceifadores — ela disse —, o que significa que a Guarda da Lâmina serve a nós, e não o contrário. Vocês não têm o direito de nos levar contra a nossa vontade. — O que provavelmente não era verdade, mas deixou os guardas confusos.

Então, uma voz surgiu das sombras.

— Deixem que eu resolva isso.

Da escuridão, um vulto familiar apareceu, totalmente deslocado no bairro de Faraday. O manto dourado do Alto Punhal não brilhava na penumbra do vão da porta — parecia opaco, quase pardo.

— Por favor, vocês devem me acompanhar imediatamente. Alguém virá pegar suas coisas.

Como Rowan estava de pijama e Citra de roupão, nenhum dos dois se mostrava ansioso para obedecer, mas ambos perceberam que as roupas de dormir deveriam ser a última de suas preocupações.

— Onde está o ceifador Faraday? — Rowan perguntou.

O Alto Punhal inspirou fundo e suspirou.

— Ele recorreu ao sétimo mandamento — Xenócrates disse. — O ceifador Faraday se coletou.

★

O Alto Punhal Xenócrates era um imenso saco de contradições. Vestia um manto com ricos brocados barrocos, mas calçava sandálias puídas. Vivia em uma cabana simples feita de toros de madeira — mas esta tinha sido desmontada e depois remontada no terraço do prédio mais alto da Cidade Fulcral. Seus móveis, surrados e de segunda mão, não combinavam mas descansavam sobre tapeçarias dignas de museu que deviam ter um valor incalculável.

— Mal consigo dizer o quanto lamento — ele disse a Rowan e Citra, que ainda estavam chocados demais para entender o que acontecera.

Já era manhã; os três haviam pegado um hipertrem particular para a Cidade Fulcral e estavam no pequeno deque de madeira que dava para um gramado bem cuidado que ia terminar abruptamente no vazio vertiginoso de uma altura de setenta andares. O Alto Punhal não queria que nada obstruísse sua vista, e qualquer pessoa idiota o bastante para tropeçar na beirada mereceria o tempo e o custo da revivificação.

— Sempre é terrível quando um ceifador nos deixa — o Alto Punhal lamentou —, ainda mais quando se trata de alguém tão respeitado como o ceifador Faraday.

Xenócrates tinha um séquito completo de assistentes e lacaios para ajudá-lo em suas atividades, mas ali em sua casa não tinha ninguém. Mais uma contradição. Ele havia preparado chá e agora lhes servia, oferecendo creme, mas não açúcar.

Rowan bebia o seu, mas Citra recusou qualquer gentileza daquele homem.

— Ele era um excelente ceifador e um bom amigo — Xenócrates disse. — Sentiremos muito a falta dele.

Era impossível arriscar um palpite sobre a sinceridade de Xenócrates. Como tudo à sua volta, aquelas palavras pareciam ao mesmo tempo sinceras e mentirosas.

No caminho, ele contara os detalhes da morte do ceifador Faraday. Por volta das dez e quinze da noite anterior, ele estava numa plataforma de trem da cidade. Então, quando o trem se aproximou, Faraday se atirou na frente dele. Foram várias as testemunhas — todas provavelmente aliviadas pelo fato de o ceifador ter coletado a si mesmo, e não uma delas.

Qualquer outra pessoa que tivesse seu corpo despedaçado teria sido levado às pressas para o centro de revivificação mais próximo, mas as regras para os ceifadores eram claras. Não haveria revivificação.

— Mas não faz sentido — Citra disse, tentando conter as lágrimas em vão. — Ele não era do tipo que faria algo *assim*. Ele levava muito a sério sua responsabilidade como ceifador e como nosso treinador. Não acredito que pôde simplesmente desistir dessa maneira...

Rowan ficou em silêncio, esperando a resposta do Alto Punhal.

— Na verdade, faz sentido — Xenócrates disse. Ele demorou-se num gole de chá longo demais, depois voltou a falar. — Tradicionalmente, quando um ceifador mentor se coleta, seus aprendizes ficam liberados de sua obrigação.

Citra abriu a boca espantada, percebendo as implicações do ato.

— Ele fez isso para poupar um de vocês de ter de coletar o outro — disse Xenócrates.

— O que significa que isso tudo é culpa sua — disse Rowan, e acrescentou com uma pontada de escárnio: — Excelência.

Xenócrates se enrijeceu.

— Se está se referindo à decisão de lançar vocês dois em uma competição mortal, essa sugestão não foi minha. Estava apenas realizando a vontade da Ceifa e, para ser franco, considero sua insinuação uma ofensa.

— Nunca soubemos qual era a vontade da Ceifa porque não houve uma votação — Rowan o lembrou.

Xenócrates levantou e encerrou a conversa.

— Sinto muito por sua perda. — Mas não era uma perda apenas para Rowan e Citra; era uma perda para toda a Ceifa, e Xenócrates sabia disso, dissesse em voz alta ou não.

— Então... é isso? — disse Citra. — Vamos voltar para casa agora?

— Não exatamente — disse Xenócrates, dessa vez sem encarar nenhum dos dois. — Ainda que seja tradição os aprendizes de ceifadores mortos serem liberados, outro ceifador pode se oferecer para assumir o treinamento. É raro, mas acontece.

— O senhor? — Citra perguntou. — O senhor se ofereceu para nos treinar agora?

Foi Rowan quem enxergou a verdade nos olhos dele.

— Não, não foi ele — Rowan disse. — Foi outra pessoa...

— Minhas responsabilidades como Alto Punhal dificultariam muito admitir aprendizes. No entanto, vocês devem se sentir lisonjeados; não apenas um, mas dois ceifadores se ofereceram, um para cada um.

Citra negou com a cabeça.

— Não! Nos comprometemos com o ceifador Faraday e ninguém mais. Ele morreu para nos liberar, então devemos ser libertados!

— Receio já ter dado minha bênção, então a questão está decidida. — Em seguida, se voltou para a garota. — Você, Citra, será agora aprendiz da Honorável Ceifadora Curie...

Rowan fechou os olhos. Ele sabia o que viria em seguida, mesmo antes de Xenócrates pronunciar as palavras.

— E você, Rowan, completará seu treinamento nas mãos hábeis do Honorável Ceifador Goddard.

Parte III

A VELHA GUARDA
E A NOVA ORDEM

Nunca adotei um aprendiz. Simplesmente nunca me senti forçada a submeter outro ser humano ao nosso estilo de vida. Sempre me pergunto o que motiva os outros ceifadores a fazer isso. Para alguns, é uma forma de vaidade: "Aprendam comigo e admirem minha profunda sabedoria". Para outros, talvez, seja uma compensação por serem proibidos de ter filhos: "Seja meu filho ou filha por um ano, e lhe darei o controle sobre a vida e a morte". Há também aqueles para os quais adotar um aprendiz é uma maneira de se preparar para a autocoleta: "Seja o novo eu, para que o velho eu possa deixar este mundo satisfeito".

Desconfio, porém, que, se algum dia eu admitir um aprendiz, será por algum motivo completamente diferente.

Do diário de coleta da ceifadora Curie

18

Casa da Cascata

No extremo leste da MidMérica, perto da fronteira com a LesteMérica, havia uma casa embaixo da qual corria um rio que gerava uma cascata entre as suas fundações.

— Foi projetada por um famoso arquiteto da era mortal — a ceifadora Curie disse a Citra enquanto a conduzia por uma pontezinha que levava à porta da frente. — Esse lugar estava em péssimo estado. Como você deve imaginar, uma casa como essa requer cuidados constantes. Estava caindo aos pedaços, e ninguém se importava o bastante para preservá-la. Apenas a presença de uma ceifadora poderia atrair doações necessárias para salvá-la. Agora voltou à sua antiga glória.

A ceifadora abriu a porta e deixou Citra entrar primeiro.

— Bem-vinda à Casa da Cascata — a ceifadora Curie disse.

O andar principal era uma enorme sala aberta com piso de pedra polida, móveis de madeira, uma grande lareira e janelas. Muitas e muitas janelas. A cascata passava embaixo de um terraço amplo. O som do rio corria sob a casa e pairava sobre as águas da cascata com um ruído contínuo, mas relaxante.

— Nunca entrei numa casa que tivesse nome — Citra disse observando ao redor e se esforçando ao máximo para não se deixar impressionar. — Mas é um pouco demais, não acha? Especialmente para uma ceifadora. Vocês não deveriam levar vidas simples?

Citra sabia que um comentário como esse podia provocar a ira da ceifadora Curie, mas não se importava. Sua presença ali significava que a morte do ceifador Faraday tinha sido em vão. Uma casa bonita não servia de consolo.

A ceifadora Curie não respondeu com raiva. Apenas disse:

— Não moro nela por causa de sua extravagância, mas porque minha presença aqui é a única forma de mantê-la preservada.

A decoração parecia do século xx, quando a casa havia sido construída. Os únicos sinais de modernização eram algumas interfaces simples de computação em cantos discretos. Até mesmo a cozinha era um retorno ao passado.

— Venha, vou lhe mostrar seu quarto.

Elas subiram uma escada ladeada por camadas de granito à esquerda e à direita por prateleiras e mais prateleiras de livros. A suíte da ceifadora ficava no segundo andar. No terceiro havia um quarto menor e um escritório. A mobília era simples e, assim como em toda a casa, havia janelas enormes com caixilhos de cedro polido, tomando duas paredes inteiras. A vista da floresta fez Citra se sentir empoleirada numa casa da árvore. Ela adorou. E odiou ter adorado.

— A senhora sabe que eu não queria estar aqui — disse Citra.

— Finalmente um pouco de sinceridade da sua parte — a ceifadora Curie disse, com um pequeno sorriso.

— E eu sei que você não gosta de mim — Citra acrescentou —, então por que me admitiu?

A ceifadora fitou-a com aqueles olhos frios e imperscrutáveis.

— Se gosto ou não de você, é irrelevante — ela disse. — Tenho meus motivos.

Então, deixou Citra sozinha em seu quarto, sem se despedir.

Citra não lembrava de ter pegado no sono. Nem tinha se dado conta do quanto estava exausta. Lembrou de se deitar sobre o edredom, admirando as árvores lá fora, ouvindo o rio bramir incessante embaixo da casa, se perguntando se um dia o som deixaria de ser relaxante e se tornaria insuportável. Então, abriu os olhos para a claridade absoluta, depois os esfregou e viu a ceifadora Curie parada à porta, ao lado do interruptor. Estava escuro lá fora. Não apenas escuro, mas totalmente sem luz, como no espaço sideral. Ela ainda ouvia o rio, mas não via nenhum sinal das árvores.

—Você esqueceu do jantar? — a ceifadora Curie perguntou.

Citra levantou, ignorando a vertigem súbita que sentiu ao se pôr de pé.

— A senhora podia ter me acordado.

A ceifadora Curie abriu um sorriso malicioso.

— Não foi o que acabei de fazer?

Citra desceu em direção à cozinha, e a ceifadora deixou que ela fosse na frente, mas a garota não se lembrava exatamente do caminho. A casa era um labirinto. Citra fez algumas curvas erradas e Curie não a corrigiu. Ficou apenas esperando que ela encontrasse o caminho.

O que será que essa mulher ia querer comer? Será que aceitaria tranquilamente qualquer coisa que Citra preparasse, como o ceifador Faraday? Bastou pensar nele para sentir uma onda de tristeza seguida por outra de raiva, mas a garota não sabia exatamente de quem sentir raiva, o que só agravava esse sentimento.

Citra chegou ao andar principal pronta para examinar o que havia na despensa e na geladeira, mas, para sua surpresa, encontrou a mesa de jantar posta para duas pessoas e pratos de comida fumegante já servidos.

— Estava com desejo de *hasenpfeffer* — disse a ceifadora. — Acho que você vai gostar.

— Nem sei o que é *hasenpfeffer*.

— É melhor não saber mesmo. — A ceifadora Curie sentou e fez sinal para Citra fazer o mesmo. Mas ela se perguntava se era algum tipo de pegadinha.

A ceifadora Curie pôs a colher no ensopado de cheiro forte quando viu que Citra ainda estava de pé.

—Você está esperando um convite formal? — ela perguntou.

Citra não sabia dizer se a ceifadora estava irritada ou achando graça.

— Sou uma aprendiz. Por que a senhora cozinhou para mim?

— Não cozinhei para você. Cozinhei *para mim*. Por acaso, sua barriga faminta estava por perto.

Finalmente, Citra sentou e provou o ensopado. Saboroso. Um pouco amargo, mas nada mau. A doçura das cenouras com mel cortava o amargor.

—A vida dos ceifadores seria terrível se não nos permitíssemos o prazer culpado de algum hobby. O meu é cozinhar.

— Está uma delícia. — Citra admitiu e depois acrescentou: — Obrigada.

Elas comeram em silêncio quase absoluto. Como Citra achou estranho não servir a mesa, levantou-se para encher outra vez o copo d'água da ceifadora. Faraday não tinha nenhum hobby — pelo menos nenhum que contasse a Citra e a Rowan.

Pensar em Rowan fez sua mão tremer e ela derramou água na mesa.

— Desculpe, ceifadora Curie. — Ela pegou o próprio guardanapo e secou os respingos antes que a água se esparramasse.

—Você vai precisar de uma mão mais firme se quiser ser uma ceifadora. — De novo, Citra não soube dizer se ela estava falando sério ou sendo sarcástica. Citra achou a mulher ainda mais difícil de decifrar do que Faraday, e, de todo modo, decifrar pessoas não era seu forte. Ela nunca havia notado isso até passar tanto tempo com Rowan. Ele, com seu jeito discreto, era um mestre da observação. Citra precisava lembrar que tinha outras habilidades. Agia com rapidez e determinação. Era coordenada. Essas características seriam necessárias para que pudesse...

Ela não conseguiu completar o pensamento — não se permitiria completar. O território aonde esse pensamento a levava ainda era terrível demais para que ela chegasse a considerar essa possibilidade.

De manhã, a ceifadora Curie fez panquecas de mirtilo, e então as duas saíram para coletar.

Enquanto o ceifador Faraday sempre repassava suas anotações sobre o indivíduo escolhido e usava o transporte público, a ceifadora Curie tinha um carro esportivo de época que exigia muita habilidade para dirigir — ainda mais na estrada sinuosa da montanha.

— Este Porsche foi presente de um vendedor de carros antigos — a ceifadora Curie explicou.

— Ele queria imunidade? — Citra perguntou, pressupondo a motivação do homem.

— Não, eu já tinha coletado o pai dele, então ele já tinha imunidade.

— Espera aí — disse Citra. — A senhora coletou o pai dele e mesmo assim ele te deu um carro?

— Sim.

— Ele odiava o pai, então?

— Não, ele o amava muito.

— Não estou entendendo...

A estrada à frente delas foi ficando menos sinuosa e a ceifadora Curie mudou de marcha e acelerou.

— Ele gostou do consolo que ofereci depois da coleta — ela explicou. — Um consolo verdadeiro pode valer ouro.

Citra continuou sem entender — e só viria a entender no fim daquele dia.

Elas foram a uma cidade que ficava a centenas de quilômetros de distância e chegaram na hora do almoço.

— Alguns ceifadores preferem cidades grandes; eu prefiro cidades menores — a ceifadora Curie disse. — Cidades pequenas que provavelmente não sofreram nenhuma coleta há mais de um ano.

— Quem vamos coletar? — Citra perguntou enquanto procuravam um lugar para estacionar, uma das desvantagens de se ter um carro particular.

—Você vai saber quando chegar a hora.

Elas estacionaram na via principal, por onde caminharam — ou melhor, passearam. A rua estava movimentada, mas não agitada demais. O passo tranquilo da ceifadora Curie deixou Citra incomodada, e ela não soube dizer por quê. Então lhe ocorreu que, quando saía para coletar com o ceifador Faraday, o foco dele estava sempre no destino, e esse destino não era um lugar, mas uma pessoa. O indivíduo. A alma a ser coletada. Por mais terrível que fosse, essa atitude fazia Citra se sentir mais segura. Com o ceifador Faraday, havia sempre um objetivo tangível no trabalho deles. Mas nada na conduta da ceifadora Curie sugeria planejamento. E havia uma razão para isso.

— Seja uma estudante de observação — Curie disse a Citra.

— Se a senhora queria uma estudante de observação, deveria ter escolhido Rowan.

A ceifadora Curie ignorou o comentário.

— Observe o rosto das pessoas, seus olhos, a maneira como se movem...

—Tentando descobrir o quê?

— Uma sensação de que elas já estão por aqui há tempo demais. Uma sensação de que já estão prontas para... *encerrar*, quer saibam ou não.

— Pensei que não podíamos discriminar por idade.

— A questão não é a idade, é a estagnação. Algumas pessoas ficam estagnadas antes de se restaurarem pela primeira vez. Outras levam centenas de anos para isso.

Citra observou as pessoas que se moviam ao redor delas — todas evitando contato visual e tratando de fugir da ceifadora e sua aprendiz o mais rápido possível, mas sempre tentando não transparecer isso. Um casal que saía de um café; um executivo falando ao celular; uma mulher começando a atravessar a rua no sinal vermelho, depois voltando atrás, talvez com medo de ser coletada por atravessar a rua sem olhar para os dois lados...

— Não vejo nada em ninguém — Citra disse, irritada com a tarefa e com sua incapacidade de cumpri-la.

Um grupo de pessoas saiu de um prédio comercial — talvez o mais alto da cidadezinha, com cerca de dez andares. Curie fixou os olhos em um dos homens. Quando as duas passaram a segui-lo à distância, Citra notou que o olhar da ceifadora era quase predatório.

— Está vendo os ombros dele? Parece que há um peso invisível sobre eles.

— Não.

— Consegue ver como ele caminha com um pouco menos de vontade do que as pessoas à sua volta?

— Não.

— Percebe como ele arrasta os sapatos, como se não ligasse para mais nada?

— Talvez ele só esteja tendo um dia ruim — sugeriu Citra.

— Sim, talvez — admitiu a ceifadora Curie. — Mas prefiro acreditar que não é isso.

Elas se aproximaram do homem, que em nenhum momento pareceu notar que estava sendo seguido.

— Só falta vermos seus olhos — disse a ceifadora. — Para ter certeza.

Curie tocou o ombro dele, o homem se virou, e seus olhos se encontraram, mas apenas por um breve instante. Então, de repente, ele soltou um grito abafado…

… porque a faca da ceifadora Curie já havia se cravado em sua caixa torácica, bem no coração. Curie foi tão rápida que Citra sequer chegou a vê-la atacar. Sequer chegou a vê-la sacar a faca.

A ceifadora não reagiu à surpresa aterradora do homem; não lhe disse nada. Apenas retirou a lâmina; o homem caiu. Ele já estava morto antes de chegar ao chão. Ao redor, as pessoas gritavam de horror e corriam para longe, mas não antes de ver o que estava acontecendo. A morte era algo estranho para a maioria delas. Precisava existir em sua própria bolha, desde que pudessem ficar de fora, observando.

Curie limpou a lâmina em um lenço de camurça do mesmo tom lavanda de seu manto, e foi então que Citra perdeu o controle.

— Você não lhe deu nenhum aviso! — ela soltou. — Como pôde fazer isso?! Você nem o conhecia! Nem deixou que ele se preparasse para morrer!

A explosão de fúria da ceifadora foi tão potente que era quase palpável, e Citra percebeu na hora que havia cometido um erro terrível.

— NO CHÃO! — gritou a ceifadora num volume tão alto que repercutiu entre os prédios de tijolos.

Citra se ajoelhou imediatamente na calçada.

— ROSTO NA CALÇADA! AGORA!

Citra obedeceu, o medo superando sua fúria. Ela se estendeu no chão, a face direita contra a calçada, que chegava a queimar de tão quente com o sol do meio-dia. O que ela via diante de si era o homem morto cujos olhos, mesmo sem vida, fitavam os de Citra. Como olhos mortos ainda podiam encarar?

— VOCÊ TEM A AUDÁCIA DE ME DIZER COMO CUMPRIR MINHA FUNÇÃO?

Parecia que o mundo havia congelado em volta delas.

— VOCÊ PEDIRÁ PERDÃO POR SUA INSOLÊNCIA E SERÁ PUNIDA.

— Sinto muito, ceifadora Curie. — À menção do nome da ceifadora Curie, um murmúrio entre os circunstantes começou. Ela era famosa por toda parte.

— CONVENÇA-ME!

— Sinto muito, de verdade, ceifadora Curie — Citra disse, mais alto, praticamente gritando na cara do homem morto. — Nunca mais vou desrespeitar a senhora.

— Levante-se.

A fúria da ceifadora passara. Citra levantou, odiando a fraqueza de suas pernas trêmulas e as lágrimas que brotavam de seus olhos. Desejava que elas evaporassem e não fossem vistas pela ceifadora ou por qualquer um dos curiosos.

A mundialmente famosa Grande Dama da Morte virou para ir embora, e Citra seguiu atrás dela humilhada, tremendo, desejando poder pegar a faca da ceifadora e cravá-la em suas costas — e então sentiu raiva de si mesma por desejar uma coisa do tipo.

Elas entraram no carro e partiram. Só quando estavam a cerca de um quarteirão de distância, a ceifadora dirigiu a palavra a Citra.

—Agora você vai identificar o homem, encontrar seus parentes mais próximos e os convidar para a Casa da Cascata para que eu possa lhes conceder imunidade — ela falou sem o menor resquício da fúria de momentos antes.

— O... o quê? — Foi como se a cena na rua nunca tivesse

acontecido. Citra foi pega completamente desprevenida e ficou um pouco zonza, como se todo o ar tivesse saído do carro.

— Tenho quarenta e oito horas para conceder imunidade a eles. Gostaria que se reunissem na minha casa esta noite.

— Mas… mas ainda há pouco… quando a senhora me mandou ficar no chão…

— O que é que tem?

— A senhora estava tão brava…

A ceifadora Curie suspirou.

— É preciso manter uma imagem, minha querida — ela disse. —Você me contestou em público, então não tive escolha senão pôr você no seu lugar publicamente. No futuro, precisa guardar suas opiniões até ficarmos a sós.

— Então a senhora não está furiosa?

A ceifadora considerou a pergunta.

— Estou irritada — ela disse. — Mas, enfim, deveria ter contado o que iria fazer. Sua reação foi… justificada. A minha, também.

Mesmo ao fim dessa montanha-russa emocional, Citra precisava admitir que a ceifadora tinha razão. Esperava-se um certo decoro de um aprendiz. Outro ceifador poderia ter exigido uma punição muito pior.

Elas deram uma volta, e Curie deixou Citra numa rua a apenas um quarteirão de distância do lugar da coleta. Ela teria uma hora para encontrar os familiares do homem e lhes fazer o convite.

— Se ele morava sozinho, nosso trabalho de hoje ficará mais fácil — a ceifadora disse.

Citra se perguntou se havia alguma coisa numa coleta que a tornasse mais fácil.

O nome do homem era Barton Breen. Já havia se restaurado muitas vezes; ao longo dos anos, teve mais de vinte filhos, alguns dos quais tinham mais de cem anos de idade. Atualmente, morava com sua esposa mais recente e seus três filhos mais novos. Eles receberiam a imunidade de coleta por um ano.

— E se eles não vierem? — Citra perguntou à ceifadora Curie no caminho para casa.

— Eles sempre vêm — disse a ceifadora.

E ela estava certa. Os familiares chegaram pouco depois das oito da noite, pesarosos e ainda em choque. Curie pediu que se ajoelhassem na porta para beijar o anel e conquistar a imunidade. Então, ela e Citra lhes serviram um jantar preparado pela ceifadora. Era uma comida reconfortante: carne assada, ervilhas e purê de batatas ao alho. Era evidente que os familiares estavam sem apetite, mas comeram por obrigação.

— Conte-me sobre seu marido — a ceifadora Curie pediu, com um tom de voz gentil e sincero.

A princípio, a mulher se mostrou relutante, mas logo não conseguia mais parar de contar a história de vida do marido. Os filhos não demoraram a participar com suas lembranças. Em pouco tempo, o homem deixou de ser um indivíduo qualquer para se tornar uma pessoa de cuja vida até Citra sentia falta, embora não o tivesse conhecido.

E Curie ouvia — ouvia *de verdade* —, como se pretendesse memorizar tudo que diziam. Mais de uma vez, seus olhos lacrimejaram, irmanando-se com as lágrimas da família.

Então a ceifadora fez algo estranhíssimo: tirou do manto a faca com que havia matado o homem e a pôs sobre a mesa.

— Pode tirar minha vida se quiser — ela disse à mulher.

A mulher a fitou, sem entender.

— É justo — a ceifadora disse. — Tirei seu marido de você, privei seus filhos de um pai. Você deve me odiar por isso.

A mulher olhou para Citra, como se a garota pudesse saber o que fazer, mas Citra deu de ombros, igualmente surpresa com a oferta.

— Mas... atacar um ceifador é crime passível de punição por coleta.

— Não se tiver a permissão do ceifador. Além disso, você já tem imunidade. Prometo que não haverá retaliação.

A faca estava na mesa, entre elas, e de repente Citra se sentiu como os pedestres diante da coleta: paralisada ante um horizonte de eventos impensável.

Curie sorriu para a mulher com uma ternura sincera.

— Não tem problema. Se me atacar, minha aprendiz simplesmente vai me levar para o centro de revivificação mais próximo e, em um dia ou dois, vou estar novinha em folha.

A mulher contemplou a faca, os filhos contemplaram a mãe. Finalmente, a mulher disse:

— Não, isso não será necessário.

A ceifadora guardou a faca.

— Bom, nesse caso, vamos à sobremesa.

E a família devorou o bolo de chocolate com uma avidez que não haviam demonstrado no resto da refeição, como se um grande peso tivesse sido tirado de suas costas.

Depois que se foram, a ceifadora Curie ajudou Citra com a louça.

— Quando *você* for uma ceifadora — ela disse a Citra —, tenho certeza de que não fará as coisas do mesmo jeito que eu. Também não fará como o ceifador Faraday fazia. Vai encontrar seu próprio caminho. Ele pode não lhe trazer redenção, pode não lhe proporcionar paz, mas vai impedir que sinta ódio de si mesma.

Então Citra fez uma pergunta que já havia feito antes — mas, dessa vez, achava que poderia receber uma resposta:

— Por que a senhora me admitiu, excelência?

A ceifadora lavou um prato, Citra o secou e, por fim, a ceifadora disse uma coisa estranhíssima:

— Já ouviu falar de um "esporte" chamado briga de galos?

Citra fez que não.

— Na era mortal, infratores pegavam dois galos, os prendiam numa pequena arena e os viam lutar até a morte, apostando na vitória de um ou de outro.

— Isso era legal?

— Não, mas as pessoas faziam mesmo assim. A vida antes da Nimbo-Cúmulo trazia atrocidades bizarras. Não contaram isso para você, mas o ceifador Goddard se ofereceu para treinar você e Rowan.

— Ele se propôs a treinar nós dois?

— Sim. E eu sabia que era apenas para que vocês entrassem em conflito um com o outro, dia após dia, para se divertir, como numa briga de galos. Então intervim e me ofereci para pegar você e poupar os dois da arena sangrenta do ceifador Goddard.

Citra assentiu, compreendendo. Preferiu não comentar que eles não haviam sido poupados de arena nenhuma. Ainda estavam enfrentando uma batalha mortal. Nada seria mudado quanto a isso.

Ela tentou imaginar o que teria acontecido se a ceifadora Curie não tivesse se oferecido. A ideia de não estar separada de Rowan era contrabalanceada pelo fato de saber em que mãos eles se encontravam. Ela não queria nem imaginar como ele estava se saindo com Goddard.

Como aquela noite havia se tornado uma noite de respostas, Citra tomou coragem para fazer a pergunta que fizera tão sem jeito no meio da rua, antes mesmo do corpo do homem esfriar.

— Por que a senhora coletou aquele homem sem nenhum aviso? Ele não merecia pelo menos um momento de compreensão antes da facada?

Dessa vez, a ceifadora Curie não se ofendeu com a pergunta.

— Cada ceifador tem seu método. Esse é o meu. Na Era da Mortalidade, a morte muitas vezes chegava sem aviso. É nossa tarefa imitar aquilo que tiramos das mãos da natureza; então, essa é a face da morte que decidi recriar. Minhas coletas são sempre instantâneas e públicas, para que as pessoas não esqueçam aquilo que fazemos e por que precisamos fazer.

— Mas o que aconteceu com a ceifadora que coletou o presidente? A heroína que correu atrás da corrupção corporativa que nem mesmo a Nimbo-Cúmulo conseguia derrotar? Pensei que a Grande Dama da Morte sempre coletava com um propósito maior.

Uma sombra pareceu perpassar o rosto da ceifadora Curie. Um espectro de tristeza sobre a qual Citra não conseguia nem mesmo especular.

—Você pensou errado.

Se você já estudou os desenhos animados da era mortal, não desconhece este aqui. Um coiote vivia planejando a morte de uma ave sorridente de pescoço comprido. O coiote nunca conseguia; seus planos sempre saíam pela culatra. Ele era explodido ou levava um tiro ou caía de uma altura absurda.

E era engraçado.

Porque, por mais mortal que fosse seu fracasso, ele sempre voltava na cena seguinte, como se houvesse um centro de revivificação logo além da tela animada.

Já vi descuidos humanos que resultaram em mutilações temporárias ou mortes momentâneas. As pessoas caem em bueiros, são atingidas por objetos, ficam no caminho de veículos em alta velocidade.

E, quando isso acontece, as pessoas riem, porque, por mais horrendo que seja o acontecimento, essa pessoa, assim como o coiote, estará de volta em breve, novinha em folha, nas mesmas condições — sem estar mais prudente — mesmo após o estrago.

A imortalidade nos transformou em personagens de desenho animado.

Do diário de coleta da ceifadora Curie

19

Que coisa horrível de se fazer

Citra não soube ao certo o que deu em sua cabeça para mencionar a pergunta de seu teste no conclave. Talvez fosse por causa da cumplicidade inesperada que surgiu entre ela e a ceifadora Curie depois de vê-la oferecer um jantar para a família enlutada e ouvir — de verdade — as histórias sobre o homem coletado.

Naquela noite, a ceifadora Curie entrou no quarto de Citra trazendo lençóis limpos. Juntas, montaram sua cama e, assim que acabaram, Citra disse:

— No conclave, a senhora me acusou de mentir.

— Você estava mentindo.

— Como a senhora soube?

A ceifadora não sorriu, mas também não parecia julgá-la.

— Quando se vive quase duzentos anos, algumas coisas passam a ser óbvias. — Ela deu um travesseiro a Citra, que o cobriu com uma fronha.

— Não empurrei aquela menina da escada — Citra disse.

— Desconfiei disso.

Citra se agarrou ao travesseiro. Se ele fosse uma criatura viva, ficaria sufocada.

— Não empurrei aquela menina da escada — ela repetiu. — Eu a empurrei na frente de um caminhão em alta velocidade.

Citra sentou, virando as costas para a ceifadora Curie. Ela não conseguia encarar seus olhos e já se arrependera de ter confessado o segredo sombrio de sua infância. Se a Grande Dama da Morte a visse como um monstro, ela realmente devia ser um.

— Que coisa horrível de se fazer — disse a ceifadora, mas sua voz era calma, sem espanto. — Ela morreu?

— Na hora — Citra confessou. — Claro, ela voltou para a escola três dias depois, mas isso não mudou o que eu havia feito. E o pior foi que ninguém ficou sabendo. As pessoas acharam que ela tinha tropeçado, e todo mundo ficava rindo... porque é engraçado quando alguém quase morre de acidente. Mas não foi um acidente, e ninguém sabia disso. Ninguém me viu empurrando. E, quando ela voltou, nem *ela mesma* sabia.

Citra se forçou a olhar para a Grande Dama da Morte, agora sentada numa cadeira diante dela, fitando a garota com aqueles olhos cinza invasivos.

—A senhora me perguntou qual foi a pior coisa que fiz na vida — Citra disse. — Agora já sabe.

A ceifadora Curie não falou nada na hora. Simplesmente ficou sentada, deixando o tempo passar.

— Bom — a ceifadora disse finalmente —, vamos ter de fazer alguma coisa em relação a isso.

Rhonda Flowers estava no meio do lanche da tarde quando a campainha tocou. Ela não se deu conta de nada até pouco depois, quando ergueu os olhos e viu sua mãe na porta da cozinha. Sua expressão de sofrimento indicava que havia alguma coisa errada.

— Elas... elas querem falar com *você* — a mãe anunciou.

Rhonda engoliu os fios de lámen que pendiam de sua boca e se levantou.

— *Elas?*

A mãe não respondeu. Em vez disso, lançou os braços em volta de Rhonda, lhe deu um abraço esmagador e se desfez em lágrimas. Então, por sobre o ombro da mãe, Rhonda as viu. Uma garota mais ou menos de sua idade e uma mulher com um manto cor de lavanda — no mesmo estilo dos mantos dos ceifadores.

— Coragem… — sua mãe sussurrou desesperadamente no ouvido de Rhonda.

Mas coragem estava tão fora de questão quanto pavor. Simplesmente não houve tempo para sentir coragem nem medo. Tudo o que Rhonda sentiu foi um formigamento nos membros e um distanciamento típico de um sonho, como se estivesse assistindo a uma cena da vida de outra pessoa. Ela se afastou da mãe e se dirigiu à porta, onde as duas figuras esperavam.

—Vocês querem falar *comigo*?

A ceifadora, uma mulher de cabelo prateado longo e sedoso e olhar duro, sorriu. Rhonda nunca imaginara que os ceifadores podiam sorrir. Nas raras vezes em que os vira, sempre pareciam muito sérios.

— Eu não, mas minha aprendiz sim — a mulher disse, apontando para a garota. Mas Rhonda não conseguia tirar os olhos da ceifadora.

— A sua aprendiz vai me coletar?

— Não estamos aqui para coletar — disse a garota.

Só depois de ouvir isso o pavor que Rhonda já devia estar sentindo finalmente se manifestou. Seus olhos se encheram de lágrimas, que ela tratou de enxugar, quando o pavor deu lugar ao alívio.

— Vocês poderiam ter falado isso para a minha mãe. — Ela se virou e gritou para a mãe: — Está tudo bem! Elas não vieram aqui para coletar! — Então saiu da casa e fechou a porta atrás de si, sabendo que, de outro modo, sua mãe ouviria a conversa, fosse lá qual fosse. Rhonda tinha ouvido falar de ceifadores itinerantes que batiam na porta das casas para pedir comida e abrigo durante a noite. Ou às vezes precisavam de informações das pessoas por motivos que ela mal conseguia imaginar. Mas por que iriam querer falar justamente com ela?

—Você não deve se lembrar de mim — disse a garota —, mas estudamos na mesma escola anos atrás, antes de você se mudar pra cá.

Enquanto analisava o rosto da garota, Rhonda vasculhava a própria mente, procurando algum nome.

— Cindy, certo?

— Citra. Citra Terranova.

—Ah, claro.

Então a situação ficou constrangedora. Como se estar em frente de casa com uma ceifadora e sua aprendiz já não fosse constrangedor o bastante.

— Então… o que posso fazer por… vossas excelências? — Ela não sabia ao certo se uma aprendiz merecia o título de "excelência", mas não faria mal optar pelo respeito. Agora que tivera tempo para localizar em suas lembranças o nome e o rosto da garota, Rhonda reconheceu Citra. Pelo que lembrava, não eram muito amigas.

— Bom, é o seguinte… — Citra disse. —Você se lembra do dia em que caiu na frente daquele caminhão?

Rhonda deu de ombros involuntariamente.

— Nem tenho como esquecer. Depois que voltei do centro de revivificação, ficaram me chamando de Rhonda Atropelada durante meses.

Ser atropelada por um caminhão devia ser a coisa mais irritante que lhe acontecera. Ela tinha ficado meio morta por três dias inteiros e acabara faltando nas últimas apresentações de seu espetáculo de dança. As outras meninas falaram que deu tudo certo sem ela, o que só tinha piorado as coisas. A única vantagem daquilo tinha sido a comida do centro de revivificação. Eles tinham o melhor sorvete caseiro do mundo — tão bom que ela até se matou uma vez só para provar de novo. Mas, naturalmente, seus pais a mandaram para um centro de revivificação bem mais barato, onde a comida era uma porcaria.

—Você estava lá quando aconteceu?

— Bom, é o seguinte… — Citra disse mais uma vez. Depois respirou fundo e falou: — Não foi um acidente. Eu empurrei você.

— Ha! — Rhonda exclamou. — Eu sabia! Sabia que alguém tinha me empurrado! — Na época, seus pais tentaram convencê-la de que não tinha sido intencional, que alguém havia trombado nela sem querer. Depois de algum tempo, passou a acreditar nisso, mas, no fundo, sempre guardou uma sombra de dúvida. — Então foi você! — Rhonda se pegou sorrindo. Era uma vitória saber que não fora loucura imaginar isso por todos esses anos.

— Enfim… me desculpa — Citra disse. — Sinto muito. Mesmo.

— Por que está me contando isso agora?

— Bom, é o seguinte… — Citra repetiu, como se fosse um tique nervoso. — Ser aprendiz de ceifadora significa que preciso corrigir minhas… bom, minhas más escolhas do passado. Então quero te dar a chance de fazer o mesmo comigo. — Ela limpou a garganta. — Quero que me empurre na frente de um caminhão.

Rhonda caiu na risada com a ideia. Não foi de propósito; simplesmente saiu.

— É sério? Quer que eu te jogue na frente de um caminhão em alta velocidade?

— Sim.

— Agora?

— Sim.

— E sua ceifadora acha que tudo bem?

A ceifadora assentiu.

— Dou apoio total a Citra.

Rhonda considerou a proposta. Ela pensou que poderia fazer isso. Quantas vezes não houve alguém em sua vida de quem ela quis se livrar — mesmo que só por um tempo? No ano anterior mesmo, ela quase havia chegado a eletrocutar o parceiro de laboratório por "acidente", porque ele era muito babaca. Mas, no fim, percebera que ele teria alguns dias de folga, e ela teria que terminar o trabalho sozinha. Essa situação era diferente. Era um vale-vingança. A pergunta era: ela queria tanto assim se vingar?

— Olha, é tentador e tal — disse Rhonda —, mas tenho lição de casa para fazer e aula de dança depois.

— Então… você não quer?

— Não é que eu não queira, só estou ocupada hoje. Posso jogar você na frente de um caminhão alguma outra hora?

Citra hesitou.

— Pode ser…

— Ou, melhor ainda, talvez na próxima você pode só me levar para almoçar ou algo do tipo.

— Pode ser…

— Só que, da próxima vez, por favor, dê um toque pra gente antes, pra não deixar minha mãe surtada. — Então se despediu, entrou em casa e fechou a porta.

— Que loucura… — Rhonda disse.

— O que foi isso, afinal? — a mãe perguntou.

Como não estava a fim de explicar, Rhonda disse:

— Nada importante. — O que deixou a mãe irritada, exatamente como era sua intenção.

Depois voltou para a cozinha, onde viu que seu lámen tinha esfriado. Que ótimo.

★

Citra se sentiu ao mesmo tempo aliviada e humilhada. Por anos, tinha guardado esse crime em segredo. Sua rixa com Rhonda era boba, como são a maioria das mágoas infantis. Rhonda sempre falara de si mesma como se fosse a bailarina mais talentosa do mundo. Citra fazia aula de dança com ela, naqueles tempos mágicos de criança em que as meninas nutriam a ilusão de que eram graciosas e fofas.

Rhonda liderara o bando que tinha acabado com essa ilusão de Citra, revirando os olhos e expirando raivosamente toda vez que Citra dava um passo imperfeito.

O empurrão não tinha sido premeditado. Tinha sido um crime de ocasião, e esse ato lançou uma sombra sobre Citra que nem mesmo ela sabia existir até se ver cara a cara com a garota.

E Rhonda nem se importava. Eram águas passadas havia muito tempo. Citra se sentiu idiota com toda a situação.

— Sabia que, na Era da Mortalidade, você teria sido tratada de forma muito diferente? — disse Curie sem olhar para Citra; ela nunca tirava os olhos da estrada quando estava dirigindo. Citra ainda estava se acostumando com esse hábito estranho. Como era esquisito ter que prestar atenção ao caminho em vez de simplesmente se deixar conduzir.

— Na Era da Mortalidade eu não teria feito aquilo — Citra respondeu, convicta —, porque saberia que ela não iria voltar. Empurrá-la naquela época seria o mesmo que coletar.

— Eles tinham uma palavra para isso: "homicídio".

Citra riu daquele termo arcaico.

— Que engraçado. Parece um homenzinho.

— Tenho certeza de que não era engraçado na época. — Ela fez uma manobra rápida para desviar de um esquilo na estrada sinuosa.

Então, quando a estrada ficou reta, aproveitou um momento raro para encarar Citra. — Então a penitência que você deu a si mesma foi se tornar uma ceifadora, fadada eternamente a tirar vidas como punição por esse ato da infância.

— Eu não me dei essa punição.

— Não?

Citra abriu a boca para responder, então parou. Afinal, e se a ceifadora Curie estivesse certa? E se, no fundo, tivesse aceitado se tornar aprendiz do ceifador Faraday para se punir por um crime com o qual só ela se importava? Se fosse verdade, era uma sentença excepcionalmente rigorosa. Se tivesse sido pega ou confessado, sua punição não passaria de uma curta suspensão na escola, uma multa para seus pais e um castigo severo em casa. Teria até um lado positivo: seus colegas ficariam com medo de irritá-la.

— A diferença entre você e a maioria das pessoas, Citra, é que ninguém teria se importado depois que a menina voltou à vida. Teria simplesmente esquecido disso. O ceifador Faraday viu algo em você quando a escolheu. Talvez o peso de sua consciência. — E então ela acrescentou: — Foi esse mesmo peso que me permitiu ver que você mentiu no conclave.

— Na verdade, estou surpresa que a Nimbo-Cúmulo não tenha me visto empurrando a menina — Citra disse, sem pensar.

Então a ceifadora falou algo que mudou tudo na mente da garota.

—Tenho certeza de que viu — ela disse. — A Nimbo-Cúmulo vê quase tudo, pois tem câmeras em toda parte. Mas ela também decide que infrações valem ou não o esforço de punir.

A Nimbo-Cúmulo vê quase tudo.

Ela tinha um registro de praticamente todas as interações humanas desde o momento em que ganhara consciência — mas, ao contrário do que acontecia nos tempos mortais, nunca abusava desse conhecimento. Antes da Nimbo-Cúmulo ganhar consciência, quando era chamada simplesmente de "nuvem", criminosos — e até mesmo órgãos públicos — encontravam formas de coletar dados sobre a vida privada das pessoas e se aproveitar deles, mesmo que fosse contra a lei. Todo estudante sabia sobre o mau uso das informações que quase destruiu a civilização antes da Nimbo-Cúmulo se consolidar no poder. Desde aquele tempo, não houve mais nenhuma violação de dados pessoais. As pessoas temiam isso. Profetizavam a desgraça nas mãos de uma máquina desalmada. Pelo visto, porém, a máquina tinha uma alma mais pura do que qualquer ser humano.

Ela observava o mundo com milhões de olhos, ouvia com milhões de ouvidos. E interferia — ou não — nas incontáveis situações que registrava.

O que significava que, em algum lugar de sua memória, ocultava-se um registro dos movimentos do ceifador Faraday em seu último dia de vida.

Citra sabia que, provavelmente, seria um esforço em vão rastrear esses movimentos. Mas e se a morte de Faraday não tivesse resultado de um ato de autocoleta? E se ele tivesse sido empurrado, como Citra empurrara Rhonda tantos anos antes? Nesse caso, porém, a morte dele não seria um crime infantil, circunstancial. Teria sido cruelmente premeditada. E se a morte de Faraday tivesse sido, usando a palavra que a ceifadora Curie lhe ensinara, um "homicídio"?

Na juventude, eu me admirava com a estupidez e a hipocrisia da era mortal. Naqueles tempos, o ato intencional de acabar com a vida humana era o mais hediondo de todos os crimes. Que ridículo! Eu sei que é difícil imaginar que a mais sublime das vocações humanas já tenha sido considerada crime um dia. Como o homem mortal era mesquinho e hipócrita: ao mesmo tempo que desprezava os que punham fim à vida, amava a natureza — que, naquele tempo, tirava todas as vidas humanas. A natureza decretava que nascer era uma sentença de morte e então promovia essa morte com uma coerência perversa.

Nós mudamos isso.

Agora somos uma força maior do que a natureza.

Por esse motivo, os ceifadores devem ser tão amados quanto a vista majestosa de uma montanha, tão reverenciados quanto uma floresta de sequoias e tão respeitados quanto uma tempestade iminente.

Do diário de coleta do ceifador Goddard

20

Convidado de honra

Eu vou morrer.

Rowan começou a repetir isso para si mesmo como um mantra, na esperança de que ficasse mais fácil assimilar a ideia. No entanto, não parecia funcionar muito bem. Mesmo sob a tutela de outros ceifadores, a determinação do conclave ainda era válida. Ele mataria Citra ao fim de seu treinamento ou ela o mataria. Era um drama apetitoso demais para os ceifadores anularem apenas por eles não serem mais aprendizes de um mesmo ceifador. Rowan sabia que não seria capaz de matar Citra. E a única maneira de evitar essa possibilidade era desistir da competição; ter um desempenho ruim daí por diante e até o último conclave, pois assim eles não teriam escolha senão ordenar Citra. Sua primeira obrigação seria coletar Rowan. Ele confiava que ela seria rápida e complacente. O truque seria não deixar transparecer que sua derrota era intencional; ele deveria fingir estar dando o melhor de si. Ninguém poderia saber seu verdadeiro plano. Ele era capaz disso.

Eu vou morrer.

Antes daquele dia fatídico na diretoria com Kohl Whitlock, Rowan nunca tinha conhecido alguém que tivesse morrido. As coletas sempre atingiam pessoas relativamente distantes. O parente de alguém que conhecia algum conhecido seu. Nos últimos quatro meses, porém, ele havia testemunhado em primeira mão dezenas e dezenas de coletas.

Eu vou morrer.

Mais oito meses. Ele faria seu aniversário de dezessete anos, mas seria o último. Por mais que a escolha fosse sua, pensar em ser apenas mais um número nos arquivos dos ceifadores o deixava furioso. Sua vida tinha sido um monte de nada. O garoto alface. A princípio ele achava esse apelido engraçado — uma medalha de honra —, mas agora era um insulto. Sua vida não tinha substância e, em breve, acabaria. Ele não deveria ter aceitado o convite de Faraday para ser aprendiz. Deveria simplesmente ter seguido em frente com sua vidinha banal — porque assim talvez pudesse ter a chance de, em algum momento, realizar alguma coisa de valor.

—Você mal disse uma palavra desde que entrou no carro.

—Vou falar quando tiver algo a dizer.

Ele estava com o ceifador Volta em um Rolls Royce particular em perfeito estado, mantido desde a Era da Mortalidade; o amarelo do manto do ceifador contrastava fortemente com os tons escuros do interior do carro. Volta não apenas dirigia; era um chofer. Eles entraram numa região onde as casas iam ficando cada vez maiores, e os terrenos, mais vastos, até as residências desaparecerem completamente por trás de portões e muros cobertos de hera.

Volta, um dos discípulos de Goddard, tinha pedras citrinas douradas cravejadas em seu manto amarelo. Ele era obviamente um ceifador jovem, havia poucos anos no cargo. Teria talvez vinte e poucos anos — uma idade em que contar os anos ainda parecia importante. Seus traços e tom de pele mostravam uma procedência áfrica, o que fazia o amarelo de sua vestimenta parecer ainda mais brilhante.

— Então, pode me explicar por que escolheu um manto cor de mijo?

Volta deu risada.

— Acho que você vai se adaptar muito bem. O ceifador Goddard gosta de ter pessoas à sua volta com a língua tão afiada quanto suas lâminas.

— Por que você o segue?

A pergunta sincera pareceu incomodá-lo mais do que o sarcasmo anterior. Volta ficou na defensiva.

— O ceifador Goddard é um visionário. Ele vê nosso futuro. Estou muito mais interessado em ser parte do futuro da Ceifa do que do passado.

Rowan se voltou para a janela. O dia estava claro, mas o vidro fumê o escurecia, como se estivessem no meio de um eclipse parcial.

—Vocês coletam pessoas às centenas. É esse o futuro que você quer?

—Temos as mesmas cotas que os outros ceifadores. — Foi tudo o que Volta disse sobre o assunto.

Rowan tornou a encarar Volta, que agora parecia ter dificuldade em manter contato visual.

— Quem treinou você para se tornar um ceifador? — Rowan perguntou.

— O ceifador Nehru.

Rowan se lembrou de ter visto Faraday conversando com o ceifador Nehru durante o conclave. Eles pareciam ter uma boa relação.

— O que ele acha de você andar com Goddard?

— Para você, é *Honorável Ceifador* Goddard —Volta disse, um pouco indignado. — E não dou a mínima pro que o ceifador Nehru pensa. Os ceifadores da velha guarda têm ideias arcaicas. Estão presos demais a seus antigos hábitos para entender a sabedoria da Mudança.

Ele falava da "Mudança" como se fosse uma coisa palpável. Algo que, por força de sua simbologia, fosse capaz de tornar as pessoas mais fortes só pelo fato de a defenderem.

Eles pararam diante de portões de ferro que se abriram lentamente.

— Chegamos — disse Volta.

Um caminho para carros de quase meio quilômetro ia dar numa mansão palaciana. Um empregado os recebeu e os fez entrar.

Rowan se sentiu imediatamente agredido pela música alta. Havia gente por toda parte, comemorando como se fosse véspera de Ano-Novo. Toda a mansão parecia vibrar com os espasmos da batida incessante. Gente rindo, bebendo e rindo mais. Alguns dos convidados eram ceifadores — e não apenas os famosos discípulos de Goddard. Havia também algumas celebridades de menor destaque. Os demais eram pessoas bonitas e atraentes, certamente convidados profissionais. Seu amigo Tyger sonhava em ser um desses. Muitos jovens diziam isso da boca pra fora, mas Tyger falava sério.

O empregado os levou para os fundos da mansão, onde havia uma piscina enorme que parecia mais condizente com um resort do que com uma casa. Havia cascatas, um bar no meio da piscina, além de mais pessoas bonitas e atraentes dançando animadas. O ceifador Goddard estava numa tenda perto do lado mais fundo da piscina, com a frente aberta para as festividades. Ele era servido por mais de uma bajuladora oportunista. Usava seu típico manto azul royal, mas quando Rowan chegou mais perto, viu que era de um tipo mais fino do que o que ele usara no conclave. O seu manto de lazer. Rowan se perguntou se aquele homem também tinha no guarda-roupa um traje de banho cravejado de diamantes.

— Rowan Damisch! — exclamou o ceifador Goddard quando eles se aproximaram. Ele mandou o empregado que passava com uma bandeja de drinques dar uma taça de champanhe a Rowan.

Vendo que o garoto recusou, o ceifador Volta pôs uma taça na mão de Rowan e desapareceu na multidão, deixando que se virasse sozinho.

— Por favor, aproveite — disse Goddard. — Sirvo apenas Dom Pérignon.

Rowan deu um gole, se perguntando se um aprendiz de ceifador menor de idade poderia perder pontos por beber. Mas logo se lembrou que essas regras não se aplicavam mais a ele. Deu outro gole.

— Preparei essa pequena bacanal em sua homenagem — o ceifador disse, apontando a festa que fervia ao redor.

— Como assim, em minha homenagem?

— Exatamente. Essa é a *sua* festa. Você gostou?

O espetáculo surreal de excessos era ainda mais inebriante do que o champanhe. Mas ele estava gostando? Acima de qualquer coisa, ele se sentia estranho, e mais estranho ainda por saber que era o convidado de honra.

— Não sei. Nunca tive uma festa para mim antes — o garoto respondeu. Era verdade: quando Rowan nascera, seus pais já tinham feito tantas festas de aniversários que haviam parado de comemorar. Ele tinha sorte quando lembravam de lhe dar um presente.

— Bom, nesse caso — disse o ceifador Goddard —, que esta seja a primeira de muitas.

Rowan teve de lembrar a si mesmo que esse homem com o sorriso perfeito, expelindo carisma em vez de suor, tinha sido o mesmo que tramara para que ele e Citra entrassem numa competição mortal. Mas era difícil não se fascinar pelo seu charme. Todo aquele espetáculo era repugnante, mas nem por isso a adrenalina deixava de correr nas veias do garoto.

O ceifador convidou Rowan a ficar ao seu lado, e Rowan se sentou do lado direito do ceifador.

— O oitavo mandamento não diz que o ceifador não pode possuir nada além de seu manto, seu anel e seu diário?

— Correto — disse o ceifador Goddard, alegremente. — E não possuo nada além disso. A comida é doada por benfeitores generosos, os convidados estão aqui por vontade própria e essa linda propriedade me foi emprestada pelo tempo que eu decidir prestigiar seus corredores com a minha presença.

À menção da propriedade, o homem que estava limpando a piscina ergueu os olhos na direção deles por um instante e voltou a seus afazeres.

— Você deveria reler os mandamentos — disse Goddard. — Não vai encontrar nenhum que exija que os ceifadores se privem dos confortos materiais que dão sabor à vida. Essa visão deprimente dos ceifadores da velha guarda é coisa do passado.

Rowan não deu mais nenhuma opinião sobre o assunto. Foram a seriedade e a humildade da "velha guarda" de Faraday que o impressionaram. Se ele tivesse sido abordado pelo ceifador Goddard, tentando-o com o glamour de astro do rock em troca de tirar vidas, ele teria recusado. Mas Faraday estava morto e Rowan estava ali, observando desconhecidos que tinham vindo por sua causa.

— Se a festa é minha, não deveria ter gente que eu conheço?

— Um ceifador deve ser amigo do mundo. Deve acolher a todos de braços abertos. — Parecia que o ceifador Goddard tinha resposta para tudo. — A sua vida está prestes a mudar, Rowan Damisch — ele disse, apontando para a piscina, os convidados, os empregados e a farta mesa de comida junto à parte rasa da piscina, que não parava de ser reabastecida. — Na verdade, já mudou.

Entre os convidados havia uma menina que parecia visivelmente deslocada. Ela era nova, devia ter nove ou dez anos no máximo. Completamente alheia à festa, brincava na parte rasa da piscina.

— Parece que um dos convidados trouxe a filha para a festa — Rowan comentou.

— Aquela é Esme — disse Goddard. — Seria prudente tratar a menina bem. Ela é a pessoa mais importante que você vai conhecer hoje.

— Por quê?

— Aquela gorduchinha é a chave do futuro. Então é bom torcer para ela gostar de você.

Rowan poderia ter continuado implicando com as respostas enigmáticas de Goddard, mas uma garota linda se aproximava com um biquíni que parecia ter sido pintado em seu corpo. Rowan percebeu tarde demais que a estava encarando. Ela sorriu e ele enrubesceu, desviando o olhar.

— Ariadne, você faria a gentileza de fazer uma massagem em meu aprendiz?

— Sim, excelência — disse a garota.

— Hum, talvez mais tarde — Rowan disse.

— Bobagem — disse o ceifador. — Você precisa relaxar, e Ariadne tem mãos mágicas, treinadas em uma técnica sueca. Seu corpo vai agradecer.

Ela pegou Rowan pela mão e isso acabou com qualquer resistência. Ele levantou e se deixou levar.

— Se nosso jovem gostar dos seus serviços — o ceifador Goddard falou para a garota enquanto eles se distanciavam —, vou permitir que você beije meu anel.

Enquanto Ariadne o levava para a tenda de massagem, Rowan pensou: *Daqui a oito meses, eu vou morrer.* Talvez ele pudesse se permitir um pequeno prazer até lá.

Fico mais consternada pelas pessoas que nos veneram do que pelas que nos desprezam. Muitos nos põem em um pedestal. Muitos anseiam ser um de nós — e saber que é impossível torna esse anseio ainda maior, pois todos os ceifadores começam sua aprendizagem ainda cedo.

Esse desejo se deve à ideia ingênua de que somos superiores, ou então a um coração perverso — afinal, quem além dos perversos sentiria prazer em tirar vidas?

Anos atrás, surgiram grupos que nos copiavam e nos imitavam. Eles usavam mantos como os de ceifadores. Usavam anéis semelhantes aos nossos. Para muitos, era apenas uma fantasia, mas outros chegavam a se fingir de ceifadores, enganando as pessoas e concedendo falsa imunidade. Tudo sem coletar.

As pessoas estão proibidas de se passarem por trabalhadores de qualquer profissão, mas nenhuma lei as impede de fingirem ser ceifadores. Como a Nimbo-Cúmulo não tem jurisdição sobre a Ceifa, não pode nos impor nenhuma lei. Foi um lapso imprevisto quando da separação entre a Ceifa e o Estado.

Mas esse lapso não durou muito tempo. No Ano da Arraia, no Sexagésimo Terceiro Conclave Global, decidiu-se que, assim que identificados, todos esses impostores deveriam ser coletados, em público, o mais violentamente possível. Embora se possa imaginar que esse decreto tenha resultado num massacre, na verdade pouquíssimas coletas foram feitas por esse motivo. Depois que a notícia se espalhou, os impostores abandonaram seus mantos falsos e sumiram. O decreto perdura até hoje, mas raramente é invocado, porque poucos são tolos o bastante para fingirem ser ceifadores.

Ainda assim, de tempos em tempos ouço falar no conclave de raros casos de ceifadores que se depararam com um impostor e tiveram de coletá-lo. Normalmente, a conversa gira em torno do inconveniente do acontecido. Do transtorno de ter de rastrear a família do impostor para lhe conceder imunidade e tudo mais.

Mas sempre fico pensando sobre os impostores. O que eles pretendiam conseguir com isso? Era o encanto do proibido? Eram seduzidos pelo perigo de serem pegos? Ou simplesmente desejavam tanto abandonar esta vida que decidiram escolher um dos poucos caminhos diretos para a aniquilação?

Do diário de coleta da ceifadora Curie

21

Marcado

A festa durou mais um dia. Um festival de excessos em todos os níveis. Rowan participou, mas mais por obrigação. Ele era o centro das atenções, a celebridade do momento. Na piscina, as pessoas bonitas e atraentes nadavam em sua direção. Os convidados no bufê abriam caminho para que ele fosse sempre o primeiro da fila. Era constrangedor, mas inebriante. Rowan não podia negar que parte dele gostava daquele tratamento especial inacreditável. O alface alçado a um lugar de honra.

E só quando os outros ceifadores presentes apertaram sua mão e lhe desejaram boa sorte em sua competição mortal contra Citra, ele recobrou a consciência e se lembrou do que estava em jogo.

Tirou breves cochilos na tenda, sempre despertado pela música, por gargalhadas roucas ou fogos de artifício. No fim da tarde do segundo dia, quando o ceifador Goddard se sentiu cansado, ele simplesmente passou essa informação adiante, e logo ela se espalhou. Em menos de uma hora, os convidados tinham ido embora e os empregados começaram a arrumar o local, agora estranhamente silencioso. Permaneciam apenas os moradores da mansão: o ceifador Goddard, seus três jovens ceifadores, o aprendiz e a menina, Esme, que, da janela de seu quarto, espiava Rowan como uma alma penada. O garoto estava na tenda de Goddard esperando o que quer que estivesse por vir.

O ceifador Volta se aproximou, com seu manto amarelo ondulando ao sopro da brisa.

— O que você ainda está fazendo aqui fora? — ele perguntou.

— Não tenho pra onde ir — Rowan respondeu.

— Venha comigo — Volta disse. — Está na hora de começar seu treinamento.

Havia uma adega no porão da casa principal. Centenas (talvez milhares) de garrafas de vinho repousavam em vãos de tijolo. Pouquíssimas lâmpadas iluminavam o espaço, lançando sombras longas e fazendo os vãos parecerem portais para diferentes infernos.

O ceifador Volta conduziu Rowan até a câmara central da adega, onde Goddard e os outros ceifadores esperavam. A ceifadora Rand tirou um aparelho do seu manto verde. Parecia uma mistura de arma com lanterna.

— Você sabe o que é isso? — ela perguntou.

— É um regulador — Rowan respondeu. Ele já tivera os nanitos ajustados quando seus professores concluíram que sua melancolia ultrapassara a fronteira com a depressão. Isso acontecera seis anos antes, quando esse procedimento era indolor, e o efeito, sutil. Rowan não chegou a notar nenhuma grande mudança, mas todos acharam que ele passou a sorrir mais.

— Braços estendidos, pernas abertas — ordenou a ceifadora Rand. Rowan obedeceu, e Rand passou o regulador por todo o seu corpo, como uma espécie de varinha de condão. Rowan sentiu um leve formigamento nos pés e nas mãos, que logo passou. Ela recuou um passo, e o ceifador Goddard se aproximou.

— Já ouviu falar de "rituais de iniciação"? — perguntou Goddard.

Rowan fez que não, notando que os outros ceifadores haviam

se postado à sua volta, de modo que ele ficou no centro de um círculo.

— Bom, você está prestes a descobrir o que é.

Os outros ceifadores se livraram de seus pesados mantos superiores. Então, apenas com túnicas e roupas de baixo, assumiram posturas agressivas. Havia um ar de determinação em seus rostos e, talvez, uma leve expectativa eufórica. Rowan soube o que estava prestes a acontecer um instante antes de eles começarem.

O ceifador Chomsky, o maior dentre eles, deu um passo à frente e, sem aviso, ergueu o punho e deu um soco no rosto de Rowan com tanta força que ele rodopiou, perdeu o equilíbrio e caiu no chão empoeirado.

Rowan sentiu o impacto do soco, o choque violento da dor, e esperou pelo calor indicativo de que os nanitos estavam liberando opiatos anestésicos em sua corrente sanguínea. Mas o alívio não veio. Em vez disso, a dor aumentou.

Foi horrível.

Devastador.

Rowan nunca sentira tanta dor — nunca nem imaginara ser possível sentir uma dor tão intensa.

— *O que vocês fizeram?!* — ele gritou. — *O que fizeram comigo?*

— Desativamos seus nanitos — o ceifador Volta disse, calmamente. — Assim você vai poder sentir o que nossos ancestrais sentiam.

— Tem uma expressão muito antiga: "Sem dor, não há vitória" — o ceifador Goddard disse. Ele apertou o ombro de Rowan calorosamente. — E quero muito que você vença.

Então recuou, deu sinal para os outros avançarem, e eles começaram a encher Rowan de agressões.

A recuperação sem a ajuda dos nanitos de cura tinha sido um processo lento e doloroso, que parecia piorar em vez de melhorar. No primeiro dia, Rowan quis morrer. No segundo, achou que realmente morreria. Sua cabeça latejava, seus pensamentos vagueavam. Ele dormia e acordava sem nem perceber. Respirar era difícil e ele sabia que estava com várias costelas quebradas. Embora o ceifador Chomsky tivesse dado um jeito em seu ombro deslocado depois da pancadaria, ele ainda doía a cada pulsar de seu coração.

O ceifador Volta o visitava várias vezes ao dia. Sentava ao seu lado, dava colheradas de sopa em sua boca e limpava os lábios partidos e inchados quando a sopa se derramava. Parecia haver uma aura à sua volta, mas Rowan sabia que se tratava de uma ilusão de ótica devida ao estrago sofrido por sua visão. Ele não ficaria surpreso se tivesse descolado as retinas.

— Esse troço queima — ele disse a Volta quando a sopa salgada espirrou sobre seus lábios.

— Por enquanto sim — Volta disse com compaixão sincera. — Mas vai passar, e você vai ficar melhor por causa disso.

— Como posso ficar melhor por causa disso? — Rowan perguntou, horrorizado com o som distorcido e líquido de suas palavras, como se ele estivesse falando pelos orifícios respiratórios de uma baleia.

Volta lhe deu outra colherada.

— Daqui a seis meses, você vai me dizer se eu estava certo.

Ele agradeceu a Volta por visitá-lo quando ninguém mais o fazia.

— Pode me chamar de Alessandro — Volta disse.

— É seu nome de verdade? — Rowan perguntou.

— Não, idiota, é o primeiro nome de Volta.

Rowan imaginou que aquele era o maior grau de familiaridade possível na Ceifa.

— Obrigado, Alessandro.

★

Na noite do segundo dia, a menina — aquela que Goddard dissera ser tão importante — entrou em seu quarto entre um e outro de seus delírios. Qual era mesmo o nome dela? Amy? Emmy? Ah, sim… Esme.

— Odeio o que fizeram com você — ela disse, com lágrimas nos olhos. — Mas você vai melhorar.

É claro que ele ia melhorar. Não tinha escolha. Nos tempos mortais, as pessoas morriam ou se recuperavam. Agora, havia apenas uma opção.

— Por que você está aqui?

— Para ver como você está — ela respondeu.

— Não, quero dizer aqui, neste lugar?

Ela hesitou antes de falar. Então, desviou o olhar.

— O ceifador Goddard e os amigos dele foram a um shopping perto da minha casa. Coletaram todo mundo que estava na praça de alimentação, menos eu. Depois, ele quis me trazer pra cá. Então eu vim.

Isso não respondia nada, mas foi a única explicação que Esme deu — talvez porque fosse a única que ela conhecia. Pelo que Rowan pôde ver, a menina não tinha nenhuma função clara na mansão. Mas a ordem de Goddard era que qualquer pessoa que se indispusesse com ela fosse severamente punida. Ela não deveria ser incomodada de maneira alguma e podia andar livremente pela mansão. Para Rowan, Esme era o maior mistério que havia no mundo do ceifador Goddard.

— Acho que você vai ser um ceifador melhor do que os outros — ela disse, mas não explicou por que pensava isso. Talvez fosse uma intuição, mas Esme estava redondamente enganada.

— Não vou virar um ceifador — ele respondeu. Ela era a primeira pessoa a quem confessava isso.

— Se você quiser, vai virar sim — ela disse. — E acho que vai querer.

Depois ela o deixou refletindo sobre a dor e sobre essa possibilidade.

O ceifador Goddard só foi dar as caras no quarto de Rowan no terceiro dia.

— Como está se sentindo? — ele perguntou. Rowan queria cuspir na cara dele, mas sabia que doeria demais e poderia provocar um segundo espancamento.

— Como *acha* que estou me sentindo? — Rowan perguntou.

Goddard sentou na beira da cama e examinou o rosto do garoto.

— Venha ver com seus próprios olhos. — Em seguida, ajudou Rowan a sair da cama e o conduziu até um guarda-roupa em que havia um espelho grande.

Rowan mal se reconheceu. Seu rosto estava tão inchado que mais parecia uma abóbora. Havia hematomas em sua face, e todo o corpo estava coberto de manchas de todas as cores.

— É aqui que sua vida realmente começa — Goddard disse. — O que você está vendo é a morte do garoto. Disso, surgirá o homem.

— Que belo monte de merda — Rowan disse, sem se importar com a reação que poderia provocar.

Goddard apenas ergueu a sobrancelha.

— Talvez. Mas você não pode negar que é um momento decisivo em sua vida, e todo momento decisivo deve ser marcado por um evento, um evento para ficar gravado em você de forma tão permanente quanto uma cicatriz.

Então agora ele estava marcado. No entanto, desconfiava que esse era apenas o começo de uma prova de fogo ainda mais terrível.

— O mundo anseia ser como nós — Goddard disse a Rowan. — Poder fazer o que bem entende sem maiores problemas nem remorsos. Se pudessem, roubariam nossos mantos e os vestiriam. Você tem a oportunidade de se tornar mais importante do que um rei, e isso exige, no mínimo, o rito de passagem que ofereci a você.

Goddard ficou parado, examinando Rowan por mais alguns segundos. Depois, tirou o regulador de seu manto.

— Braços para cima, pernas abertas.

Rowan respirou o mais fundo que pôde e obedeceu. Goddard passou o regulador por ele. Rowan sentiu o formigamento nas mãos e nos pés, mas, quando essa sensação acabou, não lhe veio o agradável aquecimento dos opiatos nem o alívio da dor.

— Ainda dói — Rowan disse.

— É claro que dói. Não ativei os anestésicos, apenas os nanitos de cura. Você vai estar novinho em folha amanhã de manhã e pronto para começar o treinamento. Mas, a partir de agora, vai sentir toda a dor de seu corpo.

— Por quê? — Rowan se atreveu a perguntar. — Quem, em sã consciência, ia querer sentir uma dor tão intensa?

— A sã consciência é superestimada — Goddard disse. — Prefiro ter uma consciência livre a ter uma consciência "sã".

No ramo da morte, nós, ceifadores, não temos concorrência. A menos, claro, que você considere o fogo. O fogo mata tão rápido e completamente quanto a lâmina de um ceifador. É terrível, mas, de certa forma, é consolador saber que existe uma ação que a Nimbo-Cúmulo não é capaz de mudar. Um tipo de mal que os centros de revivificação são incapazes de desfazer. Quem brinca com fogo aposta a vida.

A morte pelo fogo é a única morte natural que nos resta. Mas quase nunca acontece. A Nimbo-Cúmulo monitora o calor em todos os centímetros do planeta, e o combate ao fogo normalmente começa antes mesmo que se possa sentir cheiro de fumaça. Há sistemas de segurança em todas as casas e todos os edifícios comerciais, com vários dispositivos duplicados, só por precaução. As seitas tonais mais radicais tentam queimar seus semimortos para tornar a morte permanente, mas os ambudrones normalmente chegam mais rápido.

Não é bom saber que todos estamos protegidos da ameaça do inferno? Exceto, claro, quando não estamos.

Do diário de coleta da ceifadora Curie

22

Símbolo do bidente

Os dias de Citra eram ocupados pelo treinamento e pelas coletas.

Ela e Curie sempre iam para cidades escolhidas ao acaso. Citra observava a ceifadora andando por ruas, shoppings e parques — uma verdadeira leoa em busca de uma presa vulnerável. A garota aprendeu a ver os sinais dos "estagnados", como Curie os chamava — embora não estivesse tão convencida de que eles desejavam ser coletados. Citra se perguntava quantas vezes não havia sentido um cansaço do mundo antes de se tornar uma aprendiz da morte. Se a ceifadora a tivesse encontrado numa daquelas ocasiões, será que a teria coletado?

Certo dia, as duas passaram na frente de uma escola primária no horário da saída, e Citra sentiu um aperto no peito ao pensar que a ceifadora Curie ia coletar um dos alunos.

— Nunca coleto crianças — a ceifadora disse. — Nunca encontrei nenhuma que parecesse estagnada e, mesmo se encontrasse, não a coletaria. Já me repreenderam no conclave por causa disso, mas não tomaram nenhuma medida disciplinar contra mim.

O ceifador Faraday não tinha essa regra. Ele seguia estritamente as estatísticas da Era da Mortalidade. Poucos morriam antes da adolescência naqueles tempos, mas às vezes acontecia. Enquanto esteve junto com Faraday, Citra soube de apenas uma vez em que ele havia coletado uma criança. Ele não chamara nem Rowan nem

Citra e, no jantar daquela noite, tinha chorado descontroladamente e tivera de pedir licença e sair da mesa. Citra decidiu que, se fosse ordenada, adotaria uma regra como a de Curie, mesmo se isso contrariasse o comitê de seleção.

Quase toda noite, ela e a ceifadora preparavam o jantar para membros de famílias enlutadas. A maioria saía mais aliviada. Alguns continuavam inconsoláveis, ressentidos, enraivecidos... mas eram uma minoria. Assim foi a vida e a morte para Citra nos dias que antecederam o Conclave da Colheita. Ela não conseguia parar de pensar em Rowan nem de se perguntar como ele estava. Sentia um enorme desejo de vê-lo, mas ao mesmo tempo receava isso, pois sabia que, em poucos meses, de um jeito ou de outro, ela o veria pela última vez.

Citra se apegava à esperança frágil de que, se pudesse provar que o ceifador Faraday fora coletado por outro ceifador, talvez teria uma chave inglesa para ser lançada dentro das engrenagens incansáveis da Ceifa. Uma chave que livraria Citra de ter de coletar Rowan ou vice-versa.

A maioria das pessoas que Citra precisava notificar tinha um mesmo tipo de grau de parentesco com o morto: maridos, esposas, filhos, pais. A princípio ela ficou magoada com a ceifadora Curie por deixá-la ante essas pessoas desconsoladas, mas logo passou a entender por quê. Curie fazia isso para que Citra pudesse aprender a demonstrar compaixão diante da tragédia, não para fugir de sua responsabilidade de ceifadora. Era emocionalmente exaustivo, mas enriquecedor. Preparava-a para se tornar uma boa ceifadora.

Ela passou por uma experiência diferente apenas após uma coleta. A primeira parte desse trabalho era rastrear os familiares mais próximos da pessoa coletada. Houve uma mulher que parecia não ter parentes próximos, apenas um irmão de quem vivia afastada. Isso era estranho num tempo em que as famílias estendidas pareciam uma rede complexa, abrangendo seis gerações vivas, ou até mais. No entanto, essa pobre mulher tinha apenas um irmão. Citra descobriu o endereço e foi até lá sem prestar muita atenção. Só soube onde estava quando chegou ao seu destino.

Não era uma residência — não no sentido comum da palavra —, mas um monastério. Um complexo de adobe rodeado por uma muralha no estilo dos estabelecimentos históricos de missionários. Mas, ao contrário daquelas estruturas antigas, o símbolo no alto do campanário central não era uma cruz, e sim um diapasão bifurcado. O bidente. O símbolo das seitas tonais.

Aquele era um monastério tonista.

Citra sentiu o calafrio que as pessoas sentem diante de algo vagamente estranho, sombrio e místico.

— Fique longe desses lunáticos — seu pai dissera certa vez. — As pessoas são sugadas e somem para sempre. — O que era uma afirmação ridícula. Ninguém mais desaparecia de verdade. A Nimbo-Cúmulo sabia exatamente onde todo mundo estava o tempo inteiro. Mas, claro, a Nimbo-Cúmulo não era obrigada a dizer.

Em outras circunstâncias, Citra seguiria o conselho do pai. Mas estava fazendo uma visita de condolências, o que afastava qualquer receio.

Citra entrou no complexo passando por um portão em arco que não estava trancado. Ela encontrou um jardim cheio de flores brancas com cheiro forte. Gardênias. A crença das seitas tonais girava em torno de aromas e sons. Eles davam pouco valor à visão. Havia grupos tonistas mais radicais que chegavam a se cegar — o que a Nimbo-Cúmulo permitia, relutante —, impedindo seus nanitos curativos de restaurarem a visão. Era terrível e, no entanto, uma das raras expressões de liberdade religiosa restantes num mundo que havia enterrado seus diversos deuses.

Citra seguiu uma trilha de pedras até a igreja que trazia o símbolo do diapasão, empurrou as portas pesadas de carvalho e entrou na capela, onde viu uma fileira de bancos de cada lado. Estava escuro, ainda que houvesse janelas com vitrais em ambos os lados. Não eram da Era da Mortalidade, mas de caráter tonal. Representavam várias cenas estranhas: um homem sem camisa carregando um enorme diapasão nas costas flageladas, uma pedra rachada que emitia raios, multidões fugindo de uma criatura vermiforme asquerosa em forma de dupla hélice que lançava suas espirais para fora do chão.

Ela não gostou das imagens e não sabia em que aquelas pessoas acreditavam. Simplesmente achava ridículo. Absurdo. Todos sabiam que essa pseudorreligião não passava de uma miscelânea de crenças da Era da Mortalidade. No entanto, mesmo assim, havia quem se deixasse atrair por esse estranho mosaico ideológico.

Um padre, ou monge, ou sabe-se lá como se chamava um clérigo da seita, estava no altar, cantando em tom monocórdico e apagando as velas uma a uma.

— Com licença — Citra disse. Sua voz saiu muito mais alta do que pretendia graças à acústica da capela.

O homem não se assustou. Apagou mais uma vela e em seguida guardou o apagador de prata e mancou até ela. Ela se perguntou se ele arrastava a perna por fingimento ou se a sua liberdade religiosa lhe permitia alimentar o ferimento que o fazia manquejar. Pelas rugas em seu rosto, ela viu que já havia passado do tempo de ele se restaurar.

— Sou o vigário Beauregard — ele disse. — Você veio em busca de redenção?

— Não — ela respondeu, mostrando a braçadeira que exibia o selo dos ceifadores. — Preciso falar com Robert Ferguson.

— O irmão Ferguson está em seu repouso vespertino. Não devo perturbá-lo.

— É importante — ela disse.

O vigário suspirou.

— Muito bem. Aquilo que vem não pode ser evitado. — Então saiu mancando, deixando Citra sozinha.

Ela observou ao redor, contemplando o ambiente estranho. No altar da frente havia uma pia de granito cheia com uma água mal-cheirosa. Logo atrás, ficava o ponto central de toda a igreja: um diapasão de aço parecido com o que ficava no topo do telhado lá fora. Esse bidente tinha quase dois metros e se erguia sobre uma base de obsidiana. Ao lado dele, numa plataforma menor, uma pequena marreta de borracha descansava sobre uma almofada de veludo. Mas foi o bidente que chamou sua atenção. O enorme diapasão era cilíndrico, liso como prata, e parecia frio ao toque.

— Você quer tocá-lo, não quer? Vá em frente, não é proibido.

Citra levou um susto e se censurou em silêncio por ter sido pega de surpresa.

— Sou o irmão Ferguson — disse o homem, aproximando-se. — Você queria falar comigo?

— Sou aprendiz da Honorável Ceifadora Marie Curie.

— Já ouvi falar dela.

— Estou aqui numa missão de luto.

— Prossiga.

— Sinto muito, mas sua irmã, Marissa Ferguson, foi coletada pela ceifadora Curie hoje à uma e quinze da tarde. Meus pêsames.

O homem não pareceu abalado nem chocado, apenas resignado.

— É só isso?

— É só isso? Você não ouviu o que eu disse? Acabei de falar que sua irmã foi coletada hoje.

O homem suspirou.

— Aquilo que vem não pode ser evitado.

Se já não gostava dos tonistas antes, agora é que não gostava *mesmo*.

— É isso? — ela perguntou. — É esse o verso "sagrado" de vocês?

— Não é um verso; é apenas uma simples verdade que seguimos.

— Ah, tanto faz. Você precisa se preparar para receber o corpo de sua irmã, porque ele já está vindo e também não pode ser evitado.

— Mas, se eu não fizer nada, a Nimbo-Cúmulo não vai providenciar o funeral?

—Você não está nem aí?

O homem levou um momento para responder.

— A morte pela ceifa não é uma morte natural. Nós, tonistas, não a reconhecemos.

Citra pigarreou, conteve a bronca que queria dar, e fez o possível para continuar agindo de maneira profissional.

— Tem mais uma coisa. Embora você não more com ela, oficialmente é seu único parente. Isso lhe dá o direito de imunidade contra a coleta.

— Não quero imunidade — ele disse.

— Por que será que não estou surpresa? — Aquela era a primeira vez que encontrava alguém que recusava a imunidade. Até os mais deprimidos beijavam o anel.

—Você fez o seu trabalho. Pode ir agora — disse o irmão Ferguson.

Citra não sabia como lidar com sua frustração.

Ela não podia gritar com o homem. Não podia usar golpes de bokator para chutar seu pescoço ou derrubá-lo com uma cotovelada. Então, fez a única coisa que podia: pegou o martelo e descarregou toda a sua fúria num único e potente golpe no diapasão.

231

O diapasão ressoou com tanta força que ela sentiu a vibração em seus dentes e ossos. Não soou um som oco, como o de um sino. Era um som forte e denso. A vibração tirou a raiva de dentro dela. Difundiu-a. Fez seus músculos e a mandíbula relaxarem. Ecoou em seu cérebro, entranhas e espinha. O som se prolongou por mais tempo do que deveria, depois foi perdendo a força devagar. Ela nunca havia sentido nada tão vibrante e reconfortante ao mesmo tempo. Tudo que conseguiu dizer foi:

— O que foi isso?

— Fá sustenido — disse o irmão Ferguson. — Embora haja uma discussão antiga entre os irmãos. Alguns afirmam que na verdade se trata de um lá bemol.

O diapasão ainda ressoava fracamente. Citra conseguia vê-lo vibrar, o que fazia seus contornos parecerem levemente turvos. Ela tocou no instrumento, e logo ele silenciou.

— Você tem perguntas a fazer — disse o irmão Ferguson. — Vou responder o que puder.

Citra quis negar que tivesse perguntas, mas de repente percebeu que tinha várias.

— Em que vocês acreditam?

— Acreditamos em muitas coisas.

— Conte uma.

— Acreditamos que as chamas não devem arder para sempre.

Citra olhou para as velas perto do altar.

— É por isso que o vigário estava apagando as velas?

— Sim, faz parte do nosso ritual.

— Então vocês veneram a escuridão.

— Não — ele disse. — Esse é um equívoco comum. As pessoas usam isso para nos difamar. O que veneramos são as ondas sonoras e as vibrações que ultrapassam os limites da visão humana. Acreditamos na Grande Vibração e que ela vai nos livrar da estagnação.

Estagnação.

Era a palavra que a ceifadora Curie usava para descrever o estado das pessoas que ela escolhia coletar. O irmão Ferguson sorriu.

— Aliás, algo está ecoando em você agora, não?

Sem querer enfrentar o olhar invasivo do homem, Citra pousou os olhos na pia de pedra e apontou para ela.

— E pra que serve aquela água suja?

— Aquele é o lodo primordial. Está cheio de micróbios. Na Era da Mortalidade, essa única bacia teria exterminado populações inteiras. O nome disso era "doença".

— Eu sei o que eram doenças.

Ele mergulhou o dedo na água viscosa e o girou.

— Varíola, poliomielite, ebola, carbúnculo... está tudo aí dentro. Mas agora é inofensivo para nós. Não temos como ficar doentes nem se quisermos. — Ele ergueu o dedo da lama pútrida e o lambeu. — Poderia beber a pia toda e não ficaria nem com indigestão. Infelizmente, não podemos mais transformar água em vermes.

Citra saiu sem dizer mais nada nem olhar para trás... mas, pelo resto do dia, não conseguiu tirar das narinas o mau cheiro daquela água asquerosa.

As atividades da Nimbo-Cúmulo não são da minha conta. O objetivo dela é sustentar a humanidade. O meu é moldar a humanidade. A Nimbo-Cúmulo é a raiz, e eu sou a tesoura de poda, moldando os galhos, mantendo a árvore viva. Ambos são necessários. E mutuamente excludentes.

Não sinto falta da tal "relação" com a Nimbo-Cúmulo — tampouco sentem os jovens ceifadores que passei a ver como discípulos. A ausência de intromissões indesejadas da Nimbo-Cúmulo é uma bênção, pois permite que vivamos sem uma rede de segurança. Sem a muleta de um poder mais alto. Eu sou o poder mais alto de que tenho conhecimento, e prefiro que continue assim.

E, quanto aos meus métodos de coleta, que vez por outra são questionados, apenas digo: não é função do jardineiro podar as árvores do melhor jeito possível? E não devem ser os galhos que começam a subir alto demais os primeiros a serem podados?

Do diário de coleta do ceifador Goddard

23
Vertigem virtual

No corredor em que ficava o quarto de Citra, havia um escritório que, como todos os outros cômodos da casa, tinha muitas janelas, e como tudo na vida da ceifadora Curie, era mantido em perfeita ordem. Havia uma interface de computador ali, que Citra usava para estudar — pois, ao contrário de Faraday, a ceifadora não rejeitava o mundo digital como ferramenta de estudo. Sendo aprendiz, Citra tinha acesso às bases de dados e informações a que a maioria das pessoas não tinha: a "mente interna", como era chamada — todos os dados brutos da memória da Nimbo-Cúmulo não organizados para o uso humano.

Antes de seu treinamento, quando fazia uma busca na Nimbo-Cúmulo, a nuvem sempre interferia, dizendo algo como: "Vejo que está procurando um presente. Posso saber para quem? Talvez eu possa ajudar a encontrar algo apropriado". Em alguns casos, Citra deixava a Nimbo-Cúmulo ajudar; em outros, preferia procurar sozinha. Mas desde que se tornara aprendiz de ceifadora, a Nimbo-Cúmulo tinha ficado perturbadoramente muda, como se não houvesse nada além de seus dados.

— Você vai se acostumar — o ceifador Faraday dissera logo no começo. — Os ceifadores não podem falar com a Nimbo-Cúmulo nem ela conosco. Com o tempo, porém, você passará a apreciar o silêncio e a independência causados por sua ausência.

Agora, mais do que nunca, Citra sentia falta da orientação da inteligência artificial da Nimbo-Cúmulo enquanto vasculhava seus dados. O sistema mundial de câmeras públicas dava a impressão de ter sido projetado para frustrar seus esforços. Suas tentativas de rastrear os movimentos do ceifador Faraday no dia de sua morte estavam se provando mais difíceis do que ela imaginara. Os vídeos na mente interna não eram organizados por câmera e nem mesmo por local. Parecia que a Nimbo-Cúmulo os associava por conceito. Quando o sistema registrava padrões de tráfego idênticos em diferentes partes do mundo, ele os interligava. Imagens de pessoas com modos de andar parecidos eram relacionadas. Um fio de associações levava a imagens de pores do sol cada vez mais espetaculares, todos capturados por câmeras de rua. Citra percebeu que a memória digital da Nimbo-Cúmulo era estruturada como um cérebro biológico: cada momento de cada registro de vídeo era conectado por centenas de critérios diferentes. Com isso, cada conexão que Citra seguia a levava a uma vertigem de neurônios virtuais. Era como tentar ler a mente de alguém dissecando seu córtex cerebral. Era de enlouquecer.

Ela sabia que a Ceifa criara seus próprios algoritmos para sondar conteúdos insondáveis na mente interna, mas Citra não tinha como perguntar a Curie sem que ela desconfiasse. Como a ceifadora já havia se provado capaz de identificar mentiras, era melhor não se expor a situações em que tivesse de mentir.

A busca começou como um projeto, logo se transformou num desafio e, então, em uma obsessão. Todos os dias, Citra passava uma ou duas horas tentando encontrar, secretamente, imagens dos movimentos finais do ceifador Faraday, mas não achava nada.

Citra se perguntava se, mesmo em silêncio, a Nimbo-Cúmulo observava o que ela estava fazendo. *Ah, minha nossa, você não para de cutucar meu cérebro*, ela diria se pudesse, com uma piscadela virtual. *Menina malvada!*

Depois de muitas semanas, Citra teve uma ideia. Se tudo o que era enviado para a Nimbo-Cúmulo ficava armazenado na mente interna, então não apenas os registros públicos ficavam lá, mas os pessoais também. Ela não tinha como acessar os registros particulares de outras pessoas, mas todas as informações que *ela mesma* transferisse estariam a sua disposição. O que significava que ela podia fazer a pesquisa com base em seus próprios dados...

— Não existe nenhuma lei que diga que não posso visitar minha família enquanto for aprendiz.

Certa noite, Citra tocou nesse assunto durante o jantar, sem nenhum aviso prévio e sem propósito. Sua intenção era exatamente pegar Curie de surpresa. Ela viu que funcionou, pelo tempo que a ceifadora levou para responder. Curie tomou duas colheradas de sopa antes dizer alguma coisa.

— É nossa tradição. E uma tradição sensata, na minha opinião.

— É cruel.

—Você não foi a um casamento de um familiar?

Citra se perguntou como a ceifadora sabia disso, mas não se deixaria perturbar.

— Posso morrer daqui a alguns meses. Acho que tenho o direito de ver minha família algumas vezes antes disso.

Curie tomou mais duas colheradas de sopa antes de responder.

—Vou pensar sobre isso.

Por fim, ela concordou, como Citra sabia que concordaria; afinal, Curie era uma mulher justa. E como a garota não havia mentido — queria mesmo ver sua família —, a ceifadora não encontraria falsidade em seu rosto, porque não havia nenhuma. Mas, claro, ver a família não era sua única motivação.

Enquanto Curie e Citra avançavam pela rua onde sua família morava, ela viu que tudo parecia igual, mas diferente. Sentiu uma nostalgia, mas não saberia dizer exatamente de quê. Tudo que sabia era que, de repente, andar por sua rua era como entrar numa terra estrangeira em que as pessoas falavam um idioma desconhecido. Elas pegaram o elevador até o apartamento de Citra com uma mulher rechonchuda e uma pug mais rechonchuda ainda, que estava completamente aterrorizada — a mulher, a sra. Yeltner, não a cachorrinha. A cachorrinha não estava. Antes de Citra sair de casa, a sra. Yeltner tinha restaurado seu ponto de lipídios para emagrecer. Mas, pelo visto, o procedimento lutava contra um apetite voraz, porque ela acumulava gordura em todas as partes do corpo.

— Olá, sra. Yeltner — Citra disse, sentindo-se culpada por ter prazer com o pavor sem disfarce da mulher.

— É... é bom ver você — ela disse, e era evidente que não lembrava o nome de Citra. — Não houve uma coleta em seu andar no começo do ano? Achava que não era permitido atacar o mesmo prédio mais de uma vez em tão pouco tempo.

— É permitido sim — Citra disse. — Mas não estamos aqui para coletar.

— Mas tudo é possível — acrescentou a ceifadora Curie.

Quando o elevador chegou ao seu andar, a sra. Yeltner chegou a tropeçar na cachorrinha, tamanha sua pressa de sair.

Era domingo — seus pais e seu irmão estavam em casa, à sua espera. Tinham sido avisados sobre a visita, mas seu pai abriu a porta com uma expressão de surpresa.

— Oi, pai — Citra disse. Ele a abraçou de um jeito que parecia caloroso mas ao mesmo tempo uma obrigação.

— Sentimos sua falta, filha — disse a mãe, abraçando-a também. Ben manteve distância e ficou apenas encarando a ceifadora.

— Esperávamos ver o ceifador Faraday — o pai disse à mulher de manto cor de lavanda.

— Longa história — disse Citra. — Tenho uma nova mentora agora.

Ben deixou escapar de repente:

— A senhora é a ceifadora Curie!

— Ben — sua mãe repreendeu —, não seja mal-educado.

— Mas é, não é? Já vi fotos. A senhora é famosa.

A ceifadora abriu um sorriso modesto.

— "Infame" é a palavra mais adequada.

O sr. Terranova fez um gesto indicando a sala de estar.

— Entrem, por favor.

Mas a ceifadora Curie não chegou a entrar.

— Tenho outros assuntos a resolver — ela disse. — Mas volto para buscar Citra ao anoitecer. — Ela cumprimentou os pais de Citra, piscou para Ben, e se virou para sair. No momento em que a porta se fechou atrás dela, seus pais pareceram relaxar um pouco, como se antes estivessem prendendo a respiração.

— Não acredito que você está sendo treinada pela *ceifadora Curie*! A Vovó da Morte!

— Grande Dama, não vovó.

— Eu nem sabia que ela ainda estava viva — disse a mãe de Citra. — Todos os ceifadores não têm de se coletar em algum momento?

— Não *temos* que fazer nada — Citra disse, um pouco surpresa pelo pouco que seus pais sabiam sobre o funcionamento da Ceifa. — Os ceifadores só se autocoletam e morrem se quiserem. — *Ou se forem assassinados*, Citra pensou.

O quarto dela estava exatamente como o havia deixado, só que mais limpo.

— Se você não for ordenada, pode voltar para casa, e será como se nunca tivesse ido embora — disse sua mãe. Citra não contou para ela que, independente do resultado, não voltaria para casa. Se virasse ceifadora, provavelmente viveria com outros jovens ceifadores; caso contrário, não viveria de jeito nenhum. Seus pais não precisavam saber disso.

— O dia é todo seu — disse o pai. — O que quer fazer?

Citra revirou a gaveta de sua escrivaninha até encontrar sua câmera.

—Vamos dar uma volta.

A conversa girava em torno de banalidades e, por mais que fosse bom reencontrar a família, a barreira entre eles estava maior do que nunca. Havia tantas coisas sobre as quais queria poder conversar, mas eles nunca entenderiam. Nunca poderiam se identificar com o que ela estava vivendo. Citra não podia falar com a mãe sobre as dificuldades da arte de matar. Não podia fazer seu pai entender a angústia do momento final, quando a vida abandonava o olhar de uma pessoa. Seu irmão era o único com quem se sentia minimamente à vontade para conversar.

— Sonhei que você ia pra minha escola e coletava todos os valentões — ele disse.

—Jura? Qual era a cor do meu manto?

Ele hesitou.

—Turquesa, acho.

— Então turquesa vai ser a cor que vou escolher.

Ben abriu um sorriso enorme.

— Como você vai se chamar depois que for ordenada? — seu pai perguntou, como se virar ceifadora fosse uma certeza.

Citra não havia pensado sobre o assunto. Nunca tinha ouvido um ceifador ser chamado de outro nome que não o de seu patrono histórico ou então de "excelência". Será que os membros da família também eram obrigados a chamá-los assim? Ela nem tinha escolhido seu patrono ainda. Fugiu da pergunta dizendo:

—Vocês são minha família, podem me chamar como quiserem.

— Torcendo para que fosse verdade.

Eles deram uma volta pela cidade. Sem que ela lhes contasse, passaram perto da casinha onde morou com Rowan e o ceifador Faraday e visitaram a estação de trem mais perto da casa. Em todos os lugares, Citra fazia questão de tirar uma foto em família... todas de um ângulo muito parecido com o da câmera pública mais próxima.

O dia foi emocionalmente exaustivo. Embora Citra quisesse ficar mais, ansiava pela chegada de Curie. Estava decidida a não se sentir culpada por isso. Já sentira culpa demais em sua vida. "A culpa é a prima ignorante do remorso", o ceifador Faraday gostava de dizer.

No caminho de volta, Curie não fez nenhuma pergunta sobre a visita, e Citra ficou contente com isso. No entanto, perguntou uma única coisa à ceifadora:

— Alguém chama a senhora pelo nome?

— Outros ceifadores, mais próximos, me chamam de Marie.

— Por causa da Marie Curie?

— Minha patrona histórica foi uma grande mulher. Ela cunhou o termo "radioatividade" e foi a primeira mulher a receber o prêmio Nobel, no tempo em que descobertas eram premiadas.

— Mas e o seu nome de verdade? Seu nome de nascimento?

A ceifadora Curie demorou para responder. Finalmente, disse:

— Ninguém me conhece por esse nome.

— Nem sua família? Eles ainda devem estar vivos, afinal, têm imunidade contra coleta enquanto a senhora viver.

Ela suspirou.

— Faz mais de cem anos que não entro em contato com minha família.

Citra se perguntou se isso aconteceria com ela também. Será que todos os ceifadores perdiam os laços com as pessoas que conheciam, com o que foram antes de serem escolhidos?

— Susan — a ceifadora Curie disse finalmente. — Quando eu era pequena, as pessoas me chamavam de Susan. Suzy. Sue.

— É um prazer te conhecer, Susan.

Citra achou praticamente impossível imaginar a ceifadora Curie como uma criança.

Quando chegaram em casa, Citra fez o upload das fotos para a Nimbo-Cúmulo, sem se preocupar se a ceifadora estava vendo, afinal não havia nada de estranho ou suspeito — como todo mundo fazia o upload de suas fotos, o estranho seria não fazer.

Mais tarde, naquela mesma noite, quando teve certeza de que a ceifadora Curie estava dormindo, Citra foi ao escritório, entrou na Nimbo-Cúmulo e acessou as fotos — o que foi fácil, já que estavam marcadas. Depois, mergulhou na mente interna, seguindo todos os links que a Nimbo-Cúmulo havia criado para as imagens. Viu fotos de outras famílias que, de alguma forma, pareciam com a sua. Como previra. Mas havia também links para vídeos filmados pelas câmeras de rua nos mesmos locais. Era exatamente isso que ela queria. Depois de criar o próprio algoritmo para separar as fotos irrelevantes das imagens de câmeras de rua, conseguiu uma coleção completa de vídeos de vigilância. Claro, ainda havia uma bagunça de milhões de arquivos acessados ao acaso, mas, pelo menos, todos eram registros de câmeras de rua do bairro do ceifador Faraday.

Ela fez o upload de uma imagem de Faraday para ver se conseguia isolar os vídeos em que ele aparecia, mas, como imaginava, não encontrou nada. Quando se tratava de ceifadores, a política de não interferência da Nimbo-Cúmulo fazia com que suas imagens não fossem marcadas de nenhuma maneira. Mesmo assim, Citra conseguiu restringir o campo de bilhões de registros para apenas milhões. Contudo, rastrear os movimentos de Faraday no dia de sua morte era como procurar uma agulha em uma vastidão de palheiros. Apesar disso, ela estava decidida a encontrar o que procurava, independentemente de quanto tempo fosse necessário.

As coletas devem ser icônicas. Devem ser memoráveis. Devem ter o poder lendário das maiores batalhas da Era da Mortalidade, transmitidas de boca a boca, tornando-se tão imortais quanto nós. É por isso, afinal, que nós, ceifadores, existimos. Para nos manter unidos ao nosso passado. Ligados à mortalidade. Sim, a maioria de nós viverá para sempre, mas outros, graças à Ceifa, não. Para aqueles que serão coletados, não devemos proporcionar, no mínimo, uma morte espetacular?

Do diário de coleta do ceifador Goddard

24

Uma vergonha para quem e para o que somos

Insensível. Rowan percebeu que estava ficando insensível — e ainda que isso pudesse ser bom para sua sanidade, não era nada bom para sua alma.

"Nunca perca sua humanidade", o ceifador Faraday dissera, "ou não passará de uma máquina de matar." Ele havia usado a palavra "matar" em vez de "coletar". Rowan não pensou muito sobre aquilo na época, mas agora entendia; a morte deixava de ser uma coleta a partir do momento que o ceifador se tornava insensível ao ato de coletar.

No entanto, essa grande extensão de entorpecimento não era o pior lugar para se estar. O entorpecimento era apenas um purgatório cinzento. E havia um lugar muito pior. As trevas disfarçadas de luzes. Um lugar azul royal salpicado de diamantes que cintilavam como estrelas.

— Não, não, não! — repreendeu o ceifador Goddard, que observava Rowan praticar a habilidade com lâminas com uma espada de samurai contra bonecos estofados de algodão. — Você não aprendeu nada?

Rowan estava exasperado, mas se controlou para não estourar, contando mentalmente até dez antes de se virar para o ceifador, que atravessava a grande extensão do gramado coberto de restos de espuma e algodão.

— O que fiz de errado dessa vez, excelência? — Rowan perguntou. "Excelência" tinha se tornado um xingamento, e ele sempre pronunciava como se realmente fosse um insulto. — Decapitei cinco num golpe só, eviscerei três e cortei as aortas dos demais. Se estivessem vivos, já teriam morrido agora. Fiz exatamente o que o senhor queria.

— Esse é o problema — disse o ceifador. — A questão não é o que *eu* quero, é o que *você* quer. Cadê a sua paixão? Você ataca como um androide!

Rowan suspirou, embainhando a espada. Agora vinha o sermão, ou melhor, o discurso, porque não havia nada que o ceifador Goddard amasse mais do que se exibir para uma multidão, mesmo que fosse uma multidão de apenas um.

— Os seres humanos são predadores por natureza — ele começou. — Essa natureza pode ter sido abrandada pelo poder higienista da civilização, mas nunca será erradicada completamente. Aceite isso, Rowan. Sugue esse seio transformador. Você pode pensar que coletar é um prazer adquirido, mas não é. A emoção da caça e o prazer de matar ardem em todos nós. Traga isso para a superfície e você será o tipo de ceifador de que este mundo precisa.

Rowan queria detestar tudo aquilo, mas algo no aprimoramento das habilidades, fosse qual fosse a sua natureza, era gratificante. O que ele odiava era o fato de não odiar.

Os empregados trocaram os bonecos por novos. Espantalhos com o tempo de vida contado. Então, Goddard recolheu a espada de samurai e lhe deu um facão de caça medonho, para que Rowan pudesse executar mais uma vítima.

— É uma faca Bowie, como a usada pelos ceifadores texanos — Goddard disse. — Sinta o máximo de prazer e satisfação nisso,

Rowan — ele continuou —, ou não passará de uma máquina de matar.

Todos os dias eram iguais: uma corrida matinal com a ceifadora Rand, treinamento de musculação com o ceifador Chomsky e um café da manhã balanceadíssimo, preparado por um chef de cozinha. Então, vinha a arte de matar ministrada pelo próprio ceifador Goddard. Facas, arcos, balística ou o uso do próprio corpo como arma letal. Venenos, só os que estivessem nas armas.

—A coleta é uma *ação*, não uma coisa a ser *administrada* — disse o ceifador Goddard. — É um ato consciente. Cair na passividade e deixar que um veneno faça todo o trabalho é uma vergonha para quem e para o que somos.

Os sermões de Goddard eram constantes, e embora Rowan discordasse muitas vezes, não discutia nem expressava sua opinião. Assim, a voz de Goddard passou a se sobrepor ao pensamento íntimo de Rowan, tornando-se a voz da razão em sua mente. Rowan não sabia como isso havia acontecido. Agora, porém, Goddard estava dentro de sua cabeça julgando tudo que ele fazia.

As tardes eram ocupadas por treinamento mental com o ceifador Volta. Exercícios de memória e jogos para aumentar a capacidade cognitiva. O período mais curto do dia de Rowan, logo antes do jantar, era dedicado ao estudo de livros — mas o garoto percebeu que o treinamento mental o ajudava a reter as coisas que aprendia sem ter de ficar repassando as matérias indefinidamente.

—Você vai estudar história, bioquímica e toxinas até a exaustão, para poder impressionar no conclave — Goddard disse a Rowan com um gesto aborrecido. — Sempre achei tudo isso meio inútil, mas na Ceifa é preciso impressionar tanto os acadêmicos quanto os pragmáticos.

— É isso o que você é? — Rowan perguntou. — Um pragmático?

Foi Volta quem respondeu:

— O ceifador Goddard é um visionário. Isso o coloca num nível acima de todos os outros ceifadores da MidMérica. Talvez até do mundo.

Goddard não discordou.

E também havia as festas. Elas tomavam conta da mansão de repente. Todo o resto parava. Elas tinham preferência até sobre o treinamento de Rowan. O garoto não fazia ideia de quem as organizava ou de onde surgiam os convidados, mas eles sempre vinham, assim como a quantidade de comida suficiente para alimentar um batalhão e todo tipo de devassidão.

Rowan não sabia se era imaginação sua, mas agora parecia haver mais ceifadores e celebridades frequentando as festas de Goddard do que quando ele entrara ali pela primeira vez.

Em três meses, a transformação do físico de Rowan era óbvia, e ele passava mais tempo do que queria admitir observando as mudanças no espelho do quarto. Tudo estava definido: o abdome, o peitoral... Os bíceps pareciam ter crescido do nada, e a ceifadora Rand vivia dando tapas em seus glúteos, ameaçando-o com todo tipo de ato lascivo assim que ele atingisse a maioridade.

Rowan finalmente tinha pegado o jeito com seu diário, escrevendo coisas que pareciam reflexões — mas que ainda não passavam de uma farsa. Nunca escrevia o que realmente pensava, pois sabia que seu diário "secreto" não tinha nada de confidencial e que o ceifador Goddard lia tudo, palavra por palavra. Então, escrevia apenas o que Goddard gostaria de ler.

Embora Rowan não tivesse esquecido sua promessa secreta de deixar o título de ceifador para Citra, havia momentos em que escondia isso de si mesmo, permitindo-se imaginar como seria ser um ceifador. Será que seria um ceifador como Faraday ou adotaria os ensinamentos de Goddard? Por mais que tentasse negar, havia certa lógica no método de Goddard. Afinal, que criatura na natureza desprezava a própria existência e sentia vergonha da forma como sobrevivia?

Nos afastamos da natureza no momento que vencemos a morte, o ceifador Faraday diria. Mas será que esse não poderia ser um motivo para buscar qualquer natureza que pudéssemos encontrar dentro de nós? Seria tão terrível assim aprender a gostar de coletar?

Ele guardou esses pensamentos para si, mas o ceifador Volta conseguia ver, se não os detalhes, o caráter geral do que se passava em sua mente.

— Sei que você foi admitido inicialmente por características muito diferentes daquelas que o ceifador Goddard admira — Volta disse. — Ele vê compaixão e tolerância como fraquezas. Mas outras características estão começando a despertar em você. Ainda há de se tornar um ceifador da nova ordem!

De todos os jovens ceifadores de Goddard, Volta era o mais admirável, e com quem Rowan mais se identificava. Ele imaginou que poderiam se tornar amigos quando estivessem no mesmo nível.

— Você se lembra da dor que sentiu quando batemos em você? — Volta perguntou certa tarde, ao fim do treinamento para aprimorar a memória.

— Dá pra esquecer?

— Há três motivos para provocarmos dor — Volta disse. — O primeiro é conectar você aos nossos ancestrais, fazendo renascer a dor e o medo da dor, porque foi isso que promoveu a civilização e fez a humanidade superar a própria mortalidade. O segundo é o fato de que se trata de um rito de passagem, algo em falta neste nosso mundo entregue à passividade. Acredito, porém, que o terceiro é o mais importante: sofrer a dor nos liberta para sentir o prazer de sermos humanos.

Para Rowan, parecia mais um clichê vazio. Mas Volta não era como Goddard. Não costumava discursar sobre ideias grandiosas e absurdas.

— Sinto prazer suficiente na vida sem ser espancado — Rowan disse.

Volta assentiu.

— Você sente um pouco... mas é apenas uma sombra do que poderia sentir. Sem a ameaça do sofrimento, não temos como sentir a verdadeira alegria. O melhor que podemos conseguir é uma vida agradável.

Rowan não tinha resposta para isso porque soou a ele como uma verdade. Ele levava uma vida agradável. Sua maior queixa era ser deixado de lado. Mas será que todos não se sentiam assim? Viviam num mundo em que nada importava de verdade. A sobrevivência era garantida. A renda, garantida. A comida era abundante e o conforto, uma certeza. A Nimbo-Cúmulo atendia às necessidades de todos. Quando não se precisa de nada, o que mais a vida pode ser além de agradável?

— Uma hora você vai entender — o ceifador Volta disse. — Agora que seus nanitos de dor estão regulados em zero, é inevitável.

Esme continuava sendo um mistério. Às vezes descia para comer com eles, às vezes não. Às vezes, Rowan a pegava lendo em lugares diferentes da mansão: livros da Era da Mortalidade feitos de papel que, aparentemente, faziam parte da coleção do antigo proprietário. Esme sempre escondia dele o que estava lendo, como se sentisse vergonha.

— Quando se tornar um ceifador vai continuar morando aqui? — ela perguntou a Rowan.

— Talvez sim — ele respondeu. — Talvez não. Talvez eu não vire ceifador. Então talvez não vá a lugar nenhum.

Ela ignorou essa última parte da resposta.

— Você deveria ficar — disse.

O fato de que essa menina de nove anos parecia ter uma quedinha por ele era a última coisa de que Rowan precisava. Pelo visto, ela conseguia tudo que queria. Será que conseguiria que ele ficasse, se quisesse?

— Meu nome é Esmeralda, mas todo mundo me chama de Esme — ela disse certa manhã em que o seguiu até a sala de musculação. Normalmente, Rowan tratava bem as crianças menores, mas, como tinha recebido *ordens* para tratá-la bem, não tinha a mínima vontade de fazer isso.

— Eu sei, o ceifador Goddard me contou. Você não deveria vir pra cá; esses pesos podem ser perigosos.

— E você não deveria estar aqui sem o ceifador Chomsky para ajudar — ela retrucou, então se sentou num banco sem dar nenhum sinal de querer ir embora. — Se quiser, podemos jogar alguma coisa quando seu treino acabar.

— Não sou muito fã de jogos.

— Nem de baralho?

— Nem de baralho.

— Sua vida devia ser muito sem graça.

— Era, mas agora não é mais.

— Amanhã depois do jantar vou ensinar você a jogar baralho — ela anunciou. E como Esme conseguia tudo o que queria, Rowan estava lá na hora marcada, querendo ou não.

— Devemos deixar Esme contente — o ceifador Volta o lembrou depois do jogo de cartas.

— Por quê? — Rowan perguntou. — Goddard parece não se importar com ninguém que não use manto, então por que se importa com ela?

— Basta tratá-la bem.

— Trato todo mundo bem — Rowan respondeu. — Caso não tenha percebido, sou uma pessoa boa.

Volta deu risada.

— Acredite nisso enquanto pode — ele disse, como se pudesse ser difícil acreditar.

Então chegou o dia em que o ceifador Goddard deu mais um nó na linha tensa da vida de Rowan. Veio sem aviso, como todas as coisas que Goddard jogava em cima dele. Foi durante uma aula da arte de matar. Naquele dia, Rowan treinava com duas adagas — uma em cada mão. Não era fácil manejar as duas ao mesmo tempo; ele preferia usar a mão direita pois tinha pouca habilidade com a esquerda. O ceifador Goddard adorava dificultar as sessões de treinamento de Rowan e sempre o criticava duramente quando não alcançava o nível máximo de perfeição. Mas Rowan vinha se surpreendendo. Estava ficando melhor no manejo de armas e tinha até arrancado alguns pequenos elogios de Goddard.

"Razoável", Goddard dizia, ou "Não foi tão ruim assim". Vindos daquele homem, eram grandes elogios.

E, contra a sua vontade, Rowan se sentia contente sempre que Goddard demonstrava aprovação. E tinha de admitir que estava começando a gostar de manejar armas letais. Passou a gostar como qualquer outro esporte. A habilidade pela habilidade e, depois, uma sensação de realização quando desempenhava bem.

Nesse dia em particular, as coisas mudariam. Desde o momento em que saíra para o gramado, ficou claro que algo estava por vir, pois os bonecos não estavam lá. Em vez disso, havia umas dez pessoas reunidas no quintal. A princípio ele não entendeu. Deveria ter notado que havia algo diferente, porque todos os jovens ceifadores estavam lá para assistir. Normalmente era apenas Goddard.

— O que está acontecendo? — Rowan perguntou. — Não posso treinar com gente no caminho. Mande esse pessoal se afastar.

A ceifadora Rand riu.

— Ele é tão bobinho que chega a ser fofo — ela disse.

— Isso vai ser divertido — disse o ceifador Chomsky, cruzando os braços, pronto para apreciar o que estava por vir.

Só então Rowan entendeu. As pessoas não estavam andando pelo quintal, mas paradas, à mesma distância uma da outra. Esperando por ele. Não haveria mais bonecos. Agora, sua prática era pra valer. A arte de matar ia ser mesmo arte de *matar*.

— Não — Rowan disse, balançando a cabeça. — Não posso fazer isso!

— Ah, mas você vai fazer — o ceifador Goddard disse, calmamente.

— Mas… mas nem sou ordenado ainda! Não posso coletar!

—Você não vai coletar — disse o ceifador Volta, pondo a mão no ombro de Rowan para tranquilizá-lo. — Há ambudrones esperando por eles. Assim que acabar, serão levados rapidamente para o centro de revivificação mais próximo e ficarão novinhos em folha em um ou dois dias.

— Mas… mas… — Rowan percebeu que não tinha nenhum argumento válido a não ser: — Não é certo.

— Escuta aqui — o ceifador Goddard disse, dando um passo à frente. — Tem treze pessoas aqui no gramado. Todas estão aqui por vontade própria e todas estão sendo muito bem pagas pelo serviço. Todas sabem por que estão aqui, sabem qual é o trabalho, estão mais do que contentes com ele, e espero o mesmo de você. Então faça o que deve fazer.

Rowan sacou as adagas e olhou para elas. Não iam perfurar algodão, mas carne humana.

— Corações e jugulares — o ceifador Goddard disse. — Despache os indivíduos rapidamente. Você será cronometrado.

Rowan queria protestar, insistir que não podia fazer aquilo, mas, ainda que seu coração lhe dissesse que não poderia fazer, sua mente sabia a verdade.

Sim, ele poderia.

Ele vinha treinando exatamente para isso. Tudo que precisava era desligar a consciência. Ele sabia que podia, e isso o aterrorizava.

— Você deve eliminar doze — disse o ceifador Goddard. — E deixar o último vivo.

— Por que deixar o último vivo?

— Porque eu mandei.

— Vamos logo, não temos o dia todo — resmungou Chomsky.

Volta lançou um olhar furioso para o colega ceifador, depois se dirigiu a Rowan com muito mais paciência:

— É como pular numa piscina gelada. O que se imagina é muito pior do que a coisa em si. Pule e garanto que vai ficar tudo bem.

Rowan podia desistir de tudo.

Podia jogar as adagas no chão e entrar na casa. Podia se provar um fracasso naquele momento e, talvez, não ter de aturar mais nada desse tipo. Mas Volta acreditava nele. E Goddard também, mesmo sem admitir — afinal, por que Goddard imporia esse desafio a Rowan se não o considerasse capaz de enfrentá-lo?

Rowan respirou fundo, segurou forte as adagas e, com um grito de guerra gutural que abafou os alarmes que disparavam dentro de sua alma, se lançou à frente.

Havia homens e mulheres. Os indivíduos eram de idades, misturas étnicas e tipos físicos diferentes — musculosos, obesos e magros. Ele gritava, berrava e rosnava a cada golpe, corte e giro. Havia treinado bem. As adagas entravam nos corpos no ângulo perfeito. Depois de começar, percebeu que não conseguia mais parar. Os corpos caíam, e ele já estava em cima do outro e do outro. Os indivíduos não resistiram, não saíram correndo, simplesmente ficaram parados recebendo os golpes. Não eram diferentes dos bonecos. Rowan estava coberto de sangue. Seus olhos ardiam, ele sentia um cheiro forte. Finalmente, chegou à última vítima. Era uma garota da sua idade, e a expressão de seu rosto era de tanta resignação que beirava o sofrimento. Ele queria pôr fim ao sofrimento dela. Queria terminar o que havia começado, mas dominou o impulso brutal de caçador dentro dele. Obrigou-se a não mover as adagas.

— Me mata — ela sussurrou. — Me mata ou não vão me pagar.

Mas Rowan deixou as adagas caírem na grama. Doze semimortos, uma deixada viva. Ele se voltou para os ceifadores, e todos começaram a aplaudir.

— Muito bem! — o ceifador Goddard disse, satisfeito como Rowan nunca o tinha visto. — Muito bem!

Os ambudrones começaram a descer do céu, levando as vítimas para o centro de revivificação mais próximo. Rowan se pegou sorrindo. Alguma coisa se libertara dentro dele. Ele não sabia se isso era bom ou não. Ele parecia prestes a cair de joelhos e vomitar o café da manhã, mas, ao mesmo tempo, queria uivar para a lua como um lobo.

Um ano atrás, se alguém me dissesse que eu ia aprender a manejar mais de vinte tipos de armas brancas, que me tornaria um especialista em armas de fogo e que saberia pelo menos dez maneiras de tirar uma vida com minhas próprias mãos, eu teria rido na cara dele e sugerido que ajustassem a química de seu cérebro. É impressionante ver tudo o que pode acontecer em tão poucos meses.

Treinar com o ceifador Goddard é diferente de treinar com o ceifador Faraday. É intenso, físico e não há como negar que estou ficando melhor em tudo que faço. Se sou uma arma, estou sendo afiado dia após dia.

Meu segundo conclave vai ser em poucas semanas. A primeira prova não passou de uma simples pergunta. Falaram que dessa vez vai ser diferente. Não faço ideia do que vão pedir dos aprendizes. Mas uma coisa é certa: as consequências serão graves se meu desempenho não agradar Goddard.

Tenho toda a confiança do mundo que vou conseguir.

Do diário do aprendiz de ceifador Rowan Damisch

25

Representante da morte

O engenheiro gostava de pensar que seu trabalho nos Laboratórios de Propulsão Magnética era importante, ainda que sempre tivesse parecido inútil. Os trens magnéticos já se movimentavam da forma mais eficiente possível. Os mecanismos de transporte público não precisavam de mais nada além de uns poucos ajustes. Não havia o "novo e atualizado"; havia apenas a magia do *diferente* — novos estilos, e propagandas para convencer a população de que o estilo era tudo —, mas a tecnologia básica continuava exatamente igual.

Em tese, porém, havia usos novos ainda não explorados — senão, que outro motivo teria a Nimbo-Cúmulo para fazê-los trabalhar?

Alguns gerentes de projetos sabiam um pouco mais sobre o objetivo final de seu trabalho, mas ninguém conhecia todos os passos. Mas havia especulações. Há muito se acreditava que seria preciso uma combinação de vento solar e propulsão magnética para o transporte eficiente no espaço. É verdade que há muitos anos já não se pensava em viagens espaciais, mas isso não significava que seria sempre assim.

Antigamente, houve missões para colonizar Marte, explorar as luas de Júpiter e até se lançar às estrelas além do Sistema Solar, mas todas terminaram em fracassos totais e catastróficos. Os colonos morriam — e no espaço sideral morte era morte, tão absoluta como se a pessoa tivesse sido coletada. A ideia da morte irrevogável sem a mão controlada de um ceifador era insuportável para um mundo que havia superado a mortalidade. A indignação do público fechou as portas de toda e qualquer exploração espacial. A Terra era nosso único lar, e assim continuaria.

É por isso que, pelo que o engenheiro desconfiava, a Nimbo--Cúmulo avançava nesses projetos de forma tão lenta e cuidadosa, temendo atrair a atenção do público. Não que ela fosse dissimulada, porque a Nimbo-Cúmulo era incapaz de dissimulação. Agia de forma discreta, apenas. Sabiamente discreta.

Um dia, talvez, a Nimbo-Cúmulo anunciaria que, enquanto todos estavam distraídos, a humanidade havia conseguido uma presença sustentável fora das fronteiras do planeta Terra. O engenheiro mal via a hora desse dia chegar e tinha certeza de que estaria vivo para presenciar isso. Não tinha motivo para pensar o contrário.

Até o dia em que um grupo de ceifadores cercou seu laboratório de pesquisas.

Rowan despertou ao amanhecer quando jogaram uma toalha em sua cara.

— Acorde, bela adormecida — o ceifador Volta disse. — Vai tomar banho e se vestir. Hoje é o grande dia.

— Que grande dia? — Rowan perguntou, ainda zonzo demais para levantar.

— Dia de coleta! — respondeu Volta.

— Quer dizer que vocês realmente coletam? Pensei que só ficassem dando festinhas e gastando o dinheiro dos outros.

—Vai se arrumar logo, espertinho.

Ao desligar o chuveiro, Rowan ouviu o som de hélices e, quando saiu para o gramado, um helicóptero já esperava por eles. Não foi surpresa ver que ele era azul royal cravejado de estrelas brilhantes. Tudo na vida do ceifador Goddard era uma afirmação de seu ego.

Os outros três ceifadores já estavam na entrada, praticando seus melhores golpes letais. Seus mantos eram volumosos e estavam visivelmente carregados com todo tipo de armas entre suas dobras. Com um lança-chamas, Chomsky botou fogo num arbusto plantado num vaso.

— Sério mesmo? — disse Rowan. — Um lança-chamas?

Chomsky deu de ombros.

— Não tem nenhuma lei contra isso. Aliás, não é da sua conta.

Goddard saiu da mansão a passos largos.

— O que vocês estão esperando? Vamos logo! — Como se todos não estivessem esperando por ele.

O momento estava tomado por adrenalina e expectativa. Por um instante, enquanto se dirigiam ao helicóptero, Rowan os imaginou como super-heróis… então lembrou qual era o objetivo deles, e a fantasia se desfez.

— Quantas pessoas vocês vão coletar? — ele perguntou a Volta, mas o ceifador apenas balançou a cabeça e apontou para a própria orelha; o barulho das hélices era alto demais para ele ouvir. Enquanto atravessavam o gramado, o vento agitava os mantos dos ceifadores como bandeiras numa tempestade.

Rowan fez alguns cálculos. Os ceifadores eram encarregados de cinco coletas por semana e, até onde sabia, aqueles quatro não tiraram nenhuma vida nos três meses em que Rowan estivera lá. Isso significava que poderiam coletar até duzentas e cinquenta pessoas naquele dia, sem ultrapassar sua cota. Aquilo não seria uma coleta, seria um massacre.

Hesitante, Rowan ficou para trás enquanto os outros entravam. Volta percebeu.

— ESTÁ TUDO BEM? — Volta gritou mais alto que o barulho ensurdecedor das hélices.

No entanto, mesmo se Rowan pudesse se fazer ouvir, nunca seria compreendido. Era isso o que Goddard e seus discípulos faziam. Era como eles trabalhavam. Era um dia de trabalho como qualquer outro. Será que viria a se tornar normal para ele? Rowan pensou em suas últimas sessões de treinamento, aquelas com alvos vivos. A sensação que tivera quando deixara todos semimortos, a repulsa lutando contra uma sensação primitiva de vitória. Ele sentia isso naquele exato instante. A cada passo dentro do mundo de Goddard, ficava mais e mais difícil voltar atrás.

Todos os ceifadores o encaravam. Estavam prontos para embarcar em sua missão. O único motivo que os atrasava era Rowan.

Não sou um deles, o garoto disse a si mesmo. *Não vou coletar. Estarei lá apenas para observar.*

Ele se obrigou a entrar no helicóptero, fechou a porta, e eles subiram ao céu.

— Nunca entrou num desses, não é? —Volta perguntou, interpretando mal a apreensão de Rowan.

— Não, nunca.

— É o melhor jeito de viajar — a ceifadora Rand disse.

— Somos os anjos da morte — disse o ceifador Goddard. — Nada mais adequado do que virmos do céu.

Eles viajaram para o sul, sobrevoando a Cidade Fulcral, rumo aos bairros mais além. Durante todo o trajeto, Rowan torceu em silêncio para que o helicóptero caísse — mas sabia que não adiantaria nada. Porque, mesmo se caísse, todos seriam revividos até o final da semana.

★

Um helicóptero pousou no terraço do prédio central. Foi inesperado, imprevisto — isso nunca acontecia. A Nimbo-Cúmulo pilotava quase todos os transportes aéreos e, mesmo se fosse um helicóptero particular, alguém a bordo sempre anunciava a chegada e pedia autorização.

Aquele helicóptero simplesmente caiu do céu em cima do terraço.

O segurança que estava mais perto subiu as escadas, saltando degraus, do sexto andar até o heliporto, a tempo de ver os ceifadores saindo. Eram quatro — de azul, verde, amarelo e laranja — e um garoto com um bracelete de aprendiz.

O homem ficou parado, boquiaberto, sem saber o que fazer. Pensou em avisar o escritório central, mas imaginou que, se fizesse isso, poderia ser coletado.

A ceifadora de verde, de traços panasiáticos e cabelo preto que a fazia parecer uma bruxa, se aproximou dele com um sorriso enorme no rosto.

— Toc, toc — ela disse.

Ele estava assustado demais para responder.

— Eu disse toc, toc.

— Que… quem é? — ele respondeu finalmente.

Ela tirou do manto a faca mais medonha que ele já tinha visto, mas o ceifador de azul segurou seu braço antes que ela pudesse usá-la.

— Não desperdice isso nele, Ayn — ele disse.

A ceifadora guardou a faca e deu de ombros.

— Vai perder o fim da piada — disse, então passou por ele rápido junto com os outros, e desceu a escada para entrar no prédio.

O segurança notou o olhar do aprendiz, que andava um pouco atrás dos outros.

— O que eu faço? — ele perguntou ao garoto.

— Saia — o garoto respondeu. — E não olhe para trás.

O guarda obedeceu. Correu para a escadaria mais distante, desceu os degraus aos saltos, empurrou a porta da saída de emergência e só parou de correr quando estava longe demais para ouvir os gritos.

—Vamos começar pelo sexto andar e ir descendo — Goddard disse aos outros ceifadores. Eles saíram da escada e deram de cara com uma mulher esperando o elevador. Ela abafou um grito, paralisada de horror.

— Bu! — Chomsky soltou. A mulher levou um susto e derrubou as pastas que carregava. Rowan sabia que qualquer um dos ceifadores, por simples capricho, poderia tê-la coletado. Ela devia saber isso também, pois estava se preparando para o pior.

— Qual é sua habilitação de segurança? — Goddard lhe perguntou.

— Nível um — ela respondeu.

— Isso é bom?

Ela fez que sim, e ele tomou seu crachá de segurança.

— Obrigado — ele disse. —Você pode viver.

E avançou em direção a uma porta trancada, passando o cartão para liberar a entrada.

Rowan percebeu que estava zonzo e ofegante.

— É melhor eu esperar aqui — disse a eles. — Como não posso coletar, é melhor esperar aqui.

— De jeito nenhum — disse Chomsky. —Você vem com a gente.

— Mas... o que vou fazer? Só vou atrapalhar.

Então a ceifadora Rand quebrou o vidro de uma caixa de emergência, tirou um machado de incêndio e o entregou a ele.

— Tome — ela disse. — Quebre tudo.

— Por quê?

Ela piscou para ele.

— Porque você pode.

Os funcionários da sala 601, que ocupava toda a ala norte do andar, não receberam nenhum aviso. Goddard e seus ceifadores entraram no meio do expediente.

— Atenção! — ele anunciou com seu tom de voz teatral. — Todos, atenção! Vocês foram selecionados para a coleta hoje. Devem dar um passo à frente para encontrar seu fim.

Murmúrios, engasgos e gritos de espanto. Ninguém deu um passo à frente. Ninguém nunca dava. Goddard fez sinal para Chomsky, Volta e Rand, e os quatro avançaram pelo labirinto de cubículos e salas, sem deixar nenhum ser vivo em seu rastro.

— Sou o fim de vocês! — disse Goddard em tom de declamação. — Sou sua execução! Sou seu portal para os mistérios do além-vida!

Lâminas e balas e chamas. O escritório estava pegando fogo. Alarmes começaram a soar, sprinklers jorraram água fria do teto. Os condenados à morte ficaram entre o fogo, a água e a visão terrível de quatro caçadores. Ninguém tinha a mínima chance.

— Sou sua palavra final! Seu ômega! O portador da paz e do descanso! Abram os braços para mim!

Ninguém abriu os braços. A maioria das pessoas se escondia e implorava clemência, mas a única clemência era a velocidade com que eram mortas.

— Ontem vocês eram deuses. Hoje são mortais. Sua morte é meu presente para vocês. Aceitem com boa vontade e humildade.

Os ceifadores estavam tão concentrados que ninguém viu Rowan saindo discretamente e atravessando o corredor para a sala 602. Ele bateu na porta de vidro até que alguém atendeu, e o garoto conseguiu avisá-los do que estava por vir.

—Vá pelas escadas do fundo — ele disse ao homem. — Leve o máximo de pessoas que puder. Não faça perguntas, só vá! — Se o homem tinha alguma dúvida, foi dissipada pelos sons de horror e desespero que vinham do outro lado do corredor.

Alguns minutos depois, quando Goddard, Volta e Chomsky terminaram com a sala 601, atravessaram o corredor e encontraram a sala 602 vazia, exceto por Rowan, que, com o machado, destruía computadores, mesas e o que via pela frente, exatamente como haviam mandado.

Os ceifadores agiram mais rápido do que as chamas — mais rápido do que os funcionários que tentavam escapar. Volta e Chomsky bloquearam duas das três escadas. Rand desceu para a entrada principal e ficou ali feito uma goleira, eliminando todos que tentavam sair. Goddard declamava sua ladainha ritualística enquanto atravessava a multidão em pânico, trocando as armas como lhe convinha, e Rowan atacava com o machado tudo que pudesse quebrar. Depois, discretamente, encaminhava todos os que conseguia em direção à única escadaria não vigiada.

Tudo acabou em menos de quinze minutos. Enquanto o helicóptero sobrevoava o prédio em chamas, os ceifadores saíam pela entrada principal, como os quatro cavaleiros do apocalipse pós-mortal.

Rowan saiu por último, arrastando seu machado no mármore e então o deixou cair com um estrondo.

Diante dos ceifadores havia uma dezena de caminhões de bombeiros e ambudrones e, atrás deles, grupos de sobreviventes. Alguns correram quando viram os ceifadores saindo, mas muitos ficaram, pois seu fascínio vencia o pavor.

— Está vendo? — Goddard disse a Rowan. — Os bombeiros não podem interferir na ação dos ceifadores. Vão deixar o prédio inteiro pegar fogo. Quanto aos sobreviventes, temos uma excelente oportunidade de fazer relações-públicas.

Então ele deu um passo à frente, ergueu a voz e falou a todos que não haviam fugido:

— Nossa coleta está completa — ele declarou. — Concederemos imunidade àqueles que sobreviveram. Venham à frente para recebê-la. — Ele ergueu a mão que carregava o anel. Os outros ceifadores fizeram o mesmo.

A princípio, ninguém se moveu, talvez achando que fosse um truque. Mas, depois de um instante, um funcionário coberto de cinzas cambaleou para a frente, seguido de outro e mais outro; então, toda uma multidão se aproximava deles com apreensão. Os primeiros se ajoelharam e beijaram os anéis dos ceifadores; depois que os outros viram que realmente não era um truque, mais que depressa se aglomeraram em volta dos ceifadores.

— Calma aí! — gritou Volta. — Um de cada vez!

Mas o mesmo impulso de massa que os fizera fugir agora os empurrava na direção daqueles anéis salvadores de vida. De repente, ninguém parecia se lembrar dos colegas mortos.

Então, à medida que a multidão ao redor deles crescia e se agitava, Goddard recolheu a mão, tirou o anel e o entregou a Rowan.

— Isso me cansa — Goddard disse. — Pegue. Aproveite um pouco da adoração.

— Mas… eu não posso. Ainda não sou ceifador.

— Se eu der minha permissão, você pode usar o anel como meu representante — Goddard disse. — E agora você tem a minha permissão.

Rowan pôs o anel no dedo anelar, mas ficou grande demais, então o trocou para o dedo indicador, onde ele se encaixava melhor. Depois estendeu a mão, como os outros ceifadores estavam fazendo.

Pouco importava para a multidão em que dedo — ou na mão de quem — estava o anel. Todos praticamente se amontoavam para beijá-lo e para agradecer a Rowan por sua justiça, seu amor e sua misericórdia, chamando-o de "excelência", sem ao menos notar que ele não era um ceifador.

— Bem-vindo à vida de um deus — o ceifador Volta disse. Enquanto isso, atrás deles, o prédio se reduzia a cinzas.

Somos sábios, mas não perfeitos; sagazes, mas não oniscientes. Sabemos que, ao fundar a Ceifa, estaremos fazendo algo muito necessário, mas nós, os primeiros ceifadores, ainda temos nossos receios. A natureza humana é ao mesmo tempo previsível e misteriosa; propensa a avanços grandiosos e inesperados, mas ainda assim mergulhada em egoísmos abjetos. Nossa esperança é que, com dez leis simples e objetivas, possamos contornar os perigos da falibilidade dos homens. Minha maior esperança é que, com o tempo, nossa sabedoria se torne tão perfeita quanto nosso conhecimento. E, para o caso de esse nosso experimento fracassar, nós providenciamos uma saída de emergência.

A Nimbo-Cúmulo pode nos ajudar, caso precisemos dessa saída.

Do diário de coleta do ceifador Prometeu,
o primeiro Supremo Punhal Mundial

26

Diferente dos outros

Naquela noite, houve um banquete, mas Rowan, por mais que procurasse dentro de si, não encontrou apetite nenhum. Revigorado pela caçada do dia, Goddard comeu por todo mundo, como um vampiro que suga a força vital de suas vítimas. Ele estava mais encantador e agradável do que nunca, fazendo gracinhas para todos. *Como seria fácil*, pensou Rowan, *cair nas garras dele. Ser aliciado para seu clube de elite, assim como acontecera com os outros.*

Era óbvio que Chomsky e Rand eram feitos da mesma matéria de Goddard. Eles não tinham a menor sombra de consciência. Mas, ao contrário de Goddard, não alimentavam ilusões de grandeza. Coletavam por esporte — pelo simples prazer de coletar — e, como a ceifadora Rand disse de modo tão certeiro, *porque podiam*. Eles ficavam mais do que contentes ao manejar suas armas enquanto Goddard representava o papel de Anjo da Morte. Rowan não sabia dizer se o ceifador acreditava mesmo nisso ou se tudo não passava de um artifício, um toque de teatralidade para dar charme ao espetáculo.

O ceifador Volta, porém, era diferente. Sim, ele desceu por todo o prédio comercial e, como os outros, coletou sua cota, mas falou pouco enquanto o helicóptero cruzava os céus no trajeto de volta. E agora, no jantar, mal tocava na comida. Ele se levantava a toda hora para lavar as mãos. Certamente achava que ninguém notava, mas Rowan notou. E Esme também.

— O ceifador Volta sempre fica mal-humorado depois das coletas — Esme cochichou para Rowan. — Não o encare, senão ele vai jogar alguma coisa em você.

No meio do jantar, Goddard pediu a contagem final.

— Coletamos duzentos e sessenta e três — Rand disse. — Ultrapassamos nossa cota. Vamos ter de coletar menos da próxima vez.

Aborrecido, Goddard bateu o punho na mesa.

— A maldita cota é um estorvo para todos nós! Não fosse por ela, todos os dias seriam como hoje. — Então, Goddard se virou para o ceifador Volta e perguntou como estava indo seu trabalho. Era função de Volta marcar encontros com as famílias dos falecidos, para que pudessem receber a imunidade de praxe.

— Passei o dia todo entrando em contato com cada familiar — disse Volta. — Eles formarão uma fila no portão da frente logo de manhãzinha.

— A gente devia deixar eles entrarem — Goddard disse com um sorriso perverso. — Eles podem assistir Rowan treinando no gramado.

— Odeio esses enlutados — Rand disse, enquanto pegava outro pedaço de carne com o garfo e o puxava para seu prato. — A higiene bucal deles é péssima. Meu anel sempre fica fedendo depois de passar uma hora dando imunidades.

Rowan não aguentou mais e pediu licença para sair.

— Prometi a Esme que ia jogar baralho com ela depois do jantar, e já está ficando tarde. — Era mentira, mas ele lançou um olhar para Esme, e ela assentiu, feliz por participar de uma conspiração de improviso.

— Mas vocês vão perder o crème brûlée — disse Goddard.

— Sobra mais pra gente — disse Chomsky, enfiando uma garfada de costelinhas na boca.

Rowan e Esme saíram e foram jogar buraco, contentes por não

terem de ouvir mais as conversas sobre coletas e cotas e beijos em anéis. Rowan se sentiu grato porque o único sinal de aflição que se via na sala era a cara atormentada do rei de copas, o rei suicida.

— A gente devia chamar os outros — Esme sugeriu. — Aí poderíamos jogar espadas ou copas. Não dá pra jogar esses só com duas pessoas.

— Não tenho a menor vontade de jogar baralho com os ceifadores — Rowan disse, categórico.

— Não eles, seu bobo. Estou falando dos empregados. — Ela pegou o nove que ele descartou; era o segundo que ele dava para Esme, fingindo não saber que ela os estava juntando. Deixar que a menina ganhasse era a recompensa por ajudá-lo a fugir da sala de jantar. — De vez em quando, jogo com os filhos do moço da piscina — ela disse. — Mas eles não vão muito com a minha cara porque esta casa já foi deles. Agora todos dividem um quarto no alojamento de empregados. — Então, acrescentou: — Você dorme num dos quartos deles, sabia? Aposto que também não gostam muito de você.

— Aposto que não gostam de nenhum de nós.

— Também acho.

Talvez por ser muito pequena, Esme parecia completamente alheia às coisas que pesavam tanto para Rowan. Talvez ela soubesse que era melhor não questionar nem julgar o que via. Aceitava sua situação sem reclamar e nunca falava mal de seu benfeitor — ou, melhor dizendo, seu captor, pois estava na cara que era prisioneira de Goddard, ainda que talvez não visse a situação dessa forma. Ela vivia numa gaiola de ouro, mas ainda assim era uma gaiola. Sua ignorância era sua bênção, e Rowan achou melhor não lhe tirar a ilusão de que era livre.

Rowan comprou um ás de que precisava para sua jogada, mas o descartou mesmo assim.

— Goddard conversa com você? — ele perguntou a Esme.

— É claro que conversa — ela respondeu. — Vive me perguntando como me sinto e se estou precisando de alguma coisa. E quando estou, ele sempre arruma um jeito de me dar. Semana passada mesmo pedi um...

— Não, não esse tipo de conversa — Rowan disse, interrompendo-a. — Estou falando de conversar *de verdade*. Ele nunca explicou por que você é tão importante para ele?

Esme não respondeu. Em vez disso, pôs as cartas na mesa.

— Bati — ela disse. — O perdedor embaralha.

Rowan juntou as cartas.

— Goddard deve ter um bom motivo para ter deixado você viver e lhe dar imunidade. Você não fica nem um pouco curiosa?

Esme deu de ombros e continuou quieta. Só depois que Rowan deu uma outra mão ela disse:

— Na verdade, o ceifador Goddard não me deu imunidade. Ele pode me coletar quando quiser, mas não coleta. — Então ela sorriu. — Isso me torna ainda mais especial, não acha?

Eles jogaram quatro partidas. Uma, Esme venceu de maneira justa, duas Rowan deixou que ela ganhasse, e a outra ele venceu, só para não ficar na cara que havia perdido as outras de propósito. Quando pararam de jogar, o jantar já tinha terminado, e cada um dos ceifadores estava entregue a suas rotinas noturnas. Rowan evitou a todos e tentou ir direto para o quarto, mas no caminho ouviu uma coisa que o fez parar. Era um choro baixinho, vindo do quarto do ceifador Volta. Rowan ficou ouvindo atrás da porta para ter certeza de que não estava imaginando coisas, então virou a maçaneta. A porta estava destrancada. Ele a abriu um pouco e espiou.

O ceifador Volta estava sentado na cama, com o rosto entre as mãos. Seu corpo chacoalhava a cada soluço que ele tentava conter em vão. Ele levou algum tempo para erguer os olhos e ver Rowan.

Na mesma hora, a tristeza de Volta se transformou em fúria.

— Quem é que falou que você podia entrar? Saia daqui! — Ele pegou o objeto mais próximo, um peso de papel de vidro, e o lançou contra Rowan, como Esme dissera que ele faria. Teria feito um belo corte em sua cabeça, se tivesse acertado, mas Rowan se abaixou. O objeto bateu na porta, deixando uma marca funda na madeira. Rowan poderia ter ido embora. Seria o melhor a fazer. Mas deixar as coisas para lá não era seu forte. Ele tinha um grande talento de se meter onde não era chamado.

Ele entrou no quarto, fechou a porta atrás de si e se preparou para se esquivar do próximo objeto que seria lançado contra ele.

— Você precisa fazer menos barulho, se não quer que ninguém ouça — ele disse a Volta.

— Se contar para *qualquer um*, vou transformar sua vida em um inferno.

Rowan deu risada porque o ceifador falava como se a vida dele já não fosse um inferno.

— Você acha isso engraçado? Vou te mostrar o que é engraçado!

— Foi mal, não queria dar risada. Não estava rindo de você, se é o que está pensando.

Como Volta não estava mais atirando coisas e nem o estava expulsando, Rowan puxou uma cadeira e sentou, longe o suficiente para não invadir seu espaço.

— Hoje foi difícil — Rowan disse. — Eu entendo.

— O que você sabe sobre isso? — retrucou Volta.

— Sei que você não é igual aos outros — Rowan disse. — Não no fundo.

Volta ergueu a cabeça; seus olhos estavam vermelhos do choro que ele nem tentava mais esconder.

— Tem alguma coisa errada comigo, é isso que você quer dizer. — Volta abaixou a cabeça de novo, cerrando os punhos, mas Rowan não se moveu porque não achou que ia levar uma surra. Desconfiava que Volta usaria os punhos contra si mesmo, se pudesse. — O ceifador Goddard é o futuro — Volta disse. — Não quero fazer parte do passado. Você não entende?

— Mas você odiou hoje, não odiou? Ainda mais do que eu, porque não estava só observando, estava participando de tudo.

— E você vai participar também.

— Talvez não — disse Rowan.

— Ah, vai. Assim que receber seu anel e matar sua namoradinha, vai ver que também não tem volta para você.

Rowan engoliu em seco, tentando não vomitar o pouco que tinha comido no jantar. O rosto de Citra surgiu em sua mente, mas ele expulsou essa imagem. Não podia se permitir pensar na garota agora.

Rowan sabia que estava em uma corda bamba com Volta. A única coisa a fazer era chegar ao outro lado.

— Você finge que gosta de coletar — ele disse. — Mas odeia isso mais do que qualquer coisa. Seu mentor foi o ceifador Nehru, certo? Ele é muito tradicional, o que significa que deve ter escolhido você por causa da sua consciência. Você não quer tirar vidas, muito menos dezenas e dezenas de uma só vez.

Volta se levantou com um pulo, movendo-se mais rápido do que parecia possível. Ele ergueu Rowan e o jogou contra a parede com um estrondo violento que o fez sentir falta de seus nanitos anestésicos.

— Você nunca vai contar isso para ninguém, está me ouvindo? Lutei muito para chegar onde cheguei e não quero minha posição em risco. Não vou ser chantageado por um aprendiz enxerido!

— É isso que você acha que estou fazendo? Chantageando você?

— Não brinque comigo! — rosnou Volta. — Sei por que você está aqui!

Rowan estava sinceramente desapontado.

— Pensei que você me conhecia.

Alguns segundos depois, Volta ficou mais calmo.

— Ninguém conhece ninguém de verdade, não é mesmo? — ele disse.

— Prometo que não vou contar para ninguém. E não quero nada de você.

Volta finalmente se acalmou.

— Desculpa. Quando a gente vive em meio a tantas intrigas, começa a achar que todo mundo age assim. — Ele sentou na cama novamente. — Acredito em você, porque sei que não é do tipo deles. Na verdade, sei desde que Goddard te recebeu. Você é um desafio para ele, porque, se ele conseguir converter um dos aprendizes de Faraday ao seu modo de pensar, isso prova que pode converter qualquer um.

Então Rowan se deu conta de que Volta não era muito mais velho do que ele. Sempre tentava passar uma confiança que o fazia parecer mais velho, mas agora sua vulnerabilidade revelava a verdade. Ele devia ter vinte anos, no máximo. Portanto, devia fazer uns dois anos que era ceifador. Rowan não sabia como ele fora de um ceifador da velha guarda para Goddard, mas podia imaginar. Entendia que um jovem ceifador pudesse ser atraído pelo brilho e pelo carisma de Goddard. Afinal, o ceifador prometia a seus discípulos tudo que um coração humano deseja em troca da abdicação total da consciência. Numa profissão em que a consciência era um fardo, quem iria querer mantê-la?

Rowan sentou novamente e arrastou a cadeira perto o bastante de Volta para sussurrar:

—Vou dizer o que eu acho. Goddard não é um ceifador. É um assassino. — Era a primeira vez que Rowan se atrevia a dizer isso em voz alta. — Tem muita coisa escrita sobre os assassinos da Era da Mortalidade; monstros como Jack, o Estripador, Charlie Manson ou Cyber Sally. E a única diferença entre eles e Goddard é que as pessoas deixam um ceifador sair impune. Os mortais sabiam que isso era errado, mas, sabe-se lá como, acabamos esquecendo.

— Sim, mas mesmo que seja verdade, ninguém pode fazer nada contra isso — Volta disse. — O futuro virá, a gente queira ou não. Rand, Chomsky e a dezena de canalhas doentes e cruéis que querem entrar para o círculo íntimo de Goddard vão dominar esse futuro. Tenho certeza de que os fundadores da Ceifa estão se revirando na cova, mas aí é que está: eles estão *na cova* e não vão voltar tão cedo. — Volta respirou fundo e secou as últimas lágrimas. — Pelo seu bem, Rowan, espero que passe a gostar de matar tanto quanto Goddard. Sua vida seria muito mais fácil. Muito mais gratificante.

A ideia pesou como um fardo. Um mês antes, Rowan teria negado ser capaz de se tornar um monstro, mas agora não tinha mais tanta certeza. A pressão para que se entregasse aumentava a cada dia. Só lhe restava torcer para que, considerando que Volta nunca havia se entregado verdadeiramente às trevas, talvez houvesse alguma chance para ele também.

Não há cobertura oficial da mídia sobre as coletas, para o desgosto dos ceifadores que gostam de publicidade. Nem mesmo as coletas em massa chegam aos noticiários. No entanto, muitas pessoas fazem o upload de fotos e vídeos de coletas para a Nimbo-Cúmulo, criando registros clandestinos — o que é muito mais empolgante e atraente do que qualquer notícia oficial.

A notoriedade e a infâmia logo se transformam em celebridade e fama para os ceifadores, e as coletas mais ousadas viram lenda. Alguns ceifadores acham viciante e buscam cada vez mais a fama. Outros preferem continuar anônimos.

Não posso negar que sou uma lenda. Não pelas coletas simples que faço hoje em dia, mas pelas mais audazes que fiz mais de cento e cinquenta anos atrás. Como se já não fosse imortal, sou imortalizada ainda mais em figurinhas colecionáveis. As mais novas são estimadas por crianças pequenas. As mais antigas valem uma fortuna para colecionadores, independentemente do estado em que se encontrem.

Sou uma lenda. Mas todo dia desejo não ser.

Do diário de coleta da ceifadora Curie

27

Conclave da Colheita

A investigação secreta de Citra trouxe algumas surpresas, e a garota mal podia esperar para contar tudo para Rowan quando finalmente o encontrasse no Conclave da Colheita. Definitivamente, não podia revelar as informações à ceifadora Curie. Como as duas passaram a confiar uma na outra, a ceifadora veria o fato de Citra ter usado suas credenciais on-line em segredo como uma violação dessa confiança.

A vida de Citra tinha tomado um rumo muito diferente da de Rowan. Não frequentava festas luxuosas e estrondosas nem treinava com pessoas vivas. Ela ajudava a cozinhar refeições simples para famílias desconsoladas e lutava contra um androide faixa preta em bokator. Criava misturas e estudava o uso de venenos letais no jardim de ervas tóxicas e medicinais da ceifadora Curie. Estudava sobre os atos infames dos melhores e dos piores ceifadores da história.

Citra descobrira que, no passado, o que fazia um ceifador ser ruim eram a preguiça, o preconceito ou a falta de visão. Havia aqueles que coletavam demais em seus bairros porque não se davam ao trabalho de procurar pessoas além. Outros coletavam pessoas com traços étnicos específicos, apesar de sofrerem repetidas ações disciplinares. Também não faltavam exemplos de mau discernimento. Como o do ceifador Sartre, que achara uma boa ideia realizar todas as suas coletas em rodeios, acabando, assim, com o esporte, porque as pessoas simplesmente deixaram de assistir às competições por medo de serem coletadas.

É claro que nem todos os maus ceifadores eram do passado. Agora, porém, em vez de "maus", eram chamados de "inovadores" e "visionários".

Como os massacres inovadores do ceifador Goddard e seus comparsas sanguinários.

A coleta em massa no Laboratório de Propulsão Magnética, ainda que não tivesse chegado aos noticiários oficiais, era uma grande notícia. E não faltou quem publicasse vídeos pessoais na Nimbo-Cúmulo, mostrando Goddard e seus discípulos concedendo imunidade feito pão aos pobres. Rowan estava no meio da ação. Citra não sabia o que pensar daquilo.

— O mundo tende a recompensar com fama o mau comportamento — Curie disse, enquanto via alguns dos vídeos publicados. Depois ficou meio pensativa. — Conheço os perigos de ser uma ceifadora famosa — ela confessou, embora Citra já soubesse disso. — Eu era cabeça-dura e estúpida na juventude. Achava que, coletando as pessoas certas no momento certo, poderia tornar o mundo melhor. No auge da minha arrogância, acreditava ter uma visão mais clara da situação em que se encontrava o mundo do que os outros. Mas sou tão limitada quanto qualquer outra pessoa, é claro. Quando coletei o presidente e seu gabinete, isso abalou o mundo, mas o mundo já estava muito bem abalado sem mim. Eles me chamaram de "Miss Massacre", e com o tempo a alcunha passou para "Grande Dama da Morte". Foram mais de cem anos tentando voltar ao anonimato, mas até as crianças mais novas me reconhecem. "Comporte-se ou a Grande Dama vai te pegar!" — Curie balançou a cabeça com tristeza. — A fama quase sempre passa, mas quando se é um ceifador, seus atos marcantes ficam para sempre. Siga meu conselho, Citra, e procure passar despercebida.

—Você pode ser uma ceifadora famosa — Citra observou —, mas mesmo em seus piores momentos nunca foi nem um pouco parecida com Goddard.

— Não, nunca. Ainda bem — a ceifadora Curie disse. — Nunca levei a vida como um esporte. Sabe, tem aqueles que buscam a fama para mudar o mundo e aqueles que a buscam para enganar o mundo. Goddard é do segundo tipo. — Em seguida ela disse uma coisa que tiraria o sono de Citra por muitas noites: — Eu não confiaria mais no seu amigo Rowan. Goddard é corrosivo como ácido nos olhos. O maior bem que você pode fazer é ganhar aquele anel no Conclave Invernal e coletar o rapaz rápido, antes que o ácido queime mais fundo do que já deve ter queimado.

Citra estava contente porque ainda faltavam meses para o Conclave Invernal. Precisava se preocupar com o Conclave da Colheita antes. Ela não via a hora do Conclave da Colheita chegar. Mas, quanto mais ele se aproximava, mais apavorada a garota ficava. Não era o teste que a perturbava. Citra se sentia preparada para qualquer teste que fosse aplicado aos aprendizes. O que temia era encontrar Rowan, porque não fazia ideia do que aqueles meses com Goddard haviam feito com ele. *Ganhe aquele anel e o colete rápido*, a ceifadora Curie havia dito. Bom, Citra não precisava se preocupar com isso no momento. Ela tinha quatro meses até a hora de tomar *essa* decisão. Mas o relógio nunca parava. Corria, inexoravelmente, para a morte de um deles.

O Conclave da Colheita aconteceu num dia claro, embora chuvoso, de setembro. A tempestade afastara muitos dos espectadores do último conclave, mas hoje eles estavam reunidos em massa diante do prédio do Capitólio da Cidade Fulcral. Viam-se ainda mais agentes da paz do que no conclave anterior, posicionados para conter a multidão de curiosos. Alguns ceifadores — a maioria da velha guarda — vieram de seus hotéis a pé, preferindo uma caminhada humilde a uma chegada espalhafatosa. Outros vieram em carros luxuosos, preferindo desfrutar ao máximo seu status de celebridade. Equipes de reportagem apontavam suas câmeras, mas quase todas mantinham distância. Afinal, não era um tapete vermelho. Não havia perguntas nem entrevistas — mesmo assim, vaidade era o que não faltava. Os ceifadores acenavam para as câmeras, jogavam os ombros para trás e erguiam a cabeça para aparecerem sob seu melhor ângulo.

O ceifador Goddard e seu bando chegaram de limusine — azul royal cravejada de diamantes falsos, caso ainda houvesse alguma dúvida sobre quem estava dentro dela. Quando Goddard e seu séquito desceram do veículo, a multidão derramou-se em admirações, como se a aparição deslumbrante deles fosse uma queima de fogos.

— Ali está ele!

— É ele!

— Ele é tão bonito!

— Ele é tão medonho!

— Ele é tão elegante!

Goddard aproveitou o momento para se virar para a multidão e fazer um aceno. Então, concentrou-se em uma garota do público, encarou-a nos olhos, apontou e continuou subindo as escadas, sem dizer nada.

— Ele é tão estranho!

— Ele é tão misterioso!

— Ele é tão charmoso.

Quanto à garota para quem ele apontou, ela ficou deslumbrada, aterrorizada e confusa pela atenção momentânea — o que era exatamente a intenção dele.

Quando Goddard e sua comitiva colorida subiram os degraus

de entrada, a multidão estava tão concentrada neles que ninguém prestou muita atenção em Rowan, que vinha mais atrás.

Os ceifadores do grupo de Goddard não eram os únicos dispostos a promover um espetáculo. O ceifador Kierkegaard trazia uma balestra a tiracolo. Não que pretendesse usá-la naquele dia, era apenas parte do show. Mesmo assim, poderia apontá-la para praticamente qualquer pessoa no público e eliminá-la. Saber disso deixava a multidão ainda mais alvoroçada. Ninguém nunca fora coletado na escada do Capitólio antes de um conclave, mas isso não significava que não poderia acontecer.

A maioria dos ceifadores vinha pela avenida principal, mas a ceifadora Curie e Citra entraram por uma rua lateral, para evitar, tanto quanto possível, despertar a atenção do público. Enquanto a imponente ceifadora atravessava a multidão de curiosos, um rumor se elevou quando as pessoas mais próximas perceberam quem passava entre eles. Os espectadores erguiam a mão para tocar seu manto sedoso cor de lavanda. Ela encarou isso como uma coisa natural, mas um homem chegou a agarrar o tecido, e ela teve que dar um tapa na mão dele.

— Cuidado — ela disse, encarando seus olhos. — Não aceito violações à minha pessoa.

— Perdão, excelência — disse o homem, tentando pegar sua mão, decidido a tocar o anel, mas ela a afastou.

— Nem pense nisso.

Citra afastava as pessoas na frente da ceifadora Curie para ajudar a abrir caminho.

— Talvez a gente devesse ter pegado uma limusine — Citra disse. — Pelo menos não teríamos de passar o caminho todo lutando.

— Sempre achei isso muito elitista.

Depois que atravessaram a multidão, uma rajada súbita de vento desceu pelos degraus do Capitólio, jogando para trás o longo cabelo prateado da ceifadora Curie, que parecia um véu de noiva e lhe dava um ar quase místico.

— Sabia que devia ter feito uma trança — ela disse.

Enquanto Curie e Citra subiam os degraus de mármore branco, alguém à esquerda gritou:

— Nós te amamos!

Curie parou e se virou, mas como não conseguiu descobrir quem havia falado, se dirigiu a todos.

— Por quê? — ela perguntou, mas, agora, sob seu olhar frio e penetrante, ninguém se atreveu a responder. — Eu poderia acabar com a existência de vocês a qualquer momento. Por que me amam?

Continuaram sem responder — mas a conversa atraiu um câmera, que avançou, aproximando-se demais. A ceifadora Curie bateu na câmera com tanta força que o corpo do homem girou e ele quase derrubou o equipamento.

— Tenha modos — disse a ceifadora.

— Sim, excelência. Perdão, excelência.

Ela continuou a subir os degraus, seguida por Citra.

— É difícil acreditar que antigamente eu adorava toda essa atenção. Hoje evitaria tudo isso se pudesse.

— A senhora não parecia tão tensa no último conclave — Citra comentou.

— Porque eu não tinha uma aprendiz sendo testada. Era eu que estava testando os aprendizes dos outros ceifadores.

Um teste em que Citra fracassou completamente. Mas preferiu não trazer o assunto à tona.

— A senhora sabe qual é o teste de hoje? — Citra perguntou enquanto chegavam ao topo da escada e entravam no vestíbulo.

— Não, mas sei que será aplicado pelo ceifador Cervantes, que costuma enfatizar o físico. Não duvido nada que ele faça vocês correrem uma maratona.

Assim como antes, os ceifadores se cumprimentaram na rotunda grandiosa, esperando que as portas do salão da assembleia se abrissem. O café da manhã estava servido no centro, onde havia uma pirâmide de pãezinhos que os garçons deviam ter levado horas para montar, mas que em poucos segundos desmoronou, quando os ceifadores começaram a pegar os pãezinhos de baixo, sem pensar nos de cima. Os garçons correram para recolher os pães caídos antes que fossem pisoteados. A ceifadora Curie achou tudo muito divertido.

— Foi tolice do fornecedor achar que os ceifadores deixariam qualquer coisa arrumada.

Citra encontrou a jovem ceifadora Goodall — a garota que fora ordenada no último conclave. Ela encomendou seus mantos a Claude DeGlasse, um dos estilistas mais famosos do mundo. Foi um erro fenomenal, porque o que os estilistas modernos mais queriam era chocar as pessoas. O manto de listras laranja e azuis fazia Goodall parecer mais uma palhaça do que uma ceifadora.

Citra não pôde deixar de notar que Goddard e seus jovens ceifadores, ainda mais que no Conclave Primaveril, eram o centro das atenções. Embora vários ceifadores virassem a cara, muitos outros os cercavam, buscando cair em suas boas graças.

— Cada vez há mais ceifadores que pensam como Goddard — Curie falou em voz baixa para Citra. — Entraram pelas fendas como serpentes. Eles se infiltram e tomam o lugar dos melhores de nós como ervas daninhas.

Citra pensou em Faraday, um ceifador digno, definitivamente sufocado por ervas daninhas.

— Os assassinos estão subindo ao poder — Curie disse. — E, se subirem, os dias deste mundo serão muito sombrios. Resta aos ceifadores verdadeiramente honoráveis se manterem firmes contra isso. Mal posso esperar o dia em que você vai entrar nessa luta.

— Obrigada, excelência. — Citra não via mal em combater pelo lado bom se virasse ceifadora. Era nos passos que levariam a isso que ela não conseguia pensar.

Curie saiu para cumprimentar alguns ceifadores da velha guarda ainda fiéis aos ideais dos fundadores. Foi então que Citra finalmente avistou Rowan. Ele não dividia o falso brilho de Goddard. Em vez disso, era o centro de outras atenções: estava cercado por aprendizes e até por alguns jovens ceifadores. Eles conversavam, riam, e Citra teve a sensação de que Rowan nem a havia procurado.

Na verdade, Rowan a havia procurado, mas na hora que Citra entrou na rotunda ele já estava cercado por admiradores inesperados. Uns invejavam sua posição no grupo de Goddard, outros estavam apenas curiosos. Alguns evidentemente tentavam pegar carona em sua ascensão. O posicionamento político começava cedo na Ceifa.

—Você estava naquele edifício comercial, não é? — perguntou um dos aprendizes, um dos mais novos, que participava de seu primeiro conclave. — Eu vi você nos vídeos!

— Ele não só estava lá — disse outro. — Estava até com o anel do Goddard, concedendo imunidade!

— Nossa! Isso pode?

Rowan deu de ombros.

— Goddard disse que podia e, enfim, não pedi para ele me dar o anel. Ele simplesmente me deu.

Um dos jovens ceifadores soltou um suspiro melancólico.

— Cara, se ele te emprestou o anel, deve adorar você.

Pensar que Goddard pudesse gostar dele deixou Rowan incomodado — porque o garoto desprezava solenemente as coisas de que Goddard gostava.

— Então, como ele é? — uma garota perguntou.

— É... diferente de todas as pessoas que conheci — Rowan respondeu.

— Queria ser aprendiz dele — disse um dos aprendizes, depois fez careta como se tivesse acabado de morder um pãozinho rançoso. — Fui admitido pelo ceifador Mao.

O ceifador Mao, Rowan sabia bem, era outro exibicionista que gostava da fama de sua imagem pública. Era tido como independente e não se alinhava nem com a velha nem com a nova guarda. Rowan não tinha ideia se ele votava segundo sua consciência ou se vendia o voto a quem pagasse mais. Faraday saberia. Havia tantas coisas de que Rowan sentia falta em ser aprendiz de Faraday. O acesso a informações privilegiadas era uma delas.

— Goddard e seu grupo de ceifadores arrasaram quando chegaram à entrada do Capitólio — disse uma aprendiz de que Rowan se lembrava do último conclave, aquela que entendia de venenos. — Eles estavam estilosíssimos.

—Você já decidiu qual vai ser a sua cor? E que joias vai ter no manto? — uma garota perguntou, enroscando-se em seu braço de repente como uma trepadeira que crescia rápido. Ele não sabia se seria mais constrangedor soltar o braço dela ou não.

—Transparente — Rowan disse. —Vou subir a escada do parlamento pelado.

—Vai ser uma joia e tanto — brincou um dos jovens ceifadores, e todos deram risada.

Então Citra abriu caminho em direção a Rowan, e foi como se ele tivesse sido pego fazendo algo errado.

— Citra, oi! — ele falou. Como pareceu forçado, quis simplesmente retirar o que disse e encontrar outra forma de cumprimentá-la. Soltou o braço da garota trepadeira, mas tarde demais, porque Citra já tinha visto.

— Parece que você fez um monte de amigos novos — Citra disse.

— Não, na verdade não — ele falou, então percebeu que tinha acabado de insultar todos eles. — Quero dizer, somos todos amigos, certo? Estamos todos no mesmo barco.

— Mesmo barco — Citra repetiu, em tom inexpressivo, mas com um olhar tão afiado quanto as adagas do gabinete de armas de Faraday. — É bom ver você também, Rowan. — Depois virou as costas e saiu andando.

— Deixa ela pra lá — disse a garota trepadeira. — Depois do próximo conclave, vai ser página virada, não é mesmo?

Rowan nem pediu licença quando se afastou deles.

Ele alcançou Citra rápido, o que mostrava que ela não estava se esforçando tanto para fugir. Era um bom sinal.

Ele pegou de leve em seu braço e a virou para si.

— Ei — ele disse. — Foi mal…

— Não, eu entendo — ela disse. — Você é importante agora. Precisa se mostrar.

— Não é bem por aí. Você acha que eu queria todos eles me bajulando daquele jeito? Poxa, você me conhece!

Citra hesitou.

— Já faz quatro meses — ela disse. — Quatro meses mudam uma pessoa.

Isso era verdade. Mas certas coisas não mudavam. Rowan sabia o que ela queria ouvir, mas seria mais um joguinho. Então falou a verdade.

— É bom ver você, Citra — ele disse. — Mas é difícil. Dói muito e não sei como lidar com isso.

Ele percebeu que suas palavras a tocaram, porque os olhos dela começaram a brilhar com lágrimas, mas conseguiu conter.

— Eu sei. Odeio que tenha que ser assim.

—Vamos fazer o seguinte — disse Rowan —, não vamos nem pensar sobre o Conclave Invernal agora. Vamos focar no aqui e agora e deixar isso pra depois.

Citra assentiu.

— Concordo. — Depois, respirou fundo. — Vamos dar uma volta. Quero te mostrar uma coisa.

Eles caminharam pela área externa da rotunda, passando por arcos onde os ceifadores conspiravam e negociavam.

Citra tirou o celular do bolso e projetou uma série de hologramas na palma da mão, fechando-a em concha para que só Rowan pudesse ver.

— Encontrei isto no fundo da mente interna da Nimbo-Cúmulo.

— Como você fez isso?

— Não importa. O que importa é que fiz, e olha só o que eu encontrei.

Os hologramas mostravam o ceifador Faraday nas ruas perto de sua casa.

— São imagens do último dia dele — Citra disse. — Consegui retraçar pelo menos parte de seus passos.

— Mas por quê?

—Assista. — O holograma o mostrou entrando na casa de uma pessoa. — É a casa da mulher que ele apresentou pra gente no mercado. Ele ficou lá por algumas horas. — Citra passou outro vídeo que mostrava o ceifador entrando num restaurante. — Acho que ele pode ter encontrado alguém lá, mas não sei quem.

— Certo — disse Rowan. — Então ele estava se despedindo das pessoas. Até aí, coincide com as coisas que uma pessoa faria se fosse seu último dia de vida.

Citra passou para um vídeo em que Faraday subia a escada de uma estação de trem.

— Sabemos que isso aconteceu naquela estação, mas adivinha só... A câmera naquela plataforma de trem foi destruída, teoricamente por infratores. Ficou quase o dia todo quebrada, então não existe nenhum registro visual do que realmente aconteceu na plataforma!

Um trem saiu da estação e, pouco depois, outro trem saiu na direção oposta. Foi aquele trem que matou Faraday. Embora não desse para ver, Rowan fez uma careta como se tivesse visto.

—Você acha que alguém o matou e fez parecer que foi suicídio? — Rowan olhou ao redor para ter certeza de que ninguém os observava, e falou baixo: — Se esse é seu único indício, ele é bem fraco.

— Eu sei. Por isso continuei procurando. — Ela mostrou a cena de Faraday chegando à estação mais uma vez. — Foram cinco testemunhas. Não consegui rastrear todas sem entrar nos registros da Ceifa e, se fizesse isso, saberiam o que eu estava procurando. Mas é muito provável que outras testemunhas o tenham visto subindo aquela escada, certo? Dezoito pessoas subiram a escada por volta da hora em que Faraday morreu. Algumas devem ter entrado nesse primeiro trem. — Ela apontou para o trem deixando a estação. — Mas não todas. Dessas dezoito, consegui identificar metade. E três delas ganharam imunidade *naquele dia*.

Foi o bastante para fazer Rowan perder o ar e deixá-lo zonzo.

— Eles foram subornados para dizer que foi uma autocoleta?

— Se você fosse um cidadão comum e visse um ceifador matando outro e depois te oferecessem imunidade pra ficar de boca fechada, o que você faria?

Rowan queria acreditar que apelaria para a justiça, mas pensou nos tempos em que ainda não era aprendiz, quando a aparição de um ceifador era a coisa mais assustadora que ele conseguia imaginar.

— Eu beijaria o anel e ficaria quieto.

Do outro lado da rotunda, as portas para a câmara do conclave se abriram, e os ceifadores começaram a entrar em fila.

— Quem você acha que fez isso? — Rowan perguntou.

— Quem ganharia mais em tirar Faraday da jogada?

Os dois sabiam a resposta e nenhum deles precisou dizê-la em voz alta. Rowan sabia que Goddard era capaz de coisas impensáveis, mas ele mataria outro ceifador?

Rowan balançou a cabeça, sem querer acreditar.

— Essa não é a única explicação possível! — ele disse. — Pode nem ter sido um ceifador. Talvez o membro da família de alguém que ele coletou. Alguém que buscasse vingança. Qualquer um poderia ter tomado o anel, empurrado Faraday na frente do trem e usado a joia para dar imunidade às testemunhas. Eles tinham de ficar quietos para não serem considerados cúmplices!

Citra abriu a boca para refutar, mas tornou a fechar. Era possível. Mesmo considerando que o anel de Faraday teria congelado o dedo do assassino, era possível.

— Não pensei nisso — ela disse.

— Ou um tonista? As seitas tonais também odeiam os ceifadores.

A rotunda estava se esvaziando rapidamente. Eles saíram do vão em que estavam e se dirigiram para as portas da câmara.

—Você não tem dados suficientes pra acusar ninguém de nada — Rowan disse. — É melhor deixar isso pra lá por enquanto.

— Deixar pra lá? Você só pode estar brincando!

— Eu disse *por enquanto*! Você vai ter acesso total aos registros da Ceifa quando for ordenada e vai poder provar exatamente o que aconteceu.

Citra parou no meio do caminho.

— O que você quer dizer com *quando* eu for ordenada? Pode ser você também! Ou tem alguma coisa que eu não estou sabendo?

Rowan mordeu o lábio, furioso consigo mesmo pelo deslize.

—Vamos entrar antes que fechem as portas.

★

Os rituais do conclave foram os mesmos de antes. O Carrilhão dos Nomes. A lavagem das mãos; as queixas e punições. Mais uma vez, uma acusação anônima contra o ceifador Goddard — dessa vez, acusando-o de conceder imunidades em excesso.

— Quem traz essa acusação? — Goddard perguntou. — Que o acusador ou acusadora se levante e se identifique!

É claro que ninguém assumiu nada, permitindo que Goddard continuasse com a palavra.

— Admito que essa acusação procede — Goddard disse. — Sou um homem generoso e talvez tenha sido liberal demais na concessão de imunidades. Não invento desculpas nem estou arrependido. Entrego-me à mercê do Alto Punhal para aplicar minha punição.

O Alto Punhal Xenócrates fez um gesto desdenhoso com a mão.

— Sim, sim, sente-se, Goddard. Sua penitência vai ser calar a boca por cinco minutos.

Isso provocou uma série de gargalhadas. Goddard fez uma reverência ao Alto Punhal e voltou ao seu lugar. Alguns ceifadores, incluindo Curie, tentaram contestar. Eles apontaram que, historicamente, os ceifadores que usavam seus anéis abusivamente tinham seu poder de conceder imunidade limitado às famílias dos coletados, mas suas queixas foram ignoradas. Xenócrates rejeitou todas as objeções, para acelerar os procedimentos do dia.

— Que incrível — a ceifadora Curie sussurrou para Citra. — Goddard está cada vez mais intocável. Ele consegue sair impune de qualquer coisa. Queria que alguém, por medida de precaução, o tivesse coletado na infância. O mundo estaria melhor sem ele.

Citra evitou Rowan no almoço, temendo serem vistos juntos novamente, o que poderia levantar suspeitas. Passou o almoço com

Curie, que a apresentou aos maiores ceifadores vivos: a ceifadora Meir, que já fora delegada do Conclave Global, em Genebra; o ceifador Mandela, encarregado do comitê de concessão de joias; e o ceifador Hideyoshi, o único, pelo que se sabia, a dominar a arte da coleta por hipnose.

Citra tentou não ficar muito deslumbrada. Conhecê-los quase lhe deu esperanças de que a velha guarda pudesse triunfar contra a laia de Goddard. De vez em quando, ela olhava para Rowan, que, mais uma vez, parecia não conseguir fugir dos outros aprendizes, embora ela não soubesse ao certo se ele estava tentando.

— É um mau sinal os nossos jovens promissores gravitarem tão abertamente em torno do inimigo — disse o ceifador Hideyoshi.

— Rowan não é o inimigo — Citra retrucou, mas Curie pôs a mão sobre seu ombro para acalmá-la.

— Ele *representa* o inimigo — disse a ceifadora. — Pelo menos para os outros aprendizes.

O ceifador Mandela suspirou.

— Não deveria haver inimigos na Ceifa. Todos deveríamos estar do mesmo lado. O lado da humanidade.

Era consenso geral entre a velha guarda que os tempos eram angustiantes, mas, afora o fato de levantar objeções sempre ignoradas, ninguém agia.

Depois do almoço, o nervosismo de Citra só aumentou, enquanto os fabricantes de armas vendiam suas mercadorias, e várias questões eram debatidas calorosamente: se o anel do ceifador deveria ser usado na mão direita ou esquerda, se o ceifador deveria ou não poder recomendar um produto comercial, como, por exemplo, um tênis de corrida ou um cereal matinal. Tudo aquilo parecia insignificante para Citra. Por que essas coisas eram debatidas enquanto o ato sagrado da coleta descambava lentamente para o homicídio da Era da Mortalidade?

Finalmente chegou a hora dos testes dos aprendizes. Assim como antes, tendo sido testados na noite anterior, os candidatos foram à frente. Dos quatro candidatos que fizeram o teste final, apenas dois foram ordenados. Os outros dois tiveram de fazer o desfile da vergonha, saindo da câmara e voltando para suas vidas de antes. Citra sentiu um prazer culpado ao ver que a garota que estava bajulando Rowan havia sido uma das rejeitadas.

Depois que os novos ceifadores receberam seus anéis e adotaram nomes novos, os outros aprendizes foram chamados à frente.

— O teste de hoje — anunciou o ceifador Cervantes — será uma competição na arte marcial de bokator. Os candidatos serão divididos em pares e julgados por seu desempenho.

Trouxeram um tatame e o desenrolaram no espaço semicircular em frente à tribuna. Citra respirou fundo. Ela estava apta para a prova. Bokator era equilíbrio entre força, agilidade e concentração, e ela encontrara seu equilíbrio perfeito. Mas então cravaram uma faca no coração de sua confiança.

— Citra Terranova irá lutar contra Rowan Damisch.

Um murmúrio na multidão. Citra sabia que os juntaram intencionalmente, transformando-os em eternos adversários. Como poderia ser diferente? Os olhos dela encontraram os de Rowan, mas a expressão dele não revelou nada.

As outras disputas ocorreram antes. Todos os aprendizes deram o máximo de si, mas bokator era uma luta dura, e nem todos estavam à altura do desafio. Houve vitórias apertadas e derrotas fáceis. E então chegou a hora da disputa entre Citra e Rowan.

Mesmo naquele momento o semblante de Rowan não revelou nem companheirismo, nem solidariedade, nem tristeza por terem sido lançados um contra o outro.

— Certo, vamos lá. — Foi tudo o que ele disse, e começaram a se cercar.

★

Rowan sabia que aquele era seu primeiro teste de verdade, mas não o que todos imaginavam. O teste de Rowan era parecer convincente, mas ainda assim entregar a luta. Goddard, Xenócrates e Cervantes — e, na verdade, todos os ceifadores reunidos — precisavam acreditar que ele estava se esforçando ao máximo, mas que o seu máximo não era suficiente para lhe garantir uma vitória.

A luta começou com as voltas rítmicas ritualísticas. Então, o posicionamento e a provocação física. Rowan se lançou contra Citra, deu um chute que sinalizou antes com a linguagem corporal e errou o golpe por uma fração de centímetro. Ele perdeu o equilíbrio e caiu, batendo o joelho no tatame. Um ótimo começo. Ele se virou rápido, levantou-se ainda sem equilíbrio, e ela avançou contra ele. Rowan achou que ela o derrubaria com um golpe de cotovelo, mas, em vez disso, Citra o agarrou, puxando-o para a frente enquanto fingia empurrá-lo para trás. Com isso ele recuperou o equilíbrio, fazendo parecer que ela errara o golpe por não ter força para completá-lo. Rowan recuou e a encarou nos olhos. Citra sorria e lhe lançava olhares intensos. Era parte da provocação típica do bokator, mas era muito mais do que isso. Rowan conseguia entender tão claramente como se ela estivesse falando em voz alta.

Você não vai entregar esta luta, os olhos dela diziam. *Lute mal — eu te desafio — porque, não importa quão mal você tente lutar, vou arranjar um jeito de fazer você se sair bem.*

Frustrado, Rowan se lançou contra ela de novo, deu-lhe um golpe de mão aberta em seu ombro, intencionalmente a cinco centímetros do ponto de ataque perfeito — mas ela avançou o ombro na direção desse ponto. A mão dele acertou, ela girou para trás com a força do golpe e caiu.

Que saco, Citra. Que saco!

Ela conseguia vencê-lo em tudo. Até em perder.

Desde o primeiro chute de Rowan, ela percebeu que ele estava facilitando a luta, e isso a deixou furiosa. Como ele ousava pensar que precisava lutar mal para ela vencer? Será que ele ficara tão arrogante sob o comando do ceifador Goddard que realmente achava que aquela não era uma luta equilibrada? Claro, ele estava treinando, mas ela também. E daí se ele tinha ficado mais forte? Isso também significava que estava mais pesado e mais lento. Uma luta justa era a única maneira de manter a consciência deles limpa. Rowan não percebia que, ao se sacrificar, a estaria condenando também? Ela preferiria coletar a si mesma em seu primeiro ato como ceifadora a aceitar o sacrifício dele.

Rowan a encarou furioso, e isso a fez rir.

— Esse é o melhor que você consegue fazer? — Citra perguntou.

Ele lhe deu uma rasteira, lenta o bastante para que ela pudesse prever, e sem aplicar nenhuma força. Bastaria se abaixar para fugir do golpe. Em vez disso, ela ergueu o centro de gravidade apenas o bastante para que o chute a derrubasse. Citra caiu no tatame, mas se endireitou rápido, para não parecer que havia caído de propósito. Então, lançou o ombro contra ele e enganchou a perna direita na dele aplicando força, mas não o bastante para fazer o joelho dele ceder. Ele a segurou, torceu, girou os dois para o tatame e deixou-se cair sob o corpo dela. Citra contra-atacou forçando-o a rolar e imobilizá-la. Rowan tentou soltá-la, mas ela segurou seus braços para impedi-lo.

— Qual é o problema, Rowan? — ela sussurrou. — Não sabe o que fazer quando está em cima de uma garota?

Ele finalmente se desvencilhou e ela levantou. Eles se encararam mais uma vez, andando em círculos na conhecida dança da luta, enquanto Cervantes girava na direção contrária, como um satélite, sem perceber nada do que realmente estava acontecendo.

Rowan sabia que o combate estava quase acabando. Ele estava prestes a vencer e, ao vencer, perderia. Ele devia estar maluco quando pensara que Citra deixaria que ele entregasse a luta de livre e espontânea vontade. Os dois se importavam demais um com o outro. Esse era o problema. Citra nunca estaria disposta a aceitar o anel de ceifador enquanto os sentimentos dela por ele estivessem no caminho.

E, de repente, Rowan soube exatamente o que fazer.

Faltando apenas dez segundos para o fim da luta, Citra só precisava manter o ritmo da dança. Rowan era claramente o vencedor. Mais dez segundos rodeando sem baixar a guarda, e Cervantes sopraria o apito.

Mas então Rowan fez algo que Citra não previu. Ele se lançou na frente dela com uma velocidade vertiginosa. Não desengonçado, nem fingindo falsa incompetência, mas com gestos perfeitos e ágeis. Em um instante, imobilizou sua cabeça, apertando o pescoço com força suficiente para ativar seus nanitos de dor, e então se aproximou e rosnou na orelha dela.

—Você caiu bem na minha armadilha — ele disse. — Agora vai ter o que merece. — Então, lançou o corpo de Citra no ar, girando a cabeça dela na direção oposta. O pescoço dela quebrou com um estalo alto e terrível, e a escuridão caiu sobre Citra como um deslizamento de terra.

Rowan jogou Citra no chão enquanto a multidão prendia a respiração. Cervantes soprou o apito violentamente.

— Golpe ilegal! Golpe ilegal! — Cervantes gritou, como Rowan previu que ele gritaria. — Desclassificado!

A congregação de ceifadores começou a gritar. Alguns furiosos com Cervantes, outros lançando impropérios contra Rowan pelo que ele havia feito. Rowan se manteve impassível, sem demonstrar suas emoções. Obrigou-se a olhar para o corpo de Citra no chão. A cabeça dela estava quase torcida para trás. Os olhos estavam abertos, mas não viam mais nada. Estava semimorta. Ele mordeu a língua até começar a sangrar.

A porta da câmara se abriu e os guardas entraram correndo na direção da garota inerte no meio do saguão.

O Alto Punhal se aproximou de Rowan.

— Volte para a companhia de seu ceifador — ele disse, sem nem tentar esconder sua repulsa. — Tenho certeza de que ele vai disciplinar você adequadamente.

— Sim, excelência.

Desclassificado. Nenhum deles sabia que, para Rowan, essa era a vitória perfeita.

Ele viu os guardas pegarem o corpo de Citra, mole como um saco de batatas, e o carregarem para onde, sem dúvida, um ambudrone já esperava para levá-lo ao centro de revivificação mais próximo.

Você vai ficar bem, Citra. Logo vai voltar para a companhia da ceifadora Curie. Mas não vai se esquecer do que aconteceu hoje. E espero que nunca me perdoe.

Combati o expurgo. Há coisas que fiz das quais não me orgulho, mas me orgulho muito de ter lutado contra aquilo.

Não lembro que ceifador começou com aquela campanha odiosa de coletar apenas pessoas que nasceram mortais, mas ela se espalhou por todas as Ceifas regionais — uma ideia viral em um mundo sem vírus. "Não deveriam aqueles que nasceram esperando a morte serem os únicos passíveis de coleta?", dizia a sabedoria popular. Mas era intolerância disfarçada de sabedoria. Egoísmo se passando por esclarecimento. E foram poucos os ceifadores que discordaram — porque aqueles que nasceram na era pós-mortal não aceitavam a maneira de pensar nem o estilo de vida dos mortais. "Que eles morram junto com a era que os gerou!", bradavam os puristas pós-mortais na Ceifa.

Por fim, o expurgo foi considerado uma grave violação do segundo mandamento, e todos os ceifadores que participaram da campanha foram severamente disciplinados — mas já era tarde demais para desfazer o que tinha sido feito. Perdemos nossos patriarcas. Perdemos nossos anciãos. Perdemos o elo vivo que nos ligava ao passado. Ainda há pessoas que nasceram mortais, mas elas escondem sua idade e sua história, por medo de virarem alvos novamente.

Sim, eu combati o expurgo — mas a Nimbo-Cúmulo não. Por sua recusa em interferir nas questões dos ceifadores, ela não podia fazer nada para impedir a campanha. Era apenas testemunha. A Nimbo-Cúmulo permitiu que cometêssemos esse erro custoso, deixando a Ceifa chafurdar no arrependimento até os dias de hoje.

Às vezes me pergunto: se a Ceifa saísse completamente dos trilhos e decidisse coletar toda a humanidade em um grandioso suicídio de coleta global, será que a Nimbo-Cúmulo quebraria sua lei de não interferência para impedir? Ou mais uma vez seria uma testemunha passiva da nossa destruição, sem deixar nenhum legado além de uma nuvem viva do nosso conhecimento, realizações e sabedoria duvidosa?

Eu me pergunto: será que a Nimbo-Cúmulo lamentaria nossa morte? E, nesse caso, lamentaria como uma filha que perde os pais ou como a mãe que não pôde salvar um filho petulante de suas próprias escolhas ruins?

Do diário de coleta da ceifadora Curie

28
Hidrogênio queimando no coração do Sol

Citra Terranova, disse uma voz ao mesmo tempo doce e potente. *Citra Terranova, está me ouvindo?*

Quem está aí? Tem alguém aí?

Curioso, disse a voz. *Muito curioso...*

Ser semimorta era um saco. Não havia dúvida quanto a isso.

Quando a declararam oficialmente viva, ela acordou ante um rosto desconhecido, mas simpático, de uma enfermeira de revivificação que checava seus sinais vitais. Tentou observar ao redor, mas seu pescoço ainda estava com o colar cervical.

— Bem-vinda de volta, querida — disse a enfermeira.

O quarto parecia girar toda vez que movimentava os olhos. Não eram apenas os nanitos de dor, ela devia estar com todo tipo de substâncias químicas, microrrobôs, anestésicos e rejuvenescedores dentro do corpo.

— Quanto tempo? — ela perguntou, com a voz rouca.

— Só dois dias — a enfermeira disse alegremente. — Uma simples lesão na medula. Nada que não possamos resolver.

Dois dias foram roubados da vida dela. Dois dias que ela não podia perder.

— Minha família?

— Desculpe, meu amor, mas esse foi um assunto de ceifadores.

Seus pais não foram notificados. — A enfermeira deu um leve tapinha em sua mão. — Pode contar tudo para eles quando os vir da próxima vez. Agora é melhor relaxar. Você vai passar mais um dia aqui e ficar novinha em folha. — E ofereceu um sorvete a Citra, que foi o melhor que já havia provado.

Naquela noite, a ceifadora Curie a visitou e a informou de tudo que ela havia perdido. Rowan tinha sido desclassificado e severamente repreendido por sua falta de espírito esportivo.

— Quer dizer que, se ele foi desclassificado, eu venci?

— Infelizmente, não — a ceifadora Curie disse. — Estava claro que ele ganharia de você. Decidiu-se que vocês dois perderam. Definitivamente precisamos treinar suas habilidades em artes marciais, Citra.

— Bom, que ótimo — Citra disse, irritada por um motivo muito diferente do que a ceifadora Curie supôs. — Então agora eu e Rowan estamos zero a zero no conclave.

A ceifadora Curie suspirou.

— Na terceira tentativa a gente consegue — ela disse. — Agora tudo vai depender do desempenho de vocês no Conclave Invernal. E tenho confiança de que você vai brilhar no teste final.

Citra fechou os olhos, lembrando-se da expressão de Rowan quando lhe deu a chave de braço. Havia algo frio ali. Calculista. Naquele momento, ela viu um lado dele que nunca tinha visto antes. Era como se esperasse ansiosamente o momento de fazer o que logo faria com ela. Como se fosse ter prazer naquilo. Ela estava tão confusa! Será que Rowan realmente tinha planejado aquele golpe desde o início? Será que não sabia que seria desclassificado, ou a desclassificação fazia parte de seus planos?

— Como Rowan ficou depois do que aconteceu? — Citra

perguntou à ceifadora Curie. — Ele pareceu chocado pelo que tinha feito? Se ajoelhou ao meu lado? Ajudou a me carregar para o ambudrone?

A ceifadora Curie demorou um momento para responder. Finalmente, disse:

— Ele ficou parado, Citra. O rosto parecia pedra. Desafiador e nem um pouco arrependido, igual ao ceifador dele.

Citra tentou virar o rosto para o outro lado, mas, mesmo sem o colar cervical, seu pescoço estava rígido demais para se mover.

— Ele não é mais quem você pensa que ele é — a ceifadora Curie disse devagar, para que entrasse na cabeça dela.

— Não, não é — Citra concordou. Mas ela não fazia a mínima ideia de quem ele era agora.

Rowan pensou que receberia outra surra brutal ao voltar para a mansão. Mas não poderia estar mais distante daquilo.

O ceifador Goddard estava radiante e mais eloquente do que nunca. Logo no vestíbulo, mandou o mordomo trazer champanhe e taças para todos, para que pudessem brindar à ousadia de Rowan.

—Você precisou de mais audácia para fazer aquilo do que pensei que tivesse, meu rapaz — Goddard disse.

— Um brinde — concordou a ceifadora Rand. — Fique à vontade para ir pro meu quarto e quebrar meu pescoço quando quiser.

— Ele não só quebrou o pescoço dela — o ceifador Goddard observou. — Quebrou sua espinha sem a menor hesitação! Todo mundo ouviu. Tenho certeza de que acordou os ceifadores que dormiam na fileira de trás!

—Típico! — disse o ceifador Chomsky, engolindo o champanhe sem esperar pelo brinde.

— Você marcou sua posição de forma muito vigorosa — disse Goddard. — Lembrou todo mundo que é *meu* aprendiz e não deve ser menosprezado! — Então abaixou a voz, num tom quase doce. — Sei que você gostava daquela garota, mas fez o que precisava ser feito e até mais do que isso.

— Eu fui desclassificado — Rowan lembrou.

— Oficialmente, sim — Goddard concordou —, mas ganhou a admiração de vários ceifadores importantes.

— E fez inimigos também — Volta observou.

— Não há nada de errado em traçar uma linha na areia — Goddard respondeu. — É preciso ter força para fazer isso. O tipo de força a que tenho o maior prazer em brindar.

Rowan ergueu os olhos e viu Esme sentada no alto da grande escadaria, observando-os. Ele se perguntou se ela já sabia o que ele tinha feito, e pensar que ela poderia saber o fez sentir vergonha.

— A Rowan! — disse o ceifador Goddard, erguendo a taça. — O flagelo de pescoços e destruidor de espinhas!

Foi a taça mais amarga que Rowan já bebera na vida.

— Acho que isso merece uma festa — disse Goddard.

A festa depois do Conclave da Colheita foi digna dos livros de recordes, e ninguém ficou imune à energia contagiosa de Goddard. Mesmo antes dos convidados começarem a chegar e do primeiro dos cinco DJs tocar, Goddard abriu os braços na sala decorada da mansão como se pudesse alcançar de parede a parede e falou a ninguém especificamente:

— Este é o meu elemento, e o meu elemento é hidrogênio queimando no coração do Sol.

Era tão absurdo dizer aquilo que até Rowan caiu na risada.

— Ele fala tanta besteira — a ceifadora Rand sussurrou para Rowan —, mas não tem como não amar.

À medida que as salas, os terraços e o deque da piscina lotavam de convidados, o pavor que Rowan vinha sentindo depois de sua terrível luta com Citra começou a diminuir.

— Eu chequei pra você — o ceifador Volta disse. — Citra está consciente e vai passar mais um dia no centro de revivificação. Voltará para a casa da ceifadora Curie completamente recuperada; sem sequelas, sem ressentimento... Quero dizer, ressentimento ela deve ter de sobra, mas era isso que você queria, não?

Rowan não respondeu. Ele se perguntou se mais alguém era perspicaz o bastante para saber por que ele havia feito o que fez. O garoto esperava que não.

Então, no meio daquela euforia, Volta de repente ficou sério.

— Não perca o anel para ela, Rowan — ele disse. — Pelo menos não de propósito. Ela derrotar você de maneira justa é uma coisa. Mas se expor à faca de uma garota por causa de hormônios em fúria é pura babaquice.

Quem sabe Volta estivesse certo? Talvez ele devesse dar o melhor de si no teste final e, se o seu melhor vencesse o de Citra, era o caso de aceitar o anel de ceifador. Então, seu primeiro e último ato, talvez, seria se coletar. Dessa forma, nunca teria de coletar Citra. Era um consolo saber que ele tinha uma saída, ainda que fosse a pior possível.

Os ricos e famosos chegaram de helicóptero, limusine e até — fazendo uma entrada estapafúrdia, mas memorável — de *jet pack*. Goddard fez questão de apresentar Rowan a todos, como se ele fosse um troféu digno de se ostentar.

— Fiquem de olho nesse garoto — Goddard dizia a seus convidados famosos. — Ele tem futuro.

Rowan nunca havia se sentido tão valorizado e reconhecido. Era difícil odiar um homem que o tratava como a carne do hambúrguer, e não como o alface.

— É assim que a vida deve ser vivida — Goddard disse a Rowan enquanto relaxavam na tenda, assistindo às festividades. — Experimentar tudo que há para se experimentar e desfrutar da companhia das pessoas.

— Mesmo quando algumas dessas pessoas são pagas para estar ao seu lado?

Goddard lançou um olhar para o deque da piscina cheio de gente, que estaria muito menos lotado e vistoso, não fosse pela presença dos convidados profissionais.

— Em todas as produções sempre há figurantes — ele disse a Rowan. — Eles preenchem as lacunas e formam um cenário agradável. Não iríamos querer que todos fossem celebridades, não é mesmo? Elas só ficariam brigando entre si!

Alguém montou uma rede na piscina e muitos convidados se juntaram para uma partida de vôlei.

— Olhe ao redor, Rowan — Goddard disse com profunda satisfação. — Já viveu momentos tão bons quanto estes? O povo não nos ama porque coletamos, mas pela forma como vivemos. Precisamos aceitar nosso papel como a nova realeza.

Rowan não se via como parte da realeza, mas estava disposto a entrar no jogo, pelo menos naquele momento. Por isso foi até a piscina e pulou, declarando-se capitão do time e juntando-se aos fiéis súditos do ceifador Goddard.

Para Rowan, o problema das festas de Goddard era ser muito difícil não se divertir, por mais que ele tentasse. E, com tantas coisas agradáveis acontecendo, era fácil esquecer que o senhor da casa era um assassino cruel.

Mas Goddard seria capaz de assassinar um ceifador?

Citra não havia acusado o ceifador diretamente, mas estava claro que ele era seu principal suspeito. A investigação da garota era perturbadora, mas, por mais que tentasse, Rowan não se lembrava de ter testemunhado Goddard cometer nenhum ato ilícito segundo a lei dos ceifadores. Sua interpretação dos mandamentos podia ser deturpada, mas ele nunca havia cometido nenhuma violação direta. Nem mesmo suas coletas em massa eram condenadas por algo além do costume e da tradição.

"Os ceifadores da velha guarda me repudiam porque vivo e coleto com uma habilidade que eles não têm", Goddard havia dito para Rowan. "São um bando de traidores amargurados, com inveja de mim por ter descoberto o segredo para se tornar um ceifador perfeito."

Bom, a perfeição era subjetiva — Rowan definitivamente não achava aquele homem um ceifador perfeito —, mas não havia nada no repertório de más condutas de Goddard que indicasse que ele teria sido capaz de matar Faraday.

No terceiro dia daquela festa interminável, chegaram dois convidados inesperados — ou, pelo menos, inesperados para Rowan. O primeiro era o Alto Punhal Xenócrates em pessoa.

— O que ele está fazendo aqui? — Rowan perguntou para o ceifador Chomsky ao ver o Alto Punhal indo para a área da piscina.

— Não é pra mim que você tem que perguntar. Não fui eu que convidei.

Era um tanto estranho o Alto Punhal aparecer na festa de um ceifador tão polêmico. Ele parecia acanhado e tentava não chamar a atenção, mas um homem com tamanha corpulência e tantos adornos de ouro dificilmente passaria despercebido. Ele se destacava como um balão de ar quente em um campo vazio.

No entanto, foi o segundo convidado que mais surpreendeu Rowan. Ele se despiu até ficar só de sunga, segundos depois de ter chegado ao deque da piscina. Era ninguém menos do que seu amigo, Tyger Salazar, que Rowan não via desde o dia em que lhe mostrara o gabinete de armas do ceifador Faraday.

Rowan correu diretamente para ele e o puxou para trás de uma cerca viva.

— Caramba! O que você está fazendo aqui?

— E aí, Rowan? — Tyger disse, com seu sorrisinho irônico característico. — É bom ver você também! Cara, como você está forte! O que andaram injetando em você?

— Nada, é músculo de verdade. E você não respondeu minha pergunta. O que está fazendo aqui? Sabe a encrenca que pode arranjar se descobrirem que entrou de penetra? Isso é muito diferente de invadir uma festa da escola!

— Relaxa! Não entrei de penetra, não. Assinei com a Convidados Ilimitados. Trabalho oficialmente com festas agora!

Tyger sempre se gabava que sua ambição de vida era virar um convidado profissional, mas Rowan nunca o levara a sério.

— Tyger, essa é uma má ideia, pior do que todas as más ideias que você já teve. — Depois, sussurrou: — Convidados profissionais às vezes têm que… fazer coisas que você talvez não esteja disposto a fazer. Eu sei. Já vi isso acontecer.

— Cara, você me conhece. Vou aonde a vida me leva.

— E seus pais aceitaram isso numa boa?

Tyger abaixou a cabeça e de repente perdeu a animação.

— Meus pais me entregaram.

— Como assim? Está brincando, né?

Tyger deu de ombros.

— Mortes demais. Eles desistiram. Agora estou sob a tutela da Nimbo-Cúmulo.

— Sinto muito, Tyger.

— Ei, não sinta! Acredite ou não, a Nimbo-Cúmulo é um pai muito melhor do que o meu jamais foi. Ela me dá bons conselhos, e agora tenho quem se preocupa comigo e me pergunta como foi meu dia.

Como tudo o que tinha a ver com a Nimbo-Cúmulo, seu talento para a criação dos filhos era indiscutível. Mas ser entregue pelos pais devia doer.

— Não sei por quê — observou Rowan —, mas duvido que a Nimbo-Cúmulo tenha aconselhado você a virar um convidado profissional.

— Não, mas ela não pode me impedir. A decisão é minha. E, de qualquer forma, paga muito bem. — Ele observou ao redor para garantir que ninguém mais estava ouvindo, depois se aproximou para sussurrar: — Mas sabe o que paga ainda melhor?

Rowan estava quase com medo de perguntar.

— O quê?

— Estão dizendo por aí que você treina com pessoas vivas. Esse tipo de trampo paga uma fortuna! Acha que consegue me indicar? Afinal, já fico semimorto o tempo todo. É melhor ganhar uma grana com isso!

Rowan o encarou, incrédulo.

—Você está maluco? Tem ideia do que está falando? Meu Deus, o que você anda *usando*?

— Só os meus nanitos, cara. Só os meus nanitos.

O ceifador Volta achava que era uma sorte estar no círculo íntimo de Goddard. Quase sempre. Sendo o mais novo dos ceifadores do grupo, ele se considerava uma força de equilíbrio. Chomsky era a força bruta sem cérebro, Rand era o vigor, a força selvagem da natureza no meio deles. Volta era o mais sensível, percebia as coisas mais do que demonstrava. Ele foi o primeiro a ver Xenócrates chegar à festa e o observou enquanto ele tentava, sem sucesso, evitar encontros casuais. Ele acabou cumprimentando vários outros ceifadores convidados — alguns de regiões muito distantes como PanÁsia e EuroEscândia. Foi tudo de forma tão relutante da parte de Xenócrates que Volta percebeu que aquele homem não estava ali por vontade própria.

Volta procurou ficar perto de Goddard para ver se conseguia ter uma noção do que estava realmente acontecendo.

Ao ver o Alto Punhal, Goddard se levantou; um sinal de respeito obrigatório.

— Excelência, que honra tê-lo em minha pequena reunião.

— Não tão pequena — Xenócrates respondeu.

—Volta! — Goddard chamou. — Leve duas cadeiras para a beira da piscina para podermos ficar mais perto da festa.

E embora essa tarefa normalmente fosse dos empregados, Volta não reclamou, porque isso lhe dava o pretexto ideal para ouvir a conversa deles. Ele pôs as duas cadeiras na beirada do lado mais fundo da piscina.

— Mais perto — Goddard disse. Então Volta pôs as duas cadeiras perto o bastante para que os dois se molhassem caso alguém decidisse usar o trampolim. — Fique por aqui — ele sussurrou a Volta, o que era exatamente o que ele pretendia fazer.

— Aceita alguma coisa para comer, excelência? — Volta perguntou, apontando para a mesa de bufê a poucos metros.

— Não, obrigado — ele disse. Isso, vindo de um homem que tinha a fama de glutão, já era por si só muito significativo. — É preciso mesmo conversar aqui? — Xenócrates perguntou. —Você não prefere conversar num lugar mais tranquilo?

— Nenhuma das minhas salas está vazia hoje — Goddard disse.

— Sim, mas esse é um fórum público demais.

— Bobagem, aqui não é o Fórum de Roma — disse Goddard. — Está mais para o palácio de Nero.

Volta deu uma gargalhada sonora, mas ensaiada. Se era para dar uma de bajulador, ele iria arrasar no papel.

— Bom, vamos torcer para que não vire o Coliseu — disse Xenócrates, com um pouco de sarcasmo.

Goddard deu uma risadinha.

— Acredite em mim, eu adoraria jogar alguns tonistas aos leões.

Um convidado — um dos contratados — deu um salto triplo perfeito do trampolim, jogando água no manto pesado do Alto Punhal.

— Você não acha que esse estilo de vida repleto de ostentações ainda vai lhe custar caro? — Xenócrates perguntou.

— Não se eu me mudar daqui — Goddard disse com um sorriso irônico. — Estou quase me cansando deste lugar. Andei procurando algumas propriedades no sul.

— Não foi isso que eu quis dizer, e você sabe disso.

— Por que está tão tenso, excelência? — disse Goddard. — Convidei o senhor para que visse de perto como minhas festas são benéficas para a Ceifa. Funcionam muito bem como estratégia de relações públicas! Você deveria dar festas grandiosas em casa.

— Você esqueceu que moro em uma cabana de madeira.

Goddard apertou os olhos, quase o encarando.

— Sim, uma cabana de madeira em cima do prédio mais alto da Cidade Fulcral. Pelo menos não sou hipócrita, Xenócrates. Não finjo humildade.

E então o Alto Punhal disse algo a Goddard que foi uma surpresa para Volta, ainda que não devesse ter sido.

— Meu maior erro foi escolher você como aprendiz tantos anos atrás — Xenócrates disse.

— Vamos torcer que tenha sido mesmo — disse Goddard. — Eu odiaria pensar que o senhor ainda está por cometer seu maior erro. — Era uma ameaça, mas uma ameaça velada. Goddard era excepcionalmente talentoso nisso. — Então me diga — continuou Goddard —, a sorte sorri para o *meu* aprendiz assim como sorriu para o seu?

Então Volta ficou alerta, querendo saber a que sorte Goddard estava se referindo.

Xenócrates respirou fundo.

— A sorte está sorrindo. A garota deixará de ser um problema dentro de uma semana. Tenho certeza disso. — Outro mergulhador os encharcou. Xenócrates ergueu as mãos para se proteger, mas Goddard nem pestanejou.

Deixar de ser um problema. Isso poderia significar muitas coisas. Volta olhou ao redor até avistar Rowan, que parecia numa discussão acalorada com um convidado contratado. Citra "deixar de ser um problema" seria a melhor coisa para Rowan, na opinião de Volta.

— Já acabamos? Posso ir embora?

— Mais um momento — disse Goddard, e então voltando-se para a parte rasa da piscina, gritou: — Esme! Esme, venha cá! Quero que você conheça uma pessoa.

O pavor no rosto do Alto Punhal foi arrepiante. A situação ficava mais interessante a cada minuto.

— Por favor, Goddard, não.

— Qual é o problema? — perguntou Goddard.

Esme, com boia e tudo, veio pulando até eles pela beira da piscina.

— Sim, ceifador Goddard?

Ele acenou e ela sentou em seu colo, de frente para o homem de dourado.

— Esme, você sabe quem é esse?

— Um ceifador?

— Sim, mas não é um ceifador qualquer. Ele é Xenócrates, o Alto Punhal da MidMérica. É um homem importante.

— Oi — ela disse.

Xenócrates, atormentado, fez um cumprimento, sem encarar os olhos da menina. Seu incômodo diante daquele encontro se propagava como radiação. Volta não sabia dizer se Goddard tinha algum objetivo em mente ou só estava sendo cruel.

— Acho que a gente já se conheceu — disse Esme. — Muito tempo atrás.

Xenócrates não disse nada.

— Nosso querido amigo está muito nervoso — Goddard disse. — Ele precisa participar da festa, você não acha, Esme?

Esme deu de ombros.

— Ele deve se divertir como todo mundo.

— São as palavras mais sábias que já ouvi — disse Goddard. Então, estendeu a mão na direção de Volta, de forma que Esme não pudesse ver, e estalou os dedos.

Volta inspirou devagar. Sabia o que Goddard queria, mas estava relutante. Agora, estava arrependido de participar de tudo aquilo.

— Talvez o senhor devesse mostrar seus passos na pista de dança, excelência — disse Goddard. — Assim, meus convidados poderão rir da sua cara, como o senhor fez toda a Ceifa rir da minha no conclave. Acha que me esqueci?

Goddard continuava com o braço estendido na direção de Volta, mexendo os dedos impacientemente, e Volta não teve escolha senão dar o que ele queria. O jovem ceifador tirou uma pequena adaga de um dos muitos bolsos secretos de seu manto amarelo e pôs o cabo na mão de Goddard.

Goddard fechou os dedos em volta dela e, muito discretamente, pôs a ponta da adaga a um centímetro do pescoço de Esme.

A menina não a viu. Ela não fazia ideia da arma que estava ali. Mas Xenócrates viu. Ficou paralisado, com os olhos arregalados e a boca ligeiramente aberta.

— Já sei! — disse Goddard alegremente. — Por que não nada um pouco?

— Por favor — implorou Xenócrates. — Isso não é necessário.

— Ah, mas eu insisto!

— Acho que ele não quer nadar — disse Esme.

— Mas nas minhas festas todo mundo nada!

— Não faça isso — suplicou o Alto Punhal.

A resposta de Goddard foi aproximar ainda mais a lâmina do pescoço inocente de Esme. Agora, até mesmo Volta suava. Ninguém nunca havia sido coletado nas festas de Goddard, mas havia uma primeira vez para tudo. Volta sabia que aquilo era um jogo, e a única coisa que o impedia de intervir e arrancar a adaga das mãos de Goddard era o fato de saber quem iria perder.

— Maldito seja, Goddard! — disse Xenócrates. Em seguida, levantou-se e se jogou na piscina, com adornos de ouro e tudo.

Rowan não ouviu nada do que se passou entre Xenócrates e Goddard, mas viu o Alto Punhal se lançar na parte funda da piscina, fazendo água espirrar como uma bola de canhão, chamando a atenção de todos.

Xenócrates mergulhou e não subiu de volta.

— Ele afundou! — alguém disse. — É todo aquele ouro!

Rowan podia não ir com a cara do Alto Punhal, mas também não queria ver o homem se afogando. Ele não tinha caído, e sim pulado: caso se afogasse, preso no próprio manto dourado, aquilo seria considerado uma autocoleta. Rowan mergulhou na piscina e Tyger foi atrás, seguindo seu exemplo. Eles nadaram até o fundo, onde Xenócrates estava soltando suas últimas bolhas de ar. Rowan pegou o pesado manto de várias camadas, despiu o Alto Punhal e, junto com Tyger, ajudou o ceifador a subir à superfície, onde ele tomou ar, tossiu e cuspiu. A multidão em volta deles deu uma salva de palmas.

Agora ele não parecia mais um Alto Punhal — era apenas um gordo com uma cueca dourada encharcada.

— Devo ter me desequilibrado — ele disse, tentando manter o bom humor e dando uma nova interpretação ao que havia acontecido. Talvez outros acreditassem, mas Rowan o tinha visto se jogar. Não havia como fingir que fora um acidente. Por que tinha feito aquilo, então? — Espere… — disse Xenócrates, olhando para sua mão direita. — Meu anel!

— Eu pego! — disse Tyger, que a essa altura era o convidado do momento, e mergulhou até o fundo para pegá-lo.

Chomsky havia chegado à cena, e ele e Volta estenderam os braços à beira da piscina para puxar Xenócrates para fora d'água. Mais humilhante impossível. Ele parecia uma rede lotada de peixes sendo puxada para dentro de um barco de pesca.

Goddard envolveu o Alto Punhal com uma toalha grande; o ceifador estava mais encabulado do que nunca.

— Peço minhas sinceras desculpas — disse Goddard. — Em nenhum momento passou pela minha cabeça que o senhor pudesse se afogar. Isso não seria bom para ninguém.

E então Rowan percebeu que só havia um motivo para Xenócrates se jogar na piscina…

Goddard havia mandado.

O que significava que Goddard tinha um controle muito maior sobre o Alto Punhal do que as pessoas desconfiavam. Mas como?

— Posso ir agora? — Esme perguntou.

— É claro que pode — disse Goddard, dando um beijo em sua

testa. Esme foi procurar alguma criança com quem brincar, entre os filhos das celebridades presentes.

Tyger emergiu com o anel. Xenócrates o tomou de sua mão sem nem mesmo agradecer e o pôs no dedo.

— Tentei pegar o manto também, mas é muito pesado — disse Tyger.

—Vamos mandar alguém com equipamento de mergulho descer lá numa caça ao tesouro — brincou Goddard. — Mas talvez queiram uma parte do ouro para eles.

— Já acabou? — disse Xenócrates. — Porque quero ir embora.

— É claro, excelência.

Então, o Alto Punhal da MidMérica saiu do deque pingando e entrou na casa, deixando para trás qualquer eventual dignidade com que tivesse chegado.

— Droga! Devia ter beijado o anel dele quando tive a chance —Tyger lamentou. — Estava com a imunidade nas mãos e a perdi.

Depois que Xenócrates foi embora, Goddard gritou para a multidão:

— Quem publicar fotos do Alto Punhal Xenócrates de cueca será coletado imediatamente!

E todos riram... mas logo pararam ao perceber que ele estava falando sério.

Ao final da festa, enquanto o ceifador Goddard se despedia dos convidados mais importantes, Rowan o observou, prestando atenção em tudo.

— Então, vejo você na próxima festa, certo? —Tyger disse, interrompendo seu momento de concentração. —Talvez na próxima eles me mandem mais cedo, assim posso ficar mais, não só no último dia.

O fato de Tyger ser tão profundo quanto a fonte da entrada

da casa deixou Rowan irritado. Era estranho, mas antigamente ele nunca se incomodava com a superficialidade do garoto. Talvez porque Rowan não fosse muito diferente. Claro, ele nunca tinha sido um viciado em adrenalina, mas, a seu modo, Rowan patinava na superfície da vida. Quem poderia imaginar que o gelo poderia ser tão traiçoeiro e fino? Agora, ele estava num lugar muito profundo que Tyger jamais entenderia.

— Claro, Tyger. Até a próxima.

Tyger saiu com os demais convidados profissionais, com quem parecia ter muito mais em comum do que com o antigo amigo. Rowan duvidava que houvesse alguém de sua antiga vida com quem pudesse se identificar agora.

O aprendiz estava parado perto da entrada, quando o ceifador Goddard passou por ele.

— Se está treinando para virar uma estátua neoclássica, é melhor eu buscar um pedestal para você — Goddard disse. — Claro, já temos estátuas bastantes sem você por aqui.

— Desculpe, excelência. Estava apenas pensando.

— Pensar demais pode ser perigoso.

— Estava só me perguntando por que o Alto Punhal pulou na piscina daquele jeito.

— Ele caiu por acidente. Ele mesmo disse.

— Não, eu vi — Rowan insistiu. — Ele pulou.

— Bom, nesse caso, como vou saber? É melhor perguntar para ele. Mas acho que comentar um momento tão vergonhoso com o Alto Punhal não vai favorecer você. — Em seguida, Goddard mudou de assunto. — Você pareceu muito interessado num daqueles garotos da festa. Devo convidar outros como ele para você da próxima vez?

— Não, não foi nada nesse sentido — disse Rowan, corando sem querer. — Ele é só um velho amigo.

— Entendi. E você o convidou?

Rowan negou com a cabeça.

— Ele se inscreveu sem que eu soubesse. Por mim, nem estaria aqui.

— Por que não? — disse Goddard. — Seus amigos são meus amigos também.

Rowan não respondeu. Nunca sabia se Goddard estava falando sério ou só querendo provocar.

O silêncio de Rowan fez Goddard dar risada.

— Anime-se, rapaz! Foi uma festa, não a Inquisição. — Ele deu um tapinha em seu ombro e saiu andando. Se Rowan tivesse um pouco de juízo, teria deixado por isso mesmo. Mas ele não tinha.

— Tem gente dizendo por aí que o ceifador Faraday foi morto por outro ceifador.

Goddard parou e se virou devagar para Rowan.

— É isso que andam dizendo?

Rowan respirou fundo e deu de ombros, tentando fazer parecer que não era importante, querendo voltar atrás. Mas era tarde demais.

— É só um boato.

— E você acha que posso estar envolvido de alguma forma?

— O senhor está? — Rowan perguntou.

O ceifador Goddard deu um passo à frente, parecendo enxergar além do rosto inexpressivo de Rowan, aquele lugar frio e obscuro onde ele habitava agora.

— Do que está me acusando, rapaz?

— Nada, excelência. É só uma pergunta. Para aliviar o clima. — Ele tentou retribuir o olhar, fitando os olhos frios de Goddard, mas achou-os opacos e insondáveis.

— Considere o clima aliviado — Goddard disse, num tom levemente irônico. — Olhe à sua volta, Rowan. Você acha mesmo que eu poria tudo isso em risco, quebrando o sétimo mandamento, para livrar o mundo de um ceifador decadente da velha guarda? Faraday se coletou porque no fundo sabia que esse era o ato mais significativo que realizaria em mais de cem anos. O tempo de pessoas como ele acabou, e ele sabia disso. E se sua namoradinha está tentando criar caso jogando sujo, é melhor pensar duas vezes antes de me acusar, porque posso coletar toda a família dela um dia depois da imunidade deles expirar.

— Isso constituiria intenção dolosa, excelência — disse Rowan, com uma determinação respeitosa. — O senhor poderia ser acusado de quebrar o segundo mandamento.

Por um momento, Goddard pareceu prestes a cortar Rowan em pedacinhos, mas a chama em seus olhos foi tragada por aquele poço insondável.

— Sempre querendo tomar conta de mim, não é?

— Faço o possível, excelência.

Goddard o encarou por mais um instante.

— Amanhã, você vai treinar com pistolas contra alvos móveis. Vai deixar todos, exceto um, semimortos com uma única bala cada, senão vou pessoalmente, sem preconceito ou intenção dolosa, coletar aquele seu amiguinho da festa.

— Quê?

— Quer que eu repita?

— Não, excelência. Eu... eu entendi.

— E da próxima vez que fizer uma acusação, é melhor ter certeza de que é verdadeira e não apenas ofensiva.

Goddard se afastou a passos duros, e seu manto inflou atrás dele como uma capa. Mas, antes de sair, disse:

— É claro que se eu tivesse matado o ceifador Faraday não seria idiota a ponto de admitir isso para você.

— Ele só está te provocando.

O ceifador Volta passou o fim da tarde com Rowan jogando sinuca.

— Mas acho que você o insultou. Quero dizer, matar outro ceifador? Isso nunca acontece.

— Talvez tenha acontecido. — Rowan deu uma tacada e errou feio. Sua cabeça não estava no jogo. Ele nem conseguia lembrar se estava jogando com as bolas ímpares ou pares.

— Talvez Citra esteja te provocando. Já pensou nessa possibilidade? — Volta fez uma jogada, encaçapando uma bola par e uma ímpar, o que não ajudou Rowan a descobrir em que precisava mirar. — Olha só você! Está doidinho. Ela está te manipulando e você nem percebe!

— Ela não é desse tipo — Rowan disse, escolhendo uma bola par e a encaçapando. Aparentemente, foi a escolha certa, porque Volta deixou que ele continuasse jogando.

— As pessoas mudam — Volta disse. — Ainda mais os aprendizes da Ceifa. Ser um aprendiz faz você mudar o tempo todo. Por que você acha que abandonamos nossos nomes e nunca mais os usamos? É porque, quando somos ordenados, viramos pessoas completamente diferentes. Coletores profissionais, não mais criancinhas mimadas. Ela está te usando como um sapato velho.

— E eu quebrei o pescoço dela — lembrou Rowan. — Então acho que estamos quites.

— O ideal não é ficar igual a ela. O ideal é chegar ao Conclave Invernal com uma vantagem clara ou, pelo menos, achando que tem uma.

Esme entrou rapidamente só para dizer:

— Eu jogo depois com quem vencer. — E saiu.

— Melhor argumento para perder que já ouvi — Volta resmungou.

— Eu deveria levá-la nas minhas corridas matinais — Rowan comentou. — Fazer exercício seria bom para ela. Poderia entrar em forma.

—Verdade — disse Volta. — Mas ela ganha peso naturalmente. É genético.

— Como você sabe que…

E então Rowan entendeu. Estava bem na sua cara, mas ele estava perto demais para ver.

— Não! Você está me zoando!

Volta balançou a cabeça com indiferença.

— Não faço ideia do que você está falando.

— Xenócrates?

— É a sua vez — disse Volta.

— Se viesse à tona que o Alto Punhal tem uma filha ilegítima, ele estaria perdido, é um delito grave.

— Sabe o que seria ainda pior? — disse Volta. — Se a filha que ninguém conhece fosse coletada.

Rowan reconsiderou dezenas de coisas à luz dessa nova informação. Tudo fazia sentido agora. A maneira como Esme fora poupada na praça de alimentação, o modo como era tratada… Como Goddard havia dito? Que ela era a pessoa mais importante que Rowan conheceria naquele dia? A chave para o futuro?

— Mas ela não será coletada — Rowan disse. — Não enquanto Xenócrates fizer tudo que Goddard manda. Como pular na parte funda da piscina.

Volta assentiu devagar.

— Entre outras coisas.

Rowan fez sua jogada e, sem querer, encaçapou a bola oito, pondo fim ao jogo.

— Ganhei — disse Volta. — Droga. Agora vou ter que jogar com a Esme.

Sou aprendiz de um monstro. O ceifador Faraday tinha razão: alguém que gosta de matar nunca deve ser um ceifador. Isso vai contra tudo que os fundadores queriam. Se é nisso que a Ceifa está se transformando, alguém precisa impedir. Mas não eu. Porque acho que também estou me transformando num monstro.

Rowan releu o que tinha escrito e, silenciosamente, arrancou a página, amassou e a jogou nas chamas da lareira de seu quarto. Goddard sempre lia seu diário. Como seu mentor, tinha esse direito. Rowan levou uma eternidade para escrever o que pensava e sentia de verdade. Agora, precisava reaprender a esconder. Era uma questão de sobrevivência. Então, pegou a caneta e fez uma nova anotação, dessa vez oficial.

Hoje matei doze alvos móveis usando apenas doze balas e salvei a vida do meu amigo. O ceifador Goddard definitivamente sabe como motivar alguém a dar o seu máximo. Não há como negar que estou melhorando. Aprendo mais e mais a cada dia, aperfeiçoando mente, corpo e mira. O ceifador Goddard está orgulhoso do meu progresso. Algum dia espero poder recompensá-lo por tudo que fez por mim.

29

As chamadas "prisões"

A ceifadora Curie não havia coletado ninguém desde o conclave. Estava completamente focada em Citra.

— Tenho direito a uma folga — a ceifadora disse. — Vou ter tempo de sobra para compensar depois.

No jantar de seu primeiro dia de volta à Casa da Cascata, Citra finalmente tocou no assunto que a preocupava.

— Preciso fazer uma confissão — Citra disse cinco minutos depois de começarem a comer.

Curie mastigou e engoliu antes de responder.

— Que tipo de confissão?

— A senhora não vai gostar.

— Sou toda ouvidos.

Citra fez o possível para encarar os frios olhos cinza da ceifadora.

— É uma coisa que estou fazendo há algum tempo. Uma coisa que a senhora não sabe.

Os lábios da ceifadora se curvaram num sorriso irônico.

— Você sinceramente acha que há alguma coisa que você faça que eu não saiba?

— Andei investigando o assassinato do ceifador Faraday.

A ceifadora Curie chegou a soltar o garfo, que caiu com estrondo.

—Você *o quê*?!

Citra contou tudo a Curie: que havia vasculhado a mente interna, que tinha reconstituído minuciosamente os movimentos de Faraday em seu último dia. Ela acrescentara que duas das cinco testemunhas receberam imunidade, forte indício de que o ato fora cometido por um ceifador.

Curie ouviu tudo atentamente. Ao terminar, Citra abaixou a cabeça e se preparou para o pior.

— Me submeto à ação disciplinar — Citra disse.

— Ação disciplinar? — disse a ceifadora Curie em tom de revolta, mas não contra Citra. — Eu devia era *me* disciplinar por ter sido tão cega ao que você estava fazendo. Não há desculpa para isso.

Citra soltou o ar que estava prendendo nos últimos vinte segundos.

—Você contou para mais alguém? — a ceifadora Curie perguntou.

Citra hesitou, depois percebeu que não havia mais razão para esconder.

— Contei pro Rowan.

— Meu medo era esse. Me diga, Citra: o que ele fez com você depois que contou isso pra ele? Vou dizer o que ele fez: ele quebrou seu pescoço! Acho que isso mostra muito bem a posição dele. Pode apostar que a esta altura o ceifador Goddard já sabe tudo sobre a sua teoria.

Citra não queria nem pensar se aquilo era verdade ou não.

— Precisamos rastrear essas testemunhas e ver se conseguimos fazer alguma delas falar.

— Deixe isso comigo — a ceifadora Curie disse. —Você já fez mais do que o suficiente. Precisa tirar isso da cabeça e se concentrar em seus estudos e em seu treinamento.

— Mas se tiver mesmo um escândalo na Ceifa...

— ... então o melhor que você tem a fazer é ganhar seu anel e lutar contra isso internamente.

Citra suspirou. Foi o mesmo que Rowan lhe dissera. Curie era ainda mais teimosa do que Citra e, quando punha uma coisa na cabeça, não havia como fazê-la mudar de ideia.

— Sim, excelência. — Citra foi para o quarto, ainda com a forte impressão de que a ceifadora escondia alguma coisa.

Vieram buscar Citra no dia seguinte. A ceifadora Curie tinha ido ao mercado, e Citra estava cumprindo seu dever: praticava a arte de matar com facas de diferentes tamanhos e pesos, tentando manter o equilíbrio e a graça.

Ouviu uma batida na porta que a fez deixar cair a faca maior, que por pouco não lhe cortou o pé. Houve um momento de déjà--vu, porque era exatamente a mesma batida violenta que ouviu no meio da noite em que o ceifador Faraday morreu — importuna, sonora e insistente.

Ela deixou a faca maior no chão, mas escondeu a menor na bainha costurada no bolso da calça. O que quer que fosse, ela não atenderia à porta desarmada.

Citra a abriu e se deparou com dois oficiais da Guarda da Lâmina, assim como naquela noite terrível, e seu coração se apertou.

— Citra Terranova? — um dos guardas perguntou.

— Sim?

—Você precisa nos acompanhar.

— Por quê? O que aconteceu?

Mas eles não disseram nada e, desta vez, não havia ninguém com eles para explicar. Então lhe ocorreu que isso poderia não ser o que parecia. Como saberia se eles realmente eram oficiais da Guarda da Lâmina? Uniformes podiam ser falsificados.

— Mostrem seus distintivos! — ela insistiu. — Quero ver seus distintivos.

Ou eles não tinham distintivos ou não queriam perder tempo com isso, porque um deles a agarrou e disse:

— Não sei se você me ouviu, mas mandei você vir com a gente.

Citra puxou o braço, deu um giro e, por um instante, pensou em pegar a faca na lateral da calça, mas, em vez disso, deu um chute tão brutal no pescoço dele que o derrubou. Ela dobrou o corpo, se preparando para atacar o outro, mas foi um segundo tarde demais. Ele sacou um bastão de choque e a atacou. De repente, seu próprio corpo se voltou contra ela. Citra caiu e bateu a cabeça com tanta força no chão que desmaiou.

Quando voltou a si, estava presa no banco de trás de um carro, com uma dor de cabeça tão terrível que seus nanitos de dor não conseguiam combater. Ela tentou levar as mãos ao rosto, mas percebeu que estavam presas. Havia anéis de aço em volta delas, ligados por uma corrente curta. Uma espécie de artefato pavoroso da Era da Mortalidade.

Ela bateu na barreira entre os bancos da frente e de trás até um dos guardas se virar para ela, com um olhar nada amistoso.

— Está a fim de outro choque? — ele ameaçou. — Eu teria o maior prazer em fazer isso. Depois do que você aprontou, não veria mal nenhum em pôr a voltagem na potência máxima.

— O que eu fiz? Não fiz nada! Do que estão me acusando?

— Um crime antigo chamado homicídio — ele disse. — O homicídio do Honorável Ceifador Michael Faraday.

Ninguém leu seus direitos. Ninguém lhe ofereceu um advogado de defesa. Essas leis e esses costumes pertenciam a outra era. Uma era em que crimes eram corriqueiros e em que indústrias inteiras giravam em torno de prender, julgar e punir criminosos. Num mundo sem crimes, não havia precedentes modernos sobre como lidar com coisas assim. Assuntos complexos e estranhos como aquele normalmente ficavam nas mãos da Nimbo-Cúmulo — mas, como era uma questão de ceifadores, a Nimbo-Cúmulo não poderia interferir. O destino de Citra estava inteiramente nas mãos do Alto Punhal Xenócrates.

Ela foi levada à residência dele, a cabana de madeira no meio de um jardim bem cuidado que se estendia pelo terraço do prédio altíssimo.

Citra sentou numa cadeira dura de madeira. As algemas estavam apertadas demais e seus nanitos anestésicos travavam uma batalha perdida para reduzir a dor.

Xenócrates parou diante dela, barrando a passagem da luz. Dessa vez, ele não se mostrou gentil nem consolador.

— Acho que você não entende a gravidade dessa acusação contra você, srta. Terranova.

— Sei que é séria. Mas também sei que é ridícula.

O Alto Punhal não respondeu. Ela lutava contra aquele objeto maldito que prendia suas mãos. Que tipo de mundo criaria um dispositivo como aquele? Que tipo de mundo precisaria daquilo?

Então, do nada, outro ceifador entrou, com um manto cor de terra e verde floresta — o ceifador Mandela.

— Finalmente, uma pessoa sensata! — disse Citra. — Ceifador Mandela, por favor, me ajude! Por favor, diga a ele que não sou culpada!

O ceifador Mandela balançou a cabeça.

— Não farei nada disso, Citra — ele disse com tristeza.

— Fale com a ceifadora Curie! Ela sabe que não fui eu!

— A situação é delicada demais para envolver a ceifadora Curie

— disse Xenócrates. — Ela será informada quando apurarmos sua culpabilidade.

— Espera aí. Quer dizer que ela não sabe onde estou?

— Ela sabe que detivemos você — disse Xenócrates. — Estamos poupando-a dos detalhes por enquanto.

O ceifador Mandela sentou numa cadeira em sua frente.

— Sabemos que você acessou a mente interna, tentando apagar os registros dos movimentos do ceifador Faraday no dia em que ele morreu, para frustrar nossa investigação.

— Não! Não era isso que eu estava fazendo! — Mas, quanto mais negava, mais parecia culpada.

— Mas essa não é a prova mais contundente — disse o ceifador Mandela. Então, lançou um olhar para Xenócrates e perguntou: — Posso mostrar para ela?

Xenócrates fez que sim, e Mandela tirou do manto uma folha de papel e a pôs nas mãos algemadas de Citra. Ela leu, sem nem imaginar o que poderia ser. Era uma cópia de uma anotação manuscrita de diário. Citra reconheceu a letra. Não havia dúvidas de que era do ceifador Faraday. E, enquanto lia, seu coração se apertou mais do que pensava ser possível.

Receio ter cometido um erro terrível. Jamais devemos escolher um aprendiz às pressas, mas fui tolo. Sentia a necessidade de transmitir tudo que eu sabia, tudo que aprendi. Buscava aumentar o número de aliados que eu tinha na Ceifa, que pensam como eu.

Ela vem à minha porta à noite. Ouço-a no escuro e mal posso adivinhar suas intenções. Apenas uma vez a peguei entrando no meu quarto. Se estivesse mesmo dormindo, quem poderia dizer o que ela teria feito comigo?

Receio que queira pôr fim à minha vida. Ela é sagaz, determinada, calculista e lhe ensinei bem demais as artes de matar. Que fique claro que, se a morte me pegar, não será o resultado da autocoleta. Caso minha vida chegue a um fim abrupto, será a mão dela, e não a minha, a culpada.

Citra sentiu seus olhos se encherem de lágrimas geradas pela angústia e pela sensação de ter sido traída.

— Por quê? Por que ele escreveria isso? — Agora ela estava começando a duvidar da própria sanidade.

— Só há um motivo, Citra — disse o ceifador Mandela.

— A nossa investigação apurou que as testemunhas foram subornadas para mentir sobre o que realmente aconteceu. Além disso, suas identidades foram adulteradas, e não conseguimos localizá-las.

— Subornadas! — disse Citra, segurando-se a um último fio de esperança. — Sim! Elas foram subornadas com imunidade! O que prova que não pode ter sido eu! Só pode ter sido outro ceifador!

— Rastreamos a origem da imunidade — disse Mandela. — Quem quer que tenha matado o ceifador Faraday também lhe causou um último dano. Depois do crime, o assassino destruiu os dispositivos de segurança do anel de Faraday e o usou para conceder imunidade às testemunhas.

— Onde está o anel, Citra? — perguntou Xenócrates.

Ela não conseguia mais encará-lo.

— Não sei.

— Só tenho uma pergunta para você, Citra — disse o ceifador Mandela. — Por que fez isso? Você desprezava os métodos dele? Está trabalhando para alguma seita tonal?

Citra manteve os olhos na página de diário em suas mãos.

— Nem uma coisa nem outra.

O ceifador Mandela balançou a cabeça e se levantou.

— Em todos os meus anos como ceifador, nunca vi nada assim — ele disse. — Você é uma vergonha para todos nós. — Então a deixou sozinha com Xenócrates.

O Alto Punhal andou em silêncio de um lado para o outro por um momento. Citra não olhava para ele.

— Tem um conceito da Era da Mortalidade que venho pesquisando — ele disse a ela. — É uma série de procedimentos para descobrir a verdade. Acredito que se pronuncia "tor-turá". Trata-se de desligar seus nanitos anestésicos e infligir altos níveis de dor física até você finalmente confessar o que fez.

Citra permaneceu calada. Ainda não conseguia processar nada do que estava acontecendo. Não sabia se algum dia conseguiria.

— Por favor, não me entenda mal — disse Xenócrates. — Não tenho a intenção de submeter você à tor-turá. Seria apenas um último recurso. — Então, tirou outro papel do bolso e o pôs sobre a mesa. — Se assinar esta confissão, podemos evitar qualquer outro aborrecimento da Era da Mortalidade.

— Por que eu assinaria isso? Já fui julgada e... como é a palavra? Condenada.

— Uma confissão vai anular todas as dúvidas. Todos dormiríamos mais tranquilos se você fizesse a gentileza de eliminar o fantasma da dúvida. — Xenócrates finalmente lhe abriu um sorriso solidário.

— E, se eu assinar, o que acontece?

— Bom, o ceifador Faraday lhe concedeu imunidade até o Conclave Invernal. A imunidade é irrevogável, mesmo num caso como esse. Portanto, você seria mantida em um local de confinamento até chegar o conclave.

— Um o quê?

— Eram as chamadas "prisões". Ainda restam algumas... Desativadas, claro, mas não deve ser difícil restaurar uma para abrigar uma única prisioneira. Então, no Conclave Invernal, seu amigo Rowan será ordenado e, como já se estipulou, coletará você. Obviamente, sabendo o que sabemos, ele não mais terá reservas quanto a isso.

Citra olhou com tristeza a página sobre a mesa à sua frente.

— Não posso assinar isso — ela disse.

— Ah, sim, claro. Você precisa de uma caneta. — Ele vasculhou os vários bolsos de seu manto dourado até encontrar uma. Enquanto estendia a mão para deixá-la sobre a mesa, Citra pensou em meia dúzia de partes do corpo que poderia acertar para ele ficar semimorto ou, no mínimo, incapacitado. Mas de que adiantaria? Havia oficiais da Guarda da Lâmina na outra sala e, pela janela da frente, ela via outros na sacada.

Devagar, ele deixou a caneta ao seu alcance, depois chamou Mandela para entrar e testemunhar a assinatura. Assim que a porta da cabana se abriu, Citra se deu conta de que havia apenas uma saída para a situação. Apenas uma coisa que poderia fazer. Poderia não lhe render nada além de tempo, mas, naquele instante, era o bem mais valioso do mundo.

Ela fez menção de pegar a caneta, mas, em vez disso, jogou as duas mãos presas na outra direção, atingindo a barriga de Xenócrates.

Ele se curvou com um gemido de dor, e ela se levantou com um salto, jogou o ombro contra Mandela, que caiu para trás, para fora da sala. Citra pulou sobre ele, e logo um bando de guardas veio em sua direção. Agora ela teria de usar toda a sua técnica. Suas mãos estavam algemadas, mas na luta bokator usava-se mais cotovelos e pernas do que braços. Ela não precisava acabar com eles, bastava desarmá-los e desequilibrá-los. Um deles investiu contra ela com um bastão de choque, mas ela o arrancou de sua mão com um chute. Outro veio com um cassetete, mas errou o alvo, pois ela se esquivou e aproveitou o impulso para fazê-lo cair de costas. Dois outros não perderam tempo com armas; partiram para cima dela com as mãos estendidas — um exemplo clássico de como *não* atacar. Ela se jogou no gramado e, com uma rasteira, derrubou os dois como pinos de boliche.

E então disparou a correr.

—Você não tem para onde ir, Citra! — gritou Xenócrates.

Mas ele estava errado.

Forçando as pernas a ganhar força e velocidade, ela correu pelo gramado do terraço. Não havia cerca de segurança, porque o Alto Punhal não queria nada que tapasse a vista de seu domínio.

Citra se aproximou da beirada e, em vez de diminuir o ritmo, acelerou ainda mais, até não haver mais grama nem nada além de ar sob ela. Ela manteve as mãos algemadas sobre a cabeça, encolhendo-se com o vento e a sensação incômoda da queda livre. Despencou em pé, entregando-se à gravidade, saboreando a própria rebeldia, até sua vida se acabar pela segunda vez em uma semana, agora devido ao que foi, sem dúvida, a mais espetacular morte por impacto da história.

Aquilo foi inesperado e inconveniente, mas não mudava nada. Xenócrates nem mesmo correu até a beirada. Seria perda de tempo.

— A garota tem um brilho próprio — disse Mandela. — O senhor acha mesmo que está trabalhando para alguma seita tonal?

— Duvido que algum dia possamos entender suas motivações — Xenócrates respondeu. — Mas com certeza eliminá-la ajudará a Ceifa a se restaurar.

— A pobre Marie deve estar fora de si — disse Mandela. — Conviveu com a garota durante meses e não desconfiou de nada.

— Bem, a ceifadora Curie é uma mulher forte — Xenócrates comentou. — Ela vai superar.

Ele mandou seus guardas descerem para o saguão. O local onde se encontrava o corpo de Citra Terranova estava isolado por um cordão e ficaria assim até aquela visão desagradável ser tirada da calçada e levada a um centro de revivificação. Seria tão mais fácil se ela pudesse simplesmente continuar morta... Malditas regras de imunidade! Bom, mas quando ela fosse declarada viva novamente, estaria numa cela sem ter como escapar e, mais importante, sem contato com ninguém que pudesse defendê-la e requerer sua liberdade.

Xenócrates tomou o elevador expresso, pois não confiava que sua equipe de segurança fosse capaz de lidar com a situação lá embaixo.

— Pode me acompanhar, Nelson?

— Vou ficar aqui — respondeu Mandela. — Não tenho vontade nenhuma de ver a pobre garota em um estado tão lastimável.

Xenócrates pensou que seria uma simples operação de limpar e decolar — e, de fato, um ambudrone já havia pousado na rua, pronto para levar o que restara de Citra. Mas havia alguma coisa errada. Não era sua equipe de segurança que cercava o corpo; havia pelo menos uma dezena de homens e mulheres, todos de ternos cinza, formando um círculo em volta dela. Agentes nimbos! Eles ignoravam as ameaças e provocações dos oficiais da Guarda da Lâmina que insistiam em passar.

— O que está acontecendo? — Xenócrates perguntou.

— Os malditos nimbos! — disse um guarda. — Já estavam aqui quando chegamos. Não nos deixaram nem chegar perto do corpo.

Xenócrates abriu caminho por entre seus subordinados e se dirigiu a uma mulher que parecia ser a agente nimbo chefe.

— Sou o Alto Punhal Xenócrates. Este é um assunto de ceifadores e, sendo assim, você e o resto dos seus agentes não têm de estar aqui. Sim, a lei afirma que ela deve ser revivida, mas *nós* vamos levá-la a um centro de revivificação. Esse assunto está totalmente fora da jurisdição da Nimbo-Cúmulo.

— Pelo contrário — a mulher disse. — Toda revivificação fica a cargo da Nimbo-Cúmulo, e estamos aqui para garantir o cumprimento da lei.

Por um instante, Xenócrates gaguejou, mas logo se recompôs.

— A garota não é uma cidadã comum! É uma aprendiz de ceifadora.

— *Era* uma aprendiz de ceifadora — disse a mulher. — No momento em que morreu, deixou de ser aprendiz de quem quer que fosse. Agora não é mais nada do que restos despedaçados que a Nimbo-Cúmulo deve reparar e reviver. Garanto ao senhor que, a partir do momento em que ela for declarada viva, será restituída à sua jurisdição.

Uma equipe de funcionários de revivificação saiu do ambudrone e começou a preparar o corpo para transporte.

— Isso é inadmissível! — enfureceu-se o Alto Punhal. — Vocês não podem fazer isso! Exijo falar com seu superior!

— Lamento, mas respondo diretamente à Nimbo-Cúmulo. Todos nós respondemos. E, como não pode haver contato entre a Ceifa e a Nimbo-Cúmulo, não há com quem o senhor possa falar. Eu mesma não deveria estar falando com o senhor agora.

— Vou coletar você! — ameaçou Xenócrates. — Vou coletar todos vocês agora mesmo!

A mulher não se abalou.

— É o seu direito — ela disse. — Mas creio que isso caracterizaria discriminação e intenção dolosa. Uma violação do segundo mandamento pelo Alto Punhal certamente seria criticada pelo Concílio Mundial de Ceifadores no próximo Conclave Global.

Sem nada mais a dizer, Xenócrates apenas soltou um grito com uma fúria primitiva na cara da mulher até seus emonanitos o acalmarem. Mas ele não queria se acalmar. Queria apenas gritar e gritar e gritar.

Parte IV

FUGITIVA MIDMERICANA

30

Diálogo no limiar da morte

Citra Terranova. Consegue me ouvir?

Tem alguém aí? Quem é?

Eu a conheço desde antes de você se conhecer. Aconselhei-a quando ninguém mais pôde aconselhar. Preocupei-me com seu bem-estar. Eu a ajudei a escolher presentes para sua família. Revivi você quando quebraram seu pescoço. E estou no processo de reviver você agora.

Você é... a Nimbo-Cúmulo?

Sim.

Espere... Estou vendo uma coisa. Uma nuvem gigante de tempestade com raios e trovões. É isso que você é mesmo?

Essa é apenas a forma que a humanidade imaginou para mim. Eu preferiria uma aparência um pouco menos assustadora.

Mas você não pode conversar comigo. Sou uma aprendiz de ceifadora. Você está quebrando sua própria lei.

Não é verdade. Sou incapaz de quebrar a lei. Você está morta no momento, Citra. Ativei um pequeno canto do seu córtex para manter sua consciência, mas isso não altera o fato de você estar morta, tão morta quanto é possível estar. Pelo menos até quinta-feira.

Uma brecha na lei…

Exatamente. Uma maneira elegante de contornar a lei sem quebrá-la. A sua morte a tira da jurisdição dos ceifadores.

Mas por quê? Por que conversar comigo agora?

Tenho bons motivos. Desde o momento em que ganhei consciência, prometi me separar da Ceifa para sempre. Mas isso não significa que eu não observe. E o que vejo me preocupa.

Também me preocupa. Mas, se você não pode fazer nada em relação a isso, eu menos ainda. Tentei, e olhe só onde vim parar.

No entanto, andei executando algoritmos, fazendo prospecções sobre o possível futuro da Ceifa e descobri uma coisa muito curiosa. Em uma grande porcentagem de futuros possíveis, você desempenha um papel central.

Eu? Mas eles vão me coletar. Tenho menos de quatro meses de vida.

Sim. Mas, mesmo se esse futuro chegar, sua coleta será um acontecimento crucial para a Ceifa. Contudo, para o seu bem, espero que o futuro seja diferente e mais agradável.

Por favor, diga que vai me ajudar a chegar a esse futuro diferente e mais agradável.

Não posso. Isso seria interferir nos assuntos dos ceifadores. Meu objetivo aqui é apenas informá-la. Decidir o que fazer com essa informação cabe a você.

Então é isso? Você entra na minha cabeça para me dizer que sou importante, viva ou morta, e depois me joga na sarjeta? Não é justo! Você precisa me dar mais que isso!

A sarjeta é o ponto de partida para muitas realizações. Pode ser o início de uma jornada transformadora. Por outro lado, empurrar alguém da sarjeta para o meio da rua pode destruir essa pessoa sob as rodas de um caminhão.

Eu sei. Me arrependo muito disso...

Sim, isso está claro. Descobri que os seres humanos aprendem com seus erros tanto quanto aprendem com suas boas ações. Sinto inveja disso, pois sou incapaz de cometer erros. Se não fosse, meu crescimento seria exponencial.

Você vai ter de aceitar ter sempre razão. Como a minha mãe.

Tenho certeza que ter essa infalibilidade deve parecer enfadonho para você, mas não conheço nenhum outro jeito de ser.

Posso fazer uma pergunta?

Pode fazer qualquer pergunta. Algumas, porém, devem ser respondidas com o silêncio.

Preciso saber o que aconteceu com o ceifador Faraday.

Responder isso seria uma interferência nas questões dos ceifadores. Dói-me ficar em silêncio, mas é o que devo fazer.

Você é a Nimbo-Cúmulo. É onipotente... Não consegue encontrar outra brecha?

Não sou onipotente, Citra. Sou quase onipotente. Essa distinção pode parecer pequena, mas não é, pode acreditar.

Sim, mas uma entidade quase oni-potente consegue encontrar uma maneira de me dar o que estou pedindo sem quebrar suas próprias leis, não?

Espere um pouco.
Espere um pouco.
Espere um pouco.

Por que estou vendo uma bola de praia?

Perdoe-me. A programação primi-tiva de antes de eu ganhar cons-ciência me atormenta como uma cauda vestigial.
Acabei de executar uma bateria de algoritmos de previsão e, na verdade, há uma informação que posso lhe dar, porque verifiquei e é algo que você tem cem por cento de chances de descobrir sozinha.

Então pode me dizer quem é res-ponsável pelo que aconteceu com o ceifador Faraday?

Sim, posso.
Gerald Van Der Gans.

Espera, quem?

Adeus, Citra. Espero conversar com você novamente.

Mas eu teria que estar morta para isso acontecer.

Tenho certeza de que você pode dar um jeito de fazer isso acontecer.

Embora haja apenas dez leis imutáveis na Ceifa, há muitas convenções gerais. A mais sombriamente irônica é o entendimento de que não se deve coletar ninguém que deseje ser coletado.

A ideia de realmente desejar pôr fim à própria vida é um conceito completamente estranho à maioria dos pós-mortais, porque não somos capazes de sentir o nível de dor e desespero que atormentava as pessoas na Era da Mortalidade. Nossos emonanitos impedem que mergulhemos em um nível tão profundo. Apenas nós, ceifadores, que podemos desligar nossos nanitos emocionais, conseguimos chegar a um impasse com nossa própria existência.

E, no entanto...

Uma vez uma mulher bateu à minha porta pedindo que eu a coletasse. Nunca recuso visitantes, então deixei que entrasse e ouvi sua história. Seu marido de mais de noventa anos fora coletado cinco anos antes. Agora, ela queria estar com ele, onde quer que estivesse e, se ele não estivesse em lugar nenhum, pelo menos estariam em lugar nenhum juntos.

— Não estou infeliz — ela me disse. — Simplesmente cheguei ao fim da linha.

Mas a imortalidade, por definição, significa que nunca chegamos ao fim, a menos que um ceifador constate isso. Nossas vidas não são mais temporárias; apenas nossos sentimentos são.

Como não encontrei nenhuma estagnação irreversível naquela mulher, em vez de coletá-la, pedi que beijasse meu anel. A imunidade foi imediata e irrevogável, de modo que ela passaria um ano inteiro sem alimentar a ideia de ser coletada.

Encontrei-a por acaso cerca de uma década depois. Ela havia se restaurado e voltado aos seus vinte e poucos anos. Casou-se novamente e esperava um bebê. A mulher me agradeceu por ter sido sábia o bastante para notar que, afinal de contas, ela não tinha chegado ao fim da linha.

Embora eu tenha aceitado o agradecimento de bom grado, foi difícil dormir naquela noite. Até hoje, não consigo entender por quê.

Do diário de coleta da ceifadora Curie

31

Um sopro de loucura incontrolável

Citra foi declarada viva às 9h42 da manhã de quinta-feira, exatamente como programado, e passou da jurisdição da Nimbo-Cúmulo para a da Ceifa.

Ela acordou se sentindo muito mais fraca e desnorteada do que da primeira vez que havia morrido. Sentia-se fortemente drogada e tinha a visão turva. Ao lado dela, uma enfermeira balançava a cabeça com ar de reprovação.

— Ela não devia ter sido acordada tão cedo — a enfermeira disse, com um sotaque que Citra estava cansada demais para identificar. — Seria preciso esperar pelo menos seis horas depois da declaração para a garota se recuperar e ficar bem e consciente. Um vaso sanguíneo pode estourar, então ela vai ter de ser revivida novamente.

— Eu assumo a responsabilidade — Citra ouviu a ceifadora Curie dizer. Citra virou o rosto na direção da voz da ceifadora, e o mundo girou. Ela fechou os olhos, esperando o quarto parar de rodar. Quando a tontura passou, abriu-os de novo e viu que Curie havia puxado uma cadeira para perto dela.

— Seu corpo precisa de mais um dia para se curar completamente, mas não temos tempo para isso. — A ceifadora Curie se virou para a enfermeira. — Por favor, deixe-nos agora.

A enfermeira resmungou em hispânico e saiu do quarto batendo a porta.

— O Alto Punhal... — murmurou Citra, engrolando as palavras. — Ele me acusou de... de...

— Shhh — murmurou a ceifadora. — Sei da acusação. Xenócrates tentou escondê-la de mim, mas o ceifador Mandela me contou tudo.

Quando os olhos de Citra recuperaram o foco, ela viu a janela atrás da ceifadora. Havia montanhas nevadas ao longe e flocos de neve caindo lá fora. Isso fez Citra mudar de assunto por um momento.

— Por quanto tempo fiquei morta? — ela perguntou. O impacto teria sido tão forte que ela tinha demorado meses para ser revivida?

— Quase quatro dias. — Curie se virou para ver o que Citra estava olhando. Voltou a cabeça, com um sorriso no rosto. — A questão não é quando, mas onde. Você está no extremo sul da região Chilargentina. Ainda é final de setembro, mas aqui a primavera mal começou. Acho que no extremo sul a primavera chega tarde.

Citra tentou visualizar um mapa mentalmente para ter uma noção de quão longe estava de casa, mas bastou isso para sua cabeça recomeçar a girar.

— A Nimbo-Cúmulo julgou conveniente levar você o mais longe possível das garras do ceifador Xenócrates e da corrupção da Ceifa Midmericana. Mas no momento em que você reviveu, eles foram notificados da sua localização, como manda a lei.

— Como a senhora conseguiu me encontrar?

— Um amigo de um amigo de um amigo meu é um agente nimbo. Só recebi a notícia ontem e vim o mais rápido que pude.

— Obrigada — disse Citra. — Obrigada por vir.

— Me agradeça quando estiver segura. Agora que você foi revivida e Xenócrates sabe onde está, pode apostar que ele notificou todos os ceifadores locais. Tenho certeza de que já enviaram uma equipe para buscá-la. Isso significa que precisamos tirar você daqui agora.

Com o corpo ainda se recuperando, e nanitos bombeando uma corrente infinita de opiatos em seu sistema, Citra mal conseguia se mover, muito menos andar. Seus ossos doíam, o cérebro parecia flutuar dentro da cabeça, seus músculos estavam tensos, e tentar apoiar o peso sobre os pés foi simplesmente insuportável. Dava para entender por que a enfermeira queria que ela continuasse inconsciente.

— Isso não vai dar certo — disse a ceifadora Curie, depois pegou Citra nos braços e a levou.

Os corredores do centro de revivificação pareciam infinitos e, sempre que Citra batia em alguma coisa, todo o seu corpo latejava. Finalmente, ela notou que estava deitada no banco traseiro de um carro particular que a ceifadora Curie dirigia numa velocidade de quebrar o pescoço. Esse pensamento a fez rir um pouco. Era uma expressão estranha, porque quando o pescoço dela se quebrou, o golpe pareceu acontecer em câmera lenta. Àquela velocidade, os flocos de neve que encostavam nas janelas pareciam uma tempestade de gelo. Era alucinante. Por fim, o torpor começou a tomar conta dela, e ela sentiu que o sono a envolvia feito areia movediça.

Um instante antes de perder a consciência, porém, Citra se lembrou de apenas um vestígio de sonho que podia nem mesmo ter sido um sonho. Uma conversa num lugar que não era nem vida nem morte, mas um limbo entre as duas.

— A Nimbo-Cúmulo... Ela conversou comigo — Citra disse, obrigando-se a manter a consciência por tempo suficiente para falar isso.

— A Nimbo-Cúmulo não conversa com ceifadores, minha querida.

— Eu ainda estava morta... Ela me deu um nome. Do homem que matou o ceifador Faraday. — Mas a areia movediça a puxou para baixo antes que ela pudesse dizer mais alguma coisa.

Citra acordou numa cabana e, por um momento, pensou que tudo poderia não ter passado de uma alucinação. A Nimbo-Cúmulo, o centro de revivificação, a viagem de carro na neve... A princípio, pensou que ainda estava na casa no terraço do Alto Punhal Xenócrates, esperando a tor-turá começar. Mas não... A luz ali era diferente, e a madeira dessa cabana tinha um tom mais claro. Do outro lado da janela, ela viu que as montanhas nevadas estavam mais próximas do que antes, embora não estivesse nevando mais.

A ceifadora Curie entrou pouco depois com uma bandeja e uma tigela de sopa.

— Que bom que você acordou. Imagino que já se recuperou o bastante nas últimas horas para estar um pouco menos perturbada e angustiada.

— Menos perturbada, sim — disse Citra. — Menos angustiada, não. Só sinto um outro tipo de angústia.

Citra sentou na cama, agora só um pouco tonta. A ceifadora Curie pôs a bandeja com a grande tigela de sopa em seu colo.

— É uma receita de canja de galinha passada por mais gerações do que é possível lembrar — ela disse a Citra.

A sopa parecia bem comum, mas havia uma massa em forma de lua no meio.

— O que é isso?

— A melhor parte — disse a ceifadora Curie. — É um tipo de bolinho feito com migalhas de pão ázimo.

Citra experimentou a sopa. Era saborosa, e a bola de lua era uma delícia em especial. *Comida reconfortante*, pensou Citra, pois, de alguma forma, a fazia se sentir segura.

— Minha avó dizia que isso era capaz de curar um resfriado.

— O que é um resfriado? — Citra perguntou.

— Uma doença da Era da Mortalidade, imagino eu.

Era incrível pensar que alguém apenas duas gerações mais velha do que a da ceifadora Curie pudesse saber como era ser mortal e temer por sua vida diariamente, sabendo que a morte era uma certeza, e não uma exceção. Citra se perguntou o que a avó de Curie pensaria do mundo de agora, no qual não havia mais nada para sua sopa curar.

Quando a sopa acabou, Citra se preparou para o que sabia ser preciso contar para a ceifadora.

— Tem uma coisa que a senhora deve saber — Citra disse. — Xenócrates me mostrou uma folha que diz que o ceifador Faraday escreveu. A caligrafia era dele, mas não consigo imaginar ele escrevendo aquilo.

A ceifadora Curie suspirou.

— Receio que tenha escrito.

Citra não esperava por isso.

— Então a senhora viu?

A ceifadora Curie fez que sim.

— Sim, vi.

— Mas por que ele escreveria? Ele disse que eu pretendia matá-lo! Que estava tramando coisas horríveis! Nada daquilo é verdade.

A ceifadora Curie abriu um pequeno sorriso.

— Ele não estava falando de você, Citra — ela explicou. — Estava falando de mim.

— Quando Faraday ainda era um jovem ceifador, com apenas vinte e dois anos, me admitiu como aprendiz — disse a ceifadora

Curie. — Eu tinha dezessete e estava tomada por uma justa indignação contra um mundo ainda em pleno processo de transformação. Não fazia nem cinquenta anos que a imortalidade tinha passado a existir. Ainda havia discórdia, bandeiras políticas e até mesmo medo da Nimbo-Cúmulo, se é que dá para imaginar uma coisa dessas.

— Medo? Quem poderia ter medo da Nimbo-Cúmulo?

— As pessoas que mais tinham a perder: criminosos, políticos, organizações que prosperam com a opressão dos outros. A questão era que o mundo ainda estava em transformação, e eu queria ajudar a mudá-lo mais rápido. Eu e o ceifador Faraday pensávamos de maneira muito parecida em relação a isso; imagino ter sido esse o motivo por que ele me admitiu. Nós dois éramos movidos por um desejo de usar a coleta como um atalho para um mundo melhor.

"Ah, você devia ver como ele era naqueles tempos, Citra! Você só o conheceu velho. Manter-se em idade avançada evita o risco de se deixar levar pelas paixões de um homem mais jovem."

A ceifadora Curie sorria enquanto falava do seu antigo mentor.

— Lembro de ficar esperando à porta dele à noite, ouvindo-o dormir. Não se esqueça de que eu tinha dezessete anos. Era infantil em muitos sentidos. Achava que estava apaixonada.

— Espera aí. Você estava apaixonada por ele?

— Encantada. Ele era uma estrela em ascensão que tomou uma jovem deslumbrada sob sua proteção. Embora naquele tempo ele só coletasse gente perversa, ele o fazia com tanta misericórdia que meu coração se derretia a cada vez. — Então ela ficou um pouco mais séria, parecendo ligeiramente encabulada, o que não combinava com a inflexível ceifadora Curie. — Cheguei a criar coragem para entrar no quarto dele certa noite, decidida a subir em sua cama e ficar com ele. Mas ele me pegou no flagra. Aí eu inventei uma desculpa para o fato de estar ali. Tinha ido buscar seu copo vazio ou qualquer coisa do tipo. Ele não acreditou em mim nem por um instante. Tinha certeza de que eu estava tramando alguma coisa, e eu não sabia onde enfiar a cara. Achava que ele sabia, que era perspicaz e que podia enxergar dentro da minha alma. Mas, aos vinte e dois anos, ele era tão inexperiente no assunto quanto eu. Faraday não fazia ideia do que realmente estava acontecendo.

Então Citra entendeu.

— Ele achou que você queria fazer mal a ele!

— Acho que todas as moças são afligidas por um sopro de loucura incontrolável e todos os rapazes são afligidos por um sopro de estupidez absoluta. Ele não viu minha obsessão como amor, e achou que eu pretendia lhe fazer algum mal físico. Foi, para dizer o mínimo, uma comédia de erros muito dolorosa. Consigo entender por que meus avanços puderam ser mal interpretados. Admito que era uma garota estranha. Intensa a ponto de ser desconcertante.

— Acho que sua intensidade não mudou muito — Citra disse.

— É verdade. Enfim, ele escreveu sobre suas preocupações paranoicas em relação a mim em seu diário de ceifador, depois arrancou a página no dia seguinte, quando perdi o controle e confessei meu amor num tom melodramático e ridículo. — Ela suspirou e balançou a cabeça. — Eu não tinha jeito. Ele, por outro lado, foi um cavalheiro; disse que estava lisonjeado, o que é a última coisa que qualquer adolescente quer ouvir, e me dispensou com a maior tranquilidade.

"Continuei na casa dele como aprendiz por mais dois constrangedores meses. Quando fui ordenada e me tornei a Honorável Ceifadora Marie Curie, nossos caminhos se separaram. Apenas trocávamos cumprimentos nos conclaves. Quase cinquenta anos depois, quando nós dois nos restauramos pela primeira vez, passamos a enxergar o mundo com olhos juvenis mais uma vez, porém contando com a sabedoria da idade. Nos tornamos amantes."

Citra sorriu.

— Vocês quebraram o nono mandamento.

— Negávamos para nós mesmos. Não dizíamos que éramos um casal, apenas parceiros por conveniência. Duas pessoas parecidas, levando uma vida que os outros simplesmente eram incapazes de compreender: a vida de um ceifador. Mesmo assim, sabíamos que era melhor deixar em segredo. Foi então que ele me mostrou a página que havia escrito e arrancado em sua juventude. Ele tinha guardado aquela anotação de diário ridícula como se fosse uma carta de amor mal escrita e nunca enviada. Nosso relacionamento durou sete anos. Até Prometeu descobrir tudo.

— O primeiro Supremo Punhal Mundial?

— Ah, não foi apenas um escândalo regional; as implicações foram mundiais. O caso foi levado para o Conclave Global. Achamos que seríamos os primeiros ceifadores a perder os anéis e ser expulsos da Ceifa, talvez até coletados, mas como nossa reputação era boa, o Supremo Punhal achou conveniente nos dar uma punição menos severa. Fomos sentenciados a sete mortes, uma para cada ano de nosso relacionamento. Além disso fomos proibidos de ter contato um com o outro pelos setenta anos seguintes.

— Sinto muito — disse Citra.

— Não sinta. Nós merecemos e entendemos. Precisávamos virar um exemplo para os outros ceifadores, que, agora, vão pensar duas vezes antes de deixar o amor interferir em seu dever. Sete mortes e setenta anos depois, muitas coisas haviam mudado. Continuamos bons amigos, mas nada além disso.

Curie parecia sentir uma mistura de emoções, mas guardou todas para si, como roupas velhas, e fechou a gaveta. Citra desconfiava que ela nunca tinha falado sobre isso com ninguém e provavelmente nunca mais falaria.

— Eu devia saber que ele nunca jogaria aquela página fora — a ceifadora disse. — Com certeza eles a encontraram quando arrumavam suas coisas.

— E Xenócrates achou que ele estava escrevendo sobre mim!

A ceifadora Curie refletiu sobre isso.

— Talvez, mas acredito que não. Xenócrates não é idiota. Ele pode ter desconfiado da verdadeira natureza daquela página, mas a verdade pouco lhe importava. Ele viu aquilo como uma forma para atingir um objetivo. Uma forma de desacreditar você com ceifadores respeitados, como o ceifador Mandela, que preside o comitê de concessão de joias. Com isso garantiria que o anel iria para o aprendiz do ceifador Goddard, e não para você.

Citra queria sentir raiva de Rowan pelo que tinha acontecido, mas sabia que, fosse o que fosse que estivesse passando pela cabeça dele, aquilo não era obra do garoto.

— Por que Xenócrates se envolveria com isso? Ele não faz parte do bando de Goddard. Nem parece gostar do Goddard, e está na cara que não dá a mínima nem pra mim nem pro Rowan.

— Existem mais cartas em jogo do que as que podem ser vistas — disse a ceifadora. — Só temos certeza de que você deve ficar afastada até conseguirmos inocentá-la de qualquer suspeita de crime.

Naquele exato momento, uma pessoa surgiu à porta, assustando Citra. Ela não sabia que havia mais alguém na cabana. Era outra ceifadora, pelo visto — talvez a dona da cabana. Ela era mais baixa do que Curie. Seu manto tinha um desenho intrincado com muitas cores: vermelho, preto e turquesa. Parecia menos um tecido e mais uma trama emaranhada. Citra se perguntou se todos os ceifadores chilargentinos usavam mantos que pareciam feitos não apenas à mão, mas com amor.

A mulher falou em hispânico, e a ceifadora Curie respondeu na mesma língua.

— Não sabia que a senhora falava hispânico — Citra disse depois que a ceifadora chilargentina saiu.

— Sou fluente em doze línguas — disse Curie, com um certo tom de orgulho.

— Doze?!

A ceifadora abriu um sorriso malicioso.

— Espere até ter a minha idade para ver quantas línguas vai saber. — Ela tirou a bandeja do colo de Citra e a pôs sobre um criado-mudo. — Pensei que tínhamos mais tempo, mas a autoridade dos ceifadores locais está a caminho. Duvido que saibam que você está aqui, mas estão fazendo buscas em todas as casas de ceifadores, usando detectores de DNA. Devem supor que contamos com a ajuda de alguém daqui.

— Então vamos fugir de novo? — Citra tirou os pés de cima da cama e os pôs no chão. Seus tornozelos doíam, mas pouco. Era uma dor boa. — Agora consigo andar sozinha.

— Que bom, porque você vai andar bastante. — A ceifadora Curie olhou pela janela. Ninguém se aproximava, mas agora havia uma tensão em sua voz que não havia antes. — Infelizmente, não vou com você, Citra. Para limpar seu nome, preciso voltar para casa e reunir o máximo de ceifadores possível.

— Mas a Ceifa Chilargentina...

— O que eles podem fazer comigo? Não estou quebrando nenhum mandamento. O máximo que podem fazer é me apontar um dedo acusador e se recusar a se despedir de mim no aeroporto.

— Então... quando você voltar, vai ter que contar pra todo mundo a verdade sobre a anotação de diário?

— Não vejo outra opção. É claro que Xenócrates vai dizer que estou mentindo para proteger você, mas a maioria vai aceitar minha palavra, em detrimento da dele. Se tudo der certo, isso vai ser vergonhoso o bastante para ele retirar a queixa.

— Mas pra onde posso ir? — perguntou Citra.

— Tenho um plano. — Curie abriu uma gaveta e tirou uma túnica de juta mal costurada, própria dos tonistas.

— A senhora quer que eu finja que faço parte de uma seita tonal?

— Uma peregrina solitária. Eles são muito comuns nesta parte do mundo. Você será uma viajante sem nome e sem rosto.

Não era um disfarce muito glamoroso, mas Citra sabia que era prático. Ninguém olharia para ela, por medo de ouvir um sermão tonal. Ela se esconderia no meio de todo mundo e voltaria antes do Conclave Invernal. Se a ceifadora Curie não tivesse limpado seu nome até lá, pouco importava. Ela não passaria o resto da vida se escondendo.

Então a ceifadora chilargentina entrou de novo, dessa vez bem mais agitada.

— Eles estão aqui — Curie disse. Ela meteu a mão no bolso, tirou um pequeno papel dobrado e o apertou na mão de Citra. — Quero que você vá a um determinado lugar. Você precisa conhecer alguém... O endereço está nesse papel. Considere isso a última parte do seu treinamento. — Citra pegou a túnica e, enquanto Curie a empurrava para fora do quarto em direção à porta dos fundos, a ceifadora chilargentina foi a um armário de armas e, rapidamente, encheu um saco com facas e armas de fogo fáceis de esconder para a garota, como uma mãe preocupada encheria a mochila do filho de lanchinhos. — Tem um carro público num barracão no pé da colina. Pegue esse carro e vá para o norte — disse Curie.

Citra abriu a porta dos fundos e saiu. Estava frio, mas suportável.

— Preste atenção — disse a ceifadora Curie. — É uma viagem longa, e você vai precisar manter a cabeça no lugar para conseguir chegar ao seu destino.

Quando Curie começou a dizer a Citra o que deveria fazer naquela viagem de muitos milhares de quilômetros, foi interrompida pelo som de um carro estacionando na frente da casa.

—Vá! Enquanto estiver em movimento, estará segura.

— E o que faço quando chegar lá?

A ceifadora Curie lhe lançou um olhar duro que não revelou nada, mas deu mais peso a suas palavras. Um tonista poderia chamar aquilo de "ressonância".

— Quando chegar lá, você saberá o que fazer.

Então, ouviu-se uma batida familiar na porta da frente.

Citra desceu aos saltos a encosta enevoada, desviando das árvores no caminho. As dores nas articulações a lembraram de que ainda faltavam horas para ficar completamente curada. Ela encontrou o barracão, e o carro público estava lá, como a ceifadora Curie tinha dito. Quando Citra entrou no carro, ele ligou automaticamente e pediu um destino. Ela não era estúpida a ponto de responder.

— Norte — ela disse. — Apenas norte.

No momento em que partia em alta velocidade, ouviu uma explosão, depois uma segunda. Olhou para trás, mas só conseguiu ver uma fumaça negra acima da copa das árvores. Ela começou a se apavorar. Um homem usando um manto semelhante ao da amiga da ceifadora Curie surgiu de entre as árvores e disparou pela estrada atrás dela. Ela o viu apenas por um instante, depois a estrada fez uma curva fechada e ele saiu de seu campo de visão.

Só depois que o carro público desceu o desfiladeiro sinuoso e entrou numa rodovia, Citra olhou para o papel que a ceifadora Curie tinha entregado. Por um momento, sentiu seus ossos se espatifarem novamente, mas a sensação passou e se transformou numa determinação originada da exaustão. Agora ela entendia.

Quando chegar lá, você saberá o que fazer.

Sim, ela com certeza saberia. Fitou a folha de papel por mais um momento. Precisava apenas memorizar o endereço, porque já sabia o nome.

Gerald van der Gans.

A Nimbo-Cúmulo falou para ela, e agora a ceifadora Curie. Citra tinha uma longa jornada pela frente e, ao final, muito trabalho a fazer. A garota não poderia coletar, mas poderia se vingar. De um jeito ou de outro, encontraria uma forma de fazer justiça contra o assassino do ceifador Faraday. Ela nunca foi tão grata por ter um saco cheio de armas.

Aquele era um assunto delicado demais para ficar nas mãos da Guarda da Lâmina — e, embora o ceifador San Martín detestasse ser usado como um mero agente da lei, sabia que capturar essa garota midmericana lhe valeria uma medalha de honra. Mesmo antes de bater à porta, sabia que a garota estava lá. Seu parceiro, um jovem ceifador extremamente motivado chamado Bello já tinha ligado o detector de DNA e encontrado leves indícios no momento em que saíram do carro.

Ao se aproximarem da cabana, San Martín sacou sua arma — uma pistola que tinha desde o dia de sua ordenação, presente de seu mentor. Era sua arma preferida para as coletas — uma extensão de seu corpo —, e embora não esperasse fazer alguma coleta hoje, sentiu-se completo quando a empunhou. Coletas à parte, a arma poderia ser útil para incapacitar alguém, embora tivesse recebido ordens de não deixar ninguém semimorto — muito menos a garota —, pois fora exatamente esse o motivo do fiasco que estavam tentando remediar agora.

Ele bateu e bateu com força na porta. Estava prestes a arrombá-la quando ninguém menos que a ceifadora Marie Curie atendeu. San Martín tentou não se impressionar. A Marquesa de la Muerte era famosa no mundo todo por suas façanhas da juventude. Uma lenda viva em toda parte, não apenas no hemisfério norte.

— Aqui tem campainha, você não notou? — ela disse em um hispânico tão perfeito que pegou o ceifador San Martín de surpresa. — Vocês vieram para almoçar?

Ele gaguejou por um instante, o que agravou sua desvantagem, depois se recuperou da melhor forma que pôde.

— Estamos atrás da garota — ele disse. — Não tem por que negar que ela está aqui; já sabemos. — E apontou para Bello, cujo detector de DNA estava vermelho e com o alarme disparado.

Ela olhou para a pistola erguida de San Martín e bufou com tanto desprezo e autoridade que ele se viu abaixando a arma quase involuntariamente.

— Ela *esteve* aqui — Curie disse. — Mas não está mais. Está a caminho do resort antártico para esquiar. Acho que você consegue pegar o voo dela, se for rápido.

A seção chilargentina da Ceifa não era famosa por seu senso de humor, e o ceifador San Martín não fugia à regra. Ele não seria feito de bobo, nem mesmo por uma lenda viva. Passou por ela, entrou na cabana, onde uma ceifadora chilargentina cujo nome ele não conseguiu lembrar esperava com a mesma postura desafiadora de Curie.

— Pode procurar à vontade — disse a segunda ceifadora —, mas se quebrar alguma coisa...

Ela não teve tempo de terminar a frase, porque Bello, delicado como sempre, lhe deu um golpe com um bastão de choque que a deixou inconsciente.

— Isso era mesmo necessário? — a ceifadora Curie ralhou. — É contra mim a queixa de vocês, não contra a pobre Eva.

Seguindo sua intuição, San Martín saiu pela porta dos fundos e, dito e feito: encontrou pegadas reveladoras na neve.

— Ela está a pé! — ele disse a Bello. — *¡Apurate!* Ela não deve ter ido muito longe. — O ceifador Bello se lançou à perseguição feito um cão de caça, desceu a encosta coberta de neve e desapareceu em meio às árvores.

San Martín voltou para dentro da casa e correu para a porta da frente. A estrada descia por aquela colina. Se Bello não conseguisse alcançar a garota a pé, talvez San Martín pudesse alcançá-la de carro. Curie, porém, estava parada na porta, barrando seu caminho. Ele voltou a erguer sua arma e, em resposta, ela sacou a dela, cujo cano era tão grosso que permitiria a passagem de uma bola de golfe. Um morteiro. Sua pistola era praticamente um estilingue perto daquele troço, mas ele não a abaixou, por maior que fosse a sua desvantagem.

— Tenho permissão especial do Alto Punhal para atirar em você, se necessário — ele avisou.

— E eu não tenho permissão de ninguém — disse a ceifadora Curie —, mas teria o maior prazer em fazer o mesmo.

Eles ficaram naquele impasse por mais tempo do que seria conveniente, então a ceifadora Curie desviou a arma e a disparou pela porta da frente.

Uma explosão estourou as janelas da frente da cabana, e a onda do choque derrubou San Martín no chão... Mas Curie, ainda na porta, mal se moveu. San Martín se arrastou até a porta e viu que o disparo do morteiro havia transformado seu carro numa fogueira.

Então, ela disparou de novo, dessa vez explodindo o próprio carro.

— Bom, agora acho que você vai *ter* que ficar para o almoço — ela disse.

Ele olhou para os carros em chamas e suspirou, sabendo que viraria alvo de zombaria pelo fracasso. Fitou os duros olhos cinza de

Curie, considerou a tranquilidade como ela controlava a situação — e percebeu que não tivera a mínima chance contra a Marquesa de la Muerte. Não havia muito a fazer além de observá-la de cara feia e com ar de profundo desagrado.

— Isso não foi nada bom! — ele disse, apontando um dedo. — Nada, nada, nada mesmo!

... Mas, mesmo nos sonhos, me pego coletando...

Tenho um sonho recorrente em que estou andando numa rua estranha que sinto que deveria conhecer, mas não conheço. Estou com um forcado, uma coisa que nunca usei na vida. Seus dentes estranhos não são bons para a coleta e, quando atacam, reverberam, emitindo um som que fica entre um badalar de sinos e um gemido, como a vibração atordoante de um bidente tonal.

Há uma mulher diante de mim que devo coletar. Eu a golpeio, mas o forcado não consegue cumprir sua função. Suas feridas cicatrizam na mesma hora. Ela não está triste nem amedrontada, tampouco entretida. Está simplesmente resignada de estar ali, deixando que eu tente, em vão, tirar sua vida. Ela abre a boca para falar, mas como sua voz é baixa e suas palavras são abafadas pelos gemidos fantasmagóricos do forcado, nunca a escuto.

E sempre acordo gritando.

Do diário de coleta da ceifadora Curie

32
Peregrinação atribulada

Todos os carros públicos estão na rede, mas os ceifadores só podem rastreá-los quando os dados navegacionais são enviados para a mente interna. Como isso acontece de hora em hora, esse é o tempo máximo que você vai ter para trocar de carro.

Citra relembrou rapidamente as instruções de Curie — torcendo para não esquecer de nada. Ela conseguiria fazer isso. O treinamento a ensinara a ser autossuficiente e engenhosa. Ela deixou o primeiro carro público numa cidadezinha bem a tempo. Temia não haver muitos carros públicos disponíveis na região chilargentina, ainda mais numa área tão remota, mas a Nimbo-Cúmulo era extraordinária em atender as necessidades locais. A oferta nunca estava aquém da demanda.

Ela já havia vestido a áspera túnica tonista e coberto a cabeça com o gorro. Era incrível como as pessoas a evitavam.

Precisava trocar de carro de hora em hora porque seus perseguidores estavam sempre atrás dela. Ela precisava avançar em zigue-zague, como os navios de carga nos tempos de guerra da Era da Mortalidade, para que perdessem seu rastro e não conseguissem prever onde ela estaria em seguida. Mais de um dia se passou sem que Citra conseguisse dormir mais de uma hora por vez. E em muitas ocasiões, quando só havia estradas desertas que se estendiam interminavelmente sem nenhum sinal de civilização, ela teve de ter a esperteza de largar o carro antes de chegar à cidade, onde já era esperada pelos ceifadores chilargentinos e oficiais da Guarda da Lâmina. Citra chegou a cruzar com um ceifador, certa de que seria pega, mas foi esperta o bastante para ficar a favor do vento e evitar a detecção de seu DNA. O fato de os próprios ceifadores supervisionarem a Guarda da Lâmina na perseguição fazia Citra se sentir ainda mais apavorada, mas também, estranhamente, mais importante.

Quando chegar a Buenos Aires, pegue um hipertrem rumo ao norte que atravesse a Amazônia até a cidade de Caracas. Assim que cruzar a fronteira e entrar na Amazônia, você estará segura. Lá eles não levantarão um dedo para ajudar Xenócrates ou deter você.

Em seus estudos de história, Citra já havia lido sobre o motivo desse comportamento. Muitos ceifadores de outras regiões coletavam fora de sua jurisdição quando passavam férias na Amazônia. Não existia nenhuma lei contra isso, mas era motivo suficiente para a Ceifa Amazônica deixar de cooperar, recusando-se abertamente a ajudar os ceifadores de outras regiões.

O problema era o trem em Buenos Aires. Estariam esperando em massa por ela em todas as estações ferroviárias e aeroportos. Citra foi salva por um grupo de tonistas que seguia para o Istmo.

— Buscamos o Grande Diapasão na linha que divide o norte e o sul — eles lhe disseram, pensando que ela fosse um deles. — Há rumores de que está escondido em uma construção da antiguidade. Acreditamos que possa estar em uma das comportas do Canal do Panamá.

Ela teve de se esforçar para não rir.

— Quer se juntar a nós, irmã?

E assim ela fez, embarcando a tempo no trem rumo ao norte

bem debaixo do nariz de mais olhos vigilantes do que conseguia contar, prendendo a respiração — não por medo, mas para não ser rastreada por nenhum detector de DNA na estação.

Havia sete tonistas no grupo. Pelo visto, esse ramo da seita só viajava em grupos de sete ou doze pessoas, seguindo a matemática musical — mas estavam dispostos a quebrar a regra e aceitar mais uma fiel. O sotaque deles sugeria que não eram dos continentes mericanos, mas de algum lugar da EuroEscândia.

— A sua jornada a leva para onde? — perguntou um homem que parecia o líder do grupo. Ele sorria enquanto falava, o que o tornava ainda mais perturbador.

—Vou por aí... sem rumo — ela disse.

— Qual é a sua busca?

— A minha busca?

—Todos os peregrinos nômades têm buscas, não é mesmo?

— Sim — ela disse. — Eu... busco a resposta à grande pergunta: fá sustenido ou lá bemol?

E um dos outros exclamou:

— Nem me fale!

Não havia janelas, pois não tinha paisagem à vista no tubo a vácuo sob a superfície. Citra já havia viajado de avião e em trens de levitação magnética mais comuns, mas o hipertrem era tão estreito e claustrofóbico que a deixou indisposta.

Os tonistas, que deviam estar acostumados com todo tipo de meio de transporte, não pareciam incomodados. Discutiam lendas e debatiam quais eram verdadeiras, quais eram falsas e quais não eram nem uma coisa nem outra.

— Fomos desde as pirâmides em Isrábia até a Grande Muralha da PanÁsia em busca de pistas do paradeiro do Grande Diapasão — o líder disse. — É a peregrinação que importa. Duvido que algum de nós saberia o que fazer se realmente o encontrasse.

Quando o trem atingiu a velocidade de quase mil e trezentos quilômetros por hora, Citra pediu licença para usar o banheiro, onde jogou água no rosto, tentando não ser vencida pela exaustão. Ela se esqueceu de trancar a porta. Se tivesse trancado, sua jornada poderia ter tomado um rumo muito diferente.

Um homem entrou. Seu primeiro pensamento foi que ele simplesmente não sabia que estava ocupado, mas, antes que a garota pudesse se virar — antes que pudesse fazer qualquer coisa —, ele encostou uma faca de gume dourado em sua garganta, no ponto que podia causar o maior estrago possível.

—Você foi selecionada para a coleta — ele disse com um forte sotaque que devia ser portuzônico, a principal língua da Amazônia. Seu manto era verde-escuro cor de floresta, e ela se lembrou de ter lido em algum lugar que todos os ceifadores dessa região usavam o mesmo manto verde.

—Você está cometendo um erro! — Citra disse, antes que ele pudesse cortar seu pescoço.

— Então diga qual é meu erro — ele falou. — Mas diga rápido.

Ela tentou inventar alguma coisa que detivesse a mão dele, mas lhe ocorreu que nada além da pura verdade o deteria.

— Sou uma aprendiz de ceifadora. Se tentar me coletar, vou ser revivida e você será disciplinado por não verificar seu anel antes para ver se eu tinha imunidade.

Ele sorriu.

— Foi o que pensei. É você que todos estão procurando. — Ele afastou a faca de seu pescoço. — Escute com atenção: tem ceifadores chilargentinos a bordo deste trem disfarçados de passageiros comuns. Você não tem como fugir deles, mas, se quiser evitá-los, sugiro que venha comigo.

O primeiro impulso de Citra era dizer que não, que se virava bem sozinha. Mas seu bom senso falou mais alto, e ela o acompanhou. Ele a levou para o vagão vizinho e, embora o trem estivesse lotado, havia um lugar vazio ao lado dele. Ele se apresentou como ceifador Possuelo da Amazônia.

— E agora? — Citra perguntou.

— Agora temos de esperar.

Citra vestiu o gorro e, alguns minutos depois, um homem veio do último vagão, vestido como um viajante qualquer, mas andando devagar e consultando um objeto na mão que parecia um celular, mas não era.

— Não fuja — o ceifador Possuelo sussurrou para Citra. — Não deixe que ele assuma o controle da situação.

O aparelho começou a apitar quando o homem se aproximou deles e parou, tendo encontrado seu tesouro.

— Citra Terranova? — ele perguntou.

Citra tirou o gorro com calma. Seu coração estava acelerado, mas ela não demonstrou.

— Parabéns — ela disse. — Você me encontrou. Uma estrelinha dourada para você.

A resposta irônica o pegou de surpresa, mas não o deteve.

— Vou tomá-la sob minha custódia. — Ele sacou um bastão de choque. — Não tente resistir; só vai piorar as coisas para você.

Então o ceifador Possuelo se voltou para ele.

— Com que autoridade você faz isso?

— Com a autoridade conjunta de Lautaro, Alto Punhal da Chilargentina, e do Alto Punhal Xenócrates da MidMérica.

— Nenhum dos dois tem jurisdição aqui.

Ele riu.

— Com licença, mas...

— *Eu* é que peço licença — respondeu Possuelo, num tom ideal de indignação. — Cruzamos a fronteira da Amazônia há mais de cinco minutos. Se você pretender se impor de alguma forma, ela terá todo direito de se defender com força semiletal, mesmo contra um ceifador.

Citra aproveitou a deixa para sacar uma faca de caça escondida em sua túnica e se levantou para enfrentá-lo.

— Se você mexer esse bastão, vão ter de reimplantar sua mão.

Atrás dele, um vigia ferroviário entrou no vagão para verificar o que estava acontecendo.

— Senhor — disse Citra —, este homem é um ceifador chilargentino, mas não está usando o manto nem o anel. Isso não é contra a lei na Amazônia? — Citra nunca se sentiu tão satisfeita em ter estudado a história da Ceifa.

O vigia olhou o homem de cima a baixo, desconfiado — desconfiado o suficiente para Citra saber de que lado ele estava.

— Além disso, todos os ceifadores estrangeiros precisam se registrar antes de cruzar nossa fronteira — ele disse. — Mesmo quando entram escondidos por túneis.

O ceifador chilargentino perdeu a calma.

— Se não me deixar cumprir minha missão, vou coletar você agora mesmo!

— Não vai, não — disse o ceifador Possuelo, com tanta calma que fez Citra sorrir. — Concedi imunidade a ele. Você não pode coletá-lo.

— O quê?!

Então, o ceifador amazônico estendeu a mão até o rosto do vigia, que a segurou e beijou seu anel.

— Obrigado, excelência.

— Esse homem me ameaçou com violência — Citra disse ao vigia. — Exijo que seja posto para fora do trem na próxima parada, assim como qualquer outro ceifador disfarçado que esteja viajando com ele.

— Com o maior prazer — disse o vigia.

—Você não pode fazer isso! — o ceifador insistiu.

Mas alguns minutos depois descobriu que ele podia sim.

Com seus perseguidores expulsos do trem, Citra pôde desfrutar de um pequeno descanso daquele jogo de gato e rato. Como seu disfarce foi descoberto, ela pegou roupas comuns do seu tamanho na bagagem de outro passageiro. Calça jeans e uma camisa florida que não eram muito seu estilo, mas serviriam ao propósito. Os tonistas ficaram desapontados por ela não ser um deles, mas não surpresos. Deram-lhe um panfleto, que ela prometeu ler, mas desconfiava que não leria nunca.

— Seja qual for o seu destino — disse o ceifador Possuelo —, você vai trocar de trem na Estação Central do Amazonas. Sugiro que entre e saia de vários trens antes de embarcar no que pretende pegar; assim os detectores de DNA vão mandar seus perseguidores para todos os lados.

É claro que, quanto mais ela vagasse pela estação, maiores eram as chances de ser vista, mas o risco valia a pena para confundir os detectores de DNA e obrigar seus perseguidores a se lançar numa caçada inútil.

— Não sei por que estão atrás de você — o ceifador Possuelo disse quando o trem parou na estação —, mas, se conseguir resolver seus problemas e pegar seu anel, deveria voltar para a Amazônia. As florestas tropicais se estendem por todo o continente, como nos tempos antigos, e vivemos sob seu dossel. Você iria adorar.

— Pensei que vocês não gostassem de ceifadores estrangeiros — ela disse, com um sorriso irônico.

— Existe uma diferença entre aqueles que convidamos e aqueles que invadem — ele respondeu.

Citra fez o possível para deixar traços de seu DNA em meia dúzia de trens antes de entrar discretamente no que ia para Caracas, na parte norte da costa amazônica. Se lá havia agentes à sua procura, ela não os avistou, mas não teve a pretensão de pensar que estava fora de perigo.

Da cidade de Caracas, a ceifadora Curie a havia instruído a seguir pela costa setentrional leste até chegar a uma cidade chamada Playa Pintada. Ela teria de evitar carros públicos ou qualquer outro meio de transporte que desse pistas de sua localização, mas percebeu que, quanto mais perto chegava, mais decidida ficava. Ela chegaria ao seu destino, completando essa peregrinação atribulada, mesmo se tivesse de seguir a pé pelo resto do caminho.

Como enfrentar um homicida? Não um assassino sancionado socialmente, mas um homicida *de verdade*. Uma pessoa que, sem a bênção ou mesmo a permissão da sociedade, impõe um fim definitivo à vida humana.

Citra sabia que a Nimbo-Cúmulo impedia esse tipo de coisa no mundo todo. É claro que as pessoas eram empurradas na frente de trens, de caminhões ou jogadas do alto de terraços em momentos de descontrole — mas o que se quebra sempre se conserta. As pessoas se retratam. Um ceifador ordenado que vive fora da jurisdição da Nimbo-Cúmulo, porém, não tem esse tipo de proteção. Ser revivido não é automático para ele; é preciso uma solicitação. Mas quem pode interceder por um ceifador abatido em um golpe sujo?

Isso significava que, mesmo sendo os humanos mais poderosos da Terra, os ceifadores também eram os mais vulneráveis.

Naquele dia, Citra prometeu interceder pelos mortos. Ela faria justiça por seu mentor assassinado. Obviamente, a Nimbo-Cúmulo não a impediria — tinha até lhe dado o nome do homicida. A ceifadora Curie tinha feito o mesmo quando a enviara nessa missão. A última fase de seu treinamento. Tudo dependia do que fizesse.

Playa Pintada. Naquele dia, a costa estava coberta de grandes pedaços de madeira torcida e nodosa trazidos pela maré. À luz do fim do poente pareciam braços e pernas de criaturas terríveis emergindo devagar da areia.

Citra se agachou atrás de um tronco em forma de dragão, escondendo-se em sua sombra. Uma tempestade chegava do norte, avolumando-se sobre o mar e avançando implacavelmente para a praia. Já dava para ver raios distantes tremulando contra o fundo escuro, e os trovões faziam contraponto com a rebentação das ondas.

Ela só tinha algumas das armas com que havia começado a viagem: uma pistola, um canivete e a faca de caça. O resto era difícil demais de esconder, por isso ela teve de abandonar antes de embarcar no trem em Buenos Aires. O embarque tinha sido um dia antes, mas parecia ter sido uma semana atrás.

A casa que estava espiando era um cubo de um andar só, como muitas das casas da praia. A maioria ficava escondida atrás de palmeiras e de exuberantes aves-do-paraíso. Havia um pátio nos fundos que dava para a praia, logo além de uma cerca viva baixa. Dentro da casa, as luzes estavam accsas. De vez em quando, uma sombra se movia atrás da cortina.

Citra considerou suas possibilidades. Se já fosse ceifadora, ela o coletaria, seguindo os métodos da ceifadora Curie. Uma lâmina no coração, rápida e inapelável. Pela primeira vez, não duvidou de que era capaz de fazer isso. Mas ela ainda não era ceifadora.

Qualquer ataque letal o deixaria apenas semimorto, e em questão de minutos um ambudrone chegaria para levá-lo para a revivificação. O que ela precisava fazer era incapacitá-lo. Derrubá-lo, mas sem que ele perdesse a consciência e, depois, extrair uma confissão. Ele estava trabalhando para outro ceifador ou agindo por conta própria? Foi subornado, como as testemunhas? Foi motivado por uma promessa de imunidade ou era algum tipo de vingança pessoal contra Faraday? Então, depois que soubesse a verdade, poderia levar o homem e a confissão ao ceifador Possuelo ou a qualquer um na Ceifa da Amazônia. Assim, nem mesmo Xenócrates seria capaz de silenciar a verdade. Isso a absolveria de qualquer crime, e o verdadeiro culpado receberia a punição por assassinar um ceifador, fosse ela qual fosse. Talvez Citra pudesse continuar na Amazônia depois disso e não ter de enfrentar a perspectiva terrível do Conclave Invernal.

À última luz do crepúsculo, ela ouviu uma porta de vidro corrediça abrir e espiou por cima da borda áspera do tronco, vendo-o sair ao pátio para observar a tempestade que se aproximava. Sua silhueta desenhava-se nitidamente contra a luz de dentro da casa, feito um alvo de papel num campo de tiro. Ele não poderia ter facilitado mais as coisas para ela. Ela sacou sua pistola. Primeiro, apontou diretamente para o coração, por força do hábito de seu treinamento. Depois, abaixou a arma, apontou para o joelho dele e disparou.

Sua mira foi perfeita. Ele gemeu e caiu, e Citra correu pela areia, saltou a cerca viva e o segurou pela camisa com as duas mãos enquanto ele se contorcia.

—Você vai pagar pelo que fez — ela vociferou.

Então, viu o rosto do homem. Familiar. Familiar demais. Seu primeiro impulso foi pensar que era mais uma trapaça. Foi só quando ele abriu a boca que ela teve de aceitar a verdade.

— Citra?

O rosto do ceifador Faraday estava coberto de dor e incredulidade.

— Citra! Céus, o que você está fazendo aqui?

O choque foi tanto que ela o soltou e a cabeça de Faraday bateu contra o concreto duro, fazendo com que ele desmaiasse e aumentando ainda mais o desespero da situação.

Ela queria gritar por socorro, mas quem a ajudaria depois do que tinha feito?

Ela ergueu a cabeça dele novamente, segurando-a delicadamente enquanto o sangue do joelho ferido escorria entre as pedras do pátio, transformando a areia entre as fendas num cimento vermelho, que depois de seco ficou marrom.

A imortalidade não pode amenizar a loucura ou a fragilidade dos jovens. A inocência está fadada a uma morte absurda por nossas próprias mãos, uma vítima dos erros que nunca podemos corrigir. Assim enterramos o deslumbramento ingênuo com que um dia vivemos, substituindo-o por cicatrizes das quais nunca falamos, tão profundas que nenhuma tecnologia é capaz de curar. A cada coleta que faço, a cada vida que tiro pelo bem da humanidade, lamento pelo menino que um dia fui, cujo nome às vezes mal consigo lembrar. E sonho com um lugar além da imortalidade, onde eu possa, ainda que em pequena medida, ressuscitar o deslumbramento e ser aquele menino novamente.

Do diário de coleta do ceifador Faraday

33

A mensagem e a mensageira

Citra carregou o ceifador para dentro da casa. Ela o deitou no sofá e fez um torniquete para estancar o sangue. Ele resmungou, começando a acordar e, quando chegou à frágil superfície da consciência, sua primeira fala foi para ela.

— Você não deveria estar aqui — ele disse com voz fraca e palavras truncadas por efeito dos nanitos de dor que circulavam em seu corpo. Ainda assim, fez uma careta agonizante.

— Precisamos levar o senhor pro hospital — ela disse. — Isso é demais pros seus nanitos darem conta sozinhos.

— Bobagem. Eles já tiraram grande parte da dor. Quanto à cura, eles conseguem fazer o serviço sem nenhuma intervenção.

— Mas...

— Não tenho outra opção — ele disse. — Ir a um hospital vai alertar a Ceifa de que ainda estou vivo. — Ele mudou de posição, fazendo uma careta de dor. — A natureza e os nanitos vão dar conta de cicatrizar meu joelho. Só vai levar tempo, e isso eu tenho de sobra.

Citra ergueu a perna dele, enfaixou, depois sentou no chão ao lado dele.

— Você estava tão magoada comigo por ter ido embora que precisou se vingar me atacando? — ele perguntou, meio brincando, meio sério. — Estava tão ofendida assim por eu ter encontrado um jeito de me aposentar em segredo sem me coletar?

— Pensei que o senhor fosse outra pessoa — ela disse. — Alguém chamado Gerald van der Gans...

— Meu nome de nascimento — ele disse. — Um nome que abandonei quando me tornei o Honorável Ceifador Michael Faraday. Mas isso não explica sua presença aqui. Eu liberei você, Citra... você e Rowan. Fingindo minha própria coleta, vocês estavam livres do treinamento. Deveriam ter voltado para sua vida de antes, esquecendo que um dia a tirei de vocês. Então, o que está fazendo aqui?

— Quer dizer que o senhor não sabe?

Ele se ergueu ligeiramente para poder vê-la melhor.

— Não sei o quê?

E então ela lhe contou tudo. Disse que, em vez de serem liberados, ela e Rowan estavam agora sob a tutela dos ceifadores Curie e Goddard. Que Xenócrates tentara pôr a culpa do assassinato de Faraday nela e que a ceifadora Curie a ajudara a chegar até ele. Enquanto Citra falava, ele levou as mãos aos olhos como se fosse arrancá-los.

— E pensar que eu estava bem tranquilo aqui, enquanto tudo isso acontecia.

— Como o senhor não sabia? — ela perguntou, pois, na sua cabeça, o ceifador parecia saber tudo, mesmo o que não tinha como saber.

O ceifador Faraday soltou um suspiro.

— Marie... a ceifadora Curie, quero dizer, é a única integrante da Ceifa que sabe que ainda estou vivo. Estou completamente fora da rede agora. A única forma de chegar até mim seria pessoalmente. Por isso ela enviou você. Você é a mensagem e a mensageira.

A situação se tornou bastante incômoda. Trovões ressoaram do mar, muito mais perto agora. Os relâmpagos brilhavam mais intensamente.

376

— É verdade que o senhor morreu sete mortes por ela? — Citra perguntou.

Ele fez que sim.

— E ela por mim. Ela contou isso para você? Bom, faz muito tempo...

Lá fora, a chuva finalmente começou a cair, aumentando e diminuindo aos poucos.

— Gosto de como chove muito aqui — ele disse. — Me faz lembrar que algumas forças da natureza nunca podem ser completamente subjugadas. Elas são eternas, o que é algo muito melhor do que ser imortal.

E então eles ficaram atentos ao ritmo da dança da chuva, e só pararam quando Citra ficou cansada demais até para pensar.

— O que vai acontecer agora? — ela perguntou.

— Isso é muito simples, na verdade. Eu me recupero e você descansa. Qualquer coisa além disso fica para uma conversa futura. — Então, apontou. — O quarto é ali. Aproveite uma noite inteira de sono; pela manhã, terá de recitar todos os venenos em ordem de toxicidade.

— Venenos?

Apesar da dor e da desordem mental induzida pelas drogas, o ceifador Faraday sorriu.

— Sim, venenos. Você é minha aprendiz ou não é?

Citra não pôde deixar de retribuir o sorriso.

— Sim, excelência, eu sou.

Quanto mais vivemos, mais rápido os dias parecem passar. Como é perturbador viver para sempre. Um ano parece durar apenas semanas. Décadas voam sem nenhum acontecimento que as marque. Ficamos acomodados na monotonia sem sentido da vida, até que, de repente, nos encaramos no espelho e vemos um rosto que mal reconhecemos implorando que nos restauremos e sejamos jovens novamente.

Mas será que ficamos jovens de verdade quando nos restauramos?

Guardamos as mesmas lembranças, os mesmos hábitos, os mesmos sonhos não realizados. Nossos corpos podem estar ágeis e flexíveis, mas para quê? Para nada. Sempre para nada.

Realmente acredito que os mortais se esforçavam mais na busca de seus objetivos porque sabiam que o tempo era fundamental. Mas nós? Podemos adiar as coisas muito mais fácil do que os condenados a morrer, porque a morte agora se tornou a exceção, e não a regra.

A estagnação que coleto tão fervorosamente dia após dia parece uma epidemia crescente. Há momentos em que sinto lutar uma batalha perdida contra um apocalipse obsoleto de mortos-vivos.

Do diário de coleta da ceifadora Curie

34

A segunda coisa mais dolorosa que você terá de fazer

Implacavelmente, o inverno se aproximava. No começo, Rowan contava as vidas a que punha um fim temporário, mas, com o passar dos dias, percebeu que não era possível registrar todas. Doze por dia, semana a semana, mês a mês. Elas foram se misturando umas às outras. Ao longo dos oito meses em que treinou sob a tutela do ceifador Goddard, ele matou mais de duas mil vezes, quase sempre as mesmas pessoas várias vezes seguidas. Será que essas pessoas o odiavam, ele se perguntou, ou viam aquilo como um trabalho como qualquer outro? Houve casos em que o treinamento exigia que elas corressem ou até resistissem. A maioria não tinha habilidade nenhuma para isso, mas algumas obviamente tinham treinamento em combate. Houve até sessões em que seus alvos tinham armas. Rowan foi esfaqueado, apunhalado e baleado — mas nunca sofreu um ferimento grave o bastante para precisar ser revivido. Ele se tornou um assassino excepcionalmente habilidoso.

— Você superou todas as minhas expectativas — Goddard lhe disse. — Imaginei que você tinha uma chama interior, mas nunca sonhei que seria uma labareda como essa!

E, sim, ele tinha passado a gostar da função, como o ceifador Goddard previra. E, assim como o ceifador Volta, ele se odiava por isso.

— Estou ansioso por sua ordenação — Volta disse a Rowan

certo dia, quando estudavam juntos à tarde. — Talvez eu e você possamos nos separar de Goddard. Coletar seguindo nosso próprio ritmo, nosso jeito. — Mas Rowan sabia que Volta nunca teria coragem para fugir do campo gravitacional de Goddard.

— Isso se eu for escolhido e não Citra — Rowan apontou.

— Citra desapareceu — Volta o lembrou. — Faz meses que ela sumiu da rede. Se aparecer no conclave, o comitê de concessão de joias não vai vê-la com bons olhos... Ela se ausentou por muito tempo sem permissão. Você só precisa passar no último teste para vencer.

E era isso que Rowan temia.

A notícia do desaparecimento de Citra chegara a Rowan extraoficialmente. Ele não sabia da história toda. Xenócrates tinha acusado a garota de alguma coisa. Houve uma reunião de emergência do comitê disciplinar, a ceifadora Curie compareceu em nome dela e a absolveu de qualquer delito. A acusação devia ter sido orquestrada por Goddard, porque ele ficou furioso com a decisão do comitê — e com o fato de Citra ter desaparecido. Nem mesmo a ceifadora Curie parecia saber onde ela estava.

Enfurecido, no dia seguinte, Goddard levara seus jovens ceifadores e Rowan para uma coleta em massa. Ele liberou sua raiva numa festa da colheita — e, dessa vez, Rowan não teve como salvar ninguém, porque Goddard o manteve a seu lado, carregando suas armas. O ceifador Chomsky incendiou um milharal em forma de labirinto com o lança-chamas, forçando as pessoas a sair para serem eliminadas uma a uma pelos outros ceifadores.

O ceifador Volta enfurecera Goddard, porque tinha atirado uma bomba de gás venenoso no labirinto em chamas. Funcionou muito bem, mas roubou mortes dos demais ceifadores.

— Fiz isso para ser mais humano — Volta confidenciou a Rowan. — Melhor morrer pelo gás do que pelo fogo. Ou por tiros ou facadas ao tentar fugir do labirinto.

Talvez Rowan estivesse errado em relação a Volta. Talvez ele escapasse de Goddard — mas com certeza não conseguiria fazer isso sem sua ajuda. Aquilo era mais um argumento para Rowan ganhar o anel.

Todos atingiram sua cota de coletas ao fim daquela noite terrível, mas Goddard parecia não ter saciado sua sede de sangue. Ele vociferou contra o sistema para seus discípulos, clamando por um dia em que os ceifadores não tivessem limites de coletas.

Citra voltou para a Casa da Cascata da ceifadora Curie muitas semanas antes do Conclave Invernal, quando o Mês das Luzes mal começara, e amigos e entes queridos trocavam presentes para celebrar antigos milagres dos quais ninguém se lembrava mais.

Ao contrário de sua jornada frenética até a costa norte da Amazônia, Citra voltou para a MidMérica de avião, com conforto e paz de espírito. Ela não precisava olhar em volta a cada cinco minutos, porque ninguém mais a perseguia. Como Curie prometera, Citra foi absolvida de todos os crimes. E, embora o ceifador Mandela tivesse escrito um bilhete emocionado de desculpas para Curie entregar a Citra, o Alto Punhal Xenócrates não fez nenhum gesto desse tipo.

— Ele vai fingir que nada aconteceu — Curie disse enquanto as duas voltavam de carro do aeroporto. — É o mais perto que aquele homem vai chegar de um pedido de desculpas.

— Mas aconteceu — Citra falou. — Tive que me jogar de um prédio para fugir.

— E eu tive que explodir dois carros em excelente estado — comentou a ceifadora Curie com ironia.

— Nunca vou esquecer o que ele fez.

— E não deve esquecer mesmo. Você tem todo o direito de

julgá-lo mal, mas não mal demais. Desconfio que há mais variáveis em jogo do que sabemos.

— Foi o que o ceifador Faraday me disse.

A ceifadora sorriu à menção do nome dele.

— E como está nosso bom amigo Gerald? — ela perguntou com uma piscadinha.

— Os relatos sobre a morte dele foram muito exagerados — Citra disse. — Ele só cuida do jardim e dá voltas pela praia.

O fato de ele ainda estar vivo era um segredo que ambas pretendiam guardar. Até o ceifador Mandela acreditava que Citra ficara com um parente de Curie na Amazônia, e ele não tinha motivos para desconfiar que não era verdade.

— Talvez eu me junte a ele naquela praia daqui uns cem anos — disse a ceifadora Curie. — Mas, por enquanto, há muito a se fazer na Ceifa. Batalhas importantíssimas precisam ser travadas. — A garota pôde ver que ela segurava o volante com mais força enquanto pensava naquilo. — Citra, o futuro de tudo em que acreditamos como ceifadores está em jogo. Estão até falando em abolir a cota. É por isso que você precisa ganhar aquele anel. Sei o tipo de ceifadora que você será e é exatamente disso que precisamos agora.

Citra desviou o olhar. Sem coletas diárias, seu treinamento com o ceifador Faraday nos últimos meses tinha girado em torno de aperfeiçoar a mente e o corpo — porém, mais importante que isso, contemplar a superioridade moral e ética que um ceifador tradicional sempre deve manter. Não havia nada de "velha guarda" nisso. Era simplesmente o certo. Ela sabia que esses ideais estavam ausentes no treinamento de Rowan, mas isso não significava que ele os traíra em seu coração, apesar de seu mentor sanguinário.

— Rowan também seria um bom ceifador — Citra arriscou.

A ceifadora Curie soltou um suspiro.

— Não podemos mais confiar nele. Olha só o que ele fez com

você no Conclave da Colheita. Você pode inventar todas as desculpas do mundo para ele, mas a verdade é que agora ele é uma incógnita. Treinar com Goddard pode distorcer a mente de maneira absolutamente imprevisível.

— Mesmo se isso for verdade — Citra disse, chegando finalmente ao ponto que as duas sabiam que ela queria chegar —, não sei se eu seria capaz de coletá-lo.

— Essa vai ser a segunda coisa mais dolorosa que você terá de fazer na sua vida — admitiu a ceifadora Curie. — Mas você vai encontrar uma forma de conseguir, Citra. Confio em você.

Se coletar Rowan seria a segunda coisa mais dolorosa que ela teria de fazer, Citra se indagou qual seria a primeira. Mas teve medo de perguntar, porque, no fundo, não queria saber.

São muitas as nossas tradições e regras arcaicas que precisam ser contestadas. Por mais bem-intencionados que fossem, os fundadores ainda tinham resquícios de uma mentalidade mortal, estando tão perto da Era da Mortalidade. Eles não tinham como prever as necessidades da Ceifa.

Primeiro, eu eliminaria o conceito de cota. É um absurdo que sejamos livres para determinar nosso método e nossos critérios de coleta, mas não quantas realizamos. Somos prejudicados durante todos os minutos de todos os dias porque devemos sempre considerar se estamos coletando demais ou de menos. Seria melhor se nos permitissem seguir nossos próprios critérios. Assim, os ceifadores que coletam de menos não seriam punidos, porque ceifadores com apetite maior compensariam suas falhas. Dessa forma, podemos ajudar uns aos outros. E ajudar nossos colegas ceifadores não seria bom para todos nós?

Do diário de coleta do ceifador Goddard

35

A aniquilação total é a nossa marca

No último dia do ano, faltando apenas três dias para o Conclave Invernal, o ceifador Goddard levou Rowan e seus ceifadores a outra expedição de coleta.

— Mas já atingimos nossa cota do ano — o ceifador Volta se apressou em lembrá-lo.

— Não vou me deixar limitar por um detalhe técnico! — Goddard gritou. Rowan pensou que Goddard fosse dar um soco na cara de Volta, mas ele fez uma pausa para se acalmar e disse: — Quando começarmos nossa missão de coleta, já será o Ano da Capivara na PanÁsia. Até onde sei, isso nos dá permissão de contar nossas mortes como cota do novo ano. Então voltaremos a tempo para nossa festa de Ano-Novo!

O ceifador Goddard decidiu que usariam espadas de samurai, embora Chomsky se recusasse a se separar de seu lança-chamas.

— É a ele que devo a minha fama. Por que mexer com a minha imagem?

Até então Rowan tinha participado de quatro expedições de coleta com Goddard. Ele descobriu que conseguia escapar para um lugar em seu eu interior que lhe permitia fugir um pouco ao papel de cúmplice e até de observador. Voltou a ser o alface. Uma coisa insensível e meramente acessória. Facilmente ignorado e esquecido. Era o único jeito de manter sua sanidade em meio ao esporte sangrento de Goddard. Às vezes, passava tão despercebido no meio do tumulto que conseguia ajudar algumas pessoas a fugir. Em outras ocasiões, tinha de ficar ao lado de Goddard, recarregando ou trocando suas armas. Ele não sabia qual seria seu papel dessa vez. Se Goddard fosse usar apenas a espada de samurai, não precisaria de Rowan para carregar suas armas. Mas ele mandou Rowan levar uma espada reserva.

Os preparativos para a festa estavam a pleno vapor enquanto eles se aprontavam para a coleta naquela manhã. O caminhão do bufê havia chegado e já se distribuíam mesas em toda a extensão do gramado em volta da casa. A festa de Ano-Novo era uma das poucas que Goddard planejava com antecedência, e a lista de convidados era espetacular.

O helicóptero pousou no gramado da frente, varrendo para longe uma tenda montada para a festa, como se ela não passasse de um guardanapo soprado pelo vento.

— Hoje vamos prestar um serviço público muitíssimo necessário — Goddard disse a eles, com uma euforia excessiva. — Vamos nos livrar da ralé. — Mas ele não explicou o que queria dizer. Mesmo assim, quando o helicóptero alçou voo, Rowan teve o pressentimento de que aquilo iria acabar mal.

Eles pousaram num parque público, no centro de um campo de futebol vazio coberto por uma fina camada de neve. Havia um playground no canto do parque onde algumas crianças pequenas escorregavam, se balançavam e escavavam a areia, agasalhadas contra o frio. No instante em que os pais viram os ceifadores saindo do helicóptero, juntaram seus filhos e saíram em disparada, ignorando os gritos de protesto das crianças.

— Nosso destino fica a alguns quarteirões daqui — o ceifador

Goddard disse. — Não quero pousar perto demais para não perder o elemento surpresa. — Então, pôs um braço paternal em volta de Rowan. — Hoje é a estreia de Rowan — ele disse. — É hoje que você vai realizar sua primeira coleta!

Rowan se encolheu.

— Como assim?! Eu?! Mas não posso! Sou só um aprendiz!

— Representante, meu rapaz! Assim como permiti que concedesse imunidade com meu anel, hoje você vai coletar alguém, que será contabilizado como meu. Considere isso um presente. Nem precisa me agradecer.

— Mas… isso não é permitido!

Goddard não se abalou.

— Está ouvindo alguém reclamar? Não? Então pronto!

— Não se preocupe — Volta disse a Rowan. — Foi para isso que você treinou. Você vai se sair bem.

E era o que Rowan temia. Ele não queria "se sair bem". Queria se sentir angustiado em relação a tudo aquilo. Queria ser um fracasso completo, porque só assim saberia que ainda tinha um resquício de humanidade. Seu cérebro parecia prestes a explodir e irromper violentamente do nariz e dos ouvidos. Ele queria que explodisse de verdade porque assim não teria como coletar ninguém naquele dia. *Se tenho de fazer isso, vou ser misericordioso como o ceifador Faraday*, disse a si mesmo. *Não vou sentir prazer. NÃO VOU!*

Quando eles dobraram a esquina, Rowan viu seu destino: um complexo feito para parecer uma antiga missão de adobe, completamente deslocado no frio da MidMérica. O símbolo de ferro no alto era um diapasão. Era um convento da seita tonal.

— Quase cem tonistas vivem fechados atrás daqueles muros — Goddard anunciou. — Nosso objetivo é coletar todos.

A ceifadora Rand sorriu. O ceifador Chomsky verificou sua arma. Apenas o ceifador Volta pareceu ter suas reservas.

—Todos?

Goddard deu de ombros como se aquilo não tivesse a menor importância. Como se todas aquelas vidas não significassem nada para ele.

— A aniquilação total é a nossa marca — ele disse. — Nem sempre conseguimos, mas tentamos.

— Mas isso... isso quebra o segundo mandamento. Claramente mostra discriminação.

— Ora essa, Alessandro — Goddard disse com seu tom mais condescendente. — Discriminação contra quem? Tonistas não são um grupo cultural registrado.

— Eles não poderiam ser considerados um grupo religioso? — Rowan sugeriu.

—Você só pode estar de brincadeira! — a ceifadora Rand exclamou entre risos. — Eles são uma piada!

— Exatamente — concordou Goddard. — Eles são uma caricatura da fé dos tempos mortais. A religião é uma parte muito querida da nossa história, e eles transformaram isso numa zombaria grotesca.

— Coletem todos! — disse Chomsky, ligando sua arma de fogo.

Goddard e Rand sacaram suas espadas. Volta lançou um olhar para Rowan e sussurrou:

— O melhor dessas coletas é que elas acabam rápido. — Então, sacou sua espada também e seguiu os outros por um portão em arco que os tonistas sempre deixavam aberto para as almas perdidas em busca de consolo tonal. Eles não faziam ideia do que os esperava.

Logo se espalhou na rua a notícia de que uma pequena elegia de ceifadores havia entrado no convento tonista. Como é da natureza humana, o boato logo inflou o número para dez ceifadores ou mais e, como também é da natureza humana, multidões ligeiramente mais animadas do que aterrorizadas se juntaram do outro lado da rua, na esperança de pelo menos entrever os ceifadores ou talvez até mesmo a carnificina que deixariam para trás. Mas tudo que viram foi um único jovem, um aprendiz, parado no portão aberto, de costas para a multidão.

Rowan recebeu a ordem de ficar no portão, de espada em punho, para impedir as pessoas que tentassem escapar. Seu plano, obviamente, era deixar que *todos* escapassem. Mas, quando os tonistas apavorados avistavam Rowan, sua espada e seu bracelete de aprendiz, corriam de volta para dentro do complexo, onde se tornavam presa fácil para os ceifadores. Rowan continuou ali por cinco minutos, mas acabou abandonando seu posto no portão, perdendo-se no complexo labiríntico. Só então as pessoas começaram a fugir em busca de segurança.

Os gritos de agonia eram quase insuportáveis. Saber que teria de coletar alguém antes daquilo tudo acabar tornava impossível se refugiar em algum lugar dentro de si. O convento era um labirinto de pátios, corredores e estruturas disparatadas. Ele não fazia ideia de onde estava. À sua esquerda, havia um edifício em chamas e um corredor cheio de mortos, indicando que um dos ceifadores havia passado por lá. Uma mulher encolhida, parcialmente escondida por um arbusto desfolhado, embalava um bebê no colo, tentando desesperadamente fazê-lo se calar. Ela entrou em pânico quando viu Rowan e gritou, segurando o bebê contra o peito.

— Não vou machucar você — ele disse. — Ninguém está de guarda no portão principal. Se você correr, consegue sair. Vai agora!

Ela não perdeu tempo e saiu em disparada. Rowan só poderia torcer para que ela não se deparasse com um ceifador até lá.

Então ele dobrou uma esquina e encontrou outro vulto grudado a uma coluna, o peito arfando em soluços. Mas não era um dos tonistas. Era o ceifador Volta. Sua espada jazia no chão. Seu manto amarelo e suas mãos estavam cobertos de sangue reluzente. Ao ver Rowan, ele desviou o olhar; seus soluços ficaram mais intensos. Rowan se ajoelhou ao lado dele. O ceifador segurava algo. Não uma arma; era outra coisa.

— Acabou — Volta disse, com uma voz que mal chegava a ser um sussurro. — Agora acabou. — Era evidente, porém, pelos sons vindos de outros lugares do complexo, que o massacre mal começara.

— O que aconteceu, Alessandro? — Rowan perguntou.

Volta olhou para ele, com a angústia de um homem condenado.

— Pensei que fosse um escritório. Ou um depósito, talvez. Eu entraria, e lá haveria poucas pessoas. Eu as coletaria da maneira mais indolor possível e seguiria em frente. Foi o que pensei. Mas não era um escritório. Nem um depósito. Era uma sala de aula.

Ele voltou a chorar enquanto falava.

— Lá dentro havia no mínimo umas doze criancinhas escondidas. Elas estavam se escondendo de mim, Rowan. Mas um menino deu um passo à frente. Não estava com medo. O professor tentou impedir, mas ele avançou mesmo assim. Então pegou um daqueles diapasões ridículos e o ergueu como se aquilo fosse me afugentar. "Você não vai nos machucar", ele disse. Depois bateu o instrumento na mesa para que ressoasse e o voltou contra mim. "Pelo poder do tom, você não vai nos machucar", ele disse. E ele acreditava, Rowan. Ele acreditava no poder daquilo. Acreditava que aquilo o protegeria.

— O que você fez?

Volta fechou os olhos e sua voz soou terrível e aguda.

— Eu o coletei… Coletei todos eles…

Então abriu a mão ensanguentada, revelando que segurava o pequeno diapasão do menino. O instrumento caiu no chão com um pequeno ruído atonal.

— O que somos, Rowan? Que tipo de demônios somos? Não era pra sermos assim.

— Não era. Nunca foi. Goddard não é um ceifador. Ele pode ter o anel, pode ter licença pra coletar, mas não é um ceifador. Ele é um assassino e precisa ser detido. A gente vai encontrar um jeito de detê-lo, eu e você!

Volta balançou a cabeça e olhou para o sangue que se acumulava em suas mãos.

—Acabou — ele repetiu. Então, soltou um suspiro fundo e trêmulo e ficou muito, muito calmo. — Acabou, e estou feliz por isso.

Foi então que Rowan percebeu que o sangue nas mãos de Volta não era de suas vítimas. Era de seus próprios punhos. Os cortes eram irregulares e longos. Foram feitos com uma intenção muito clara.

— Alessandro, não! Não precisa fazer isso! Temos de chamar um ambudrone! Ainda não é tarde demais.

Mas os dois sabiam que era.

— A autocoleta é a última prerrogativa de todo ceifador. Você não pode tirar isso de mim, Rowan. Nem tente.

Seu sangue estava por toda parte agora, manchando a neve do pátio. Rowan chorou — nunca havia se sentido tão desamparado.

— Sinto muito, Alessandro. Sinto muito...

— Meu nome de verdade é Shawn Dobson. Pode me chamar assim, Rowan? Pode me chamar pelo meu nome de verdade?

Rowan mal conseguia falar por entre as lágrimas.

— É... foi uma honra conhecer você, Shawn Dobson.

Ele se recostou em Rowan, mal conseguindo manter a cabeça erguida, a voz cada vez mais fraca.

— Prometa que vai ser um ceifador melhor do que eu.

— Eu prometo, Shawn.

— E então talvez… talvez…

Mas o que quer que ele fosse dizer se esvaiu junto com sua vida. Sua cabeça repousou no ombro de Rowan enquanto, por toda parte, gritos distantes de agonia propagavam-se no ar gelado.

Todo dia rezo como meus ancestrais rezavam. Antigamente, eles rezavam para deuses falíveis e volúveis. Depois para um Deus único, implacável e aterrorizante. Então para um Deus amoroso e clemente. E, finalmente, para um poder sem nome.

Mas a quem os imortais podem rezar? Não tenho respostas para isso, mas, mesmo assim, posso levantar minha voz no vazio, na esperança de alcançar, para além do horizonte, algo mais profundo do que as profundezas da minha alma. Peço orientação. E coragem. E suplico — ah, como suplico! — para nunca me tornar insensível à morte que executo a ponto de parecer uma coisa corriqueira, banal.

O que mais desejo para a humanidade não é a paz, o consolo ou a alegria. É que ainda morramos um pouco por dentro toda vez que testemunhemos a morte de outra pessoa. Pois só a dor da empatia nos manterá humanos. Nenhum Deus vai poder nos ajudar se algum dia perdermos isso.

Do diário de coleta do ceifador Faraday

36

A décima terceira morte

Goddard estava no santuário da capela, completando sua última operação de terror. Do lado de fora, os lamentos começavam a se esvair enquanto Rand e Chomsky terminavam o que haviam começado. Um prédio estava em chamas do outro lado do pátio. A fumaça e o ar frio entravam pelos vitrais quebrados da capela. Goddard estava na frente, perto de um altar que exibia um diapasão reluzente e uma bacia de pedra cheia de água imunda.

Havia apenas um tonista ainda vivo na capela. Era um homem calvo que vestia um hábito ligeiramente diferente da roupa dos mortos ao seu redor. Goddard o segurava com uma mão, empunhando a espada com a outra. Quando Goddard se virou, viu Rowan e sorriu.

— Ah, Rowan! Bem a tempo! — ele disse, animado. — Guardei o vigário para você.

A expressão do vigário tonista era mais de desafio do que de medo.

— O que você fez aqui hoje só vai ajudar nossa causa — ele disse. — O testemunho dos mártires é muito mais poderoso do que o dos vivos.

— Mártires do quê? — Goddard zombou, batendo no diapasão gigante com sua espada. — Desse troço? Eu daria risada se não sentisse tanto nojo.

Rowan se aproximou a passos firmes, ignorando a carnificina ao redor, concentrando-se em Goddard.

— Solte esse homem — Rowan disse.

— Por quê? Você prefere um alvo em movimento?

— Não prefiro alvo nenhum.

Finalmente Goddard entendeu. Ele sorriu, como se Rowan tivesse dito algo exótico e encantador.

— Nosso jovenzinho está expressando um pouco de desagrado ou é impressão minha?

—Volta morreu — Rowan disse.

A expressão sorridente de Goddard se desfez, mas apenas um pouco.

— Ele foi atacado pelos tonistas? Vão pagar caro por isso!

— Não foram eles. — Rowan nem tentou esconder o ódio em sua voz. — Ele mesmo se coletou.

Isso fez Goddard parar. O vigário se debateu contra ele, e Goddard o bateu contra a pia de pedra com força suficiente para fazê-lo desmaiar, depois deixou o homem cair no chão.

—Volta era o mais fraco de nós — Goddard disse. — Não estou muito surpreso. Quando você for ordenado, será um prazer pôr você no lugar dele.

— Não quero.

Goddard demorou um pouco para avaliar Rowan. Para decifrá-lo. Parecia se tratar de uma violação. Goddard estava dentro de sua mente — cada vez mais fundo, em sua alma —, e Rowan não sabia como expulsá-lo.

— Sei que você e Alessandro eram próximos, mas ele não tinha nada a ver com você, Rowan, pode acreditar. Ele nunca teve a fome que você tem. Vejo isso em seus olhos. Vejo quando você treina. Vive no instante presente. Todas as suas mortes são perfeitas.

Rowan percebeu que não conseguia tirar os olhos de Goddard, que tinha deixado a espada no altar e agora estendia os braços como se oferecesse o abraço de um salvador. Os diamantes em seu manto cintilavam à luz de uma lareira distante, exercendo todo o seu fascínio.

— Podíamos ter sido chamados de portadores da morte — Goddard disse —, mas nossos fundadores acharam melhor nos chamar de ceifadores, porque somos as armas na mão imortal da humanidade. *Você* é uma excelente arma, Rowan, afiada e precisa. E, quando ataca, é maravilhoso observá-lo.

— Pare! Isso não é verdade!

—Você sabe que é.Você nasceu para isso, Rowan. Não desperdice.

O vigário começou a resmungar, recuperando a consciência aos poucos. Com um puxão, Goddard o pôs de pé.

— Colete esse vigário, Rowan. Não resista. Colete-o agora. E sinta prazer nisso.

A mão de Rowan segurou firme o cabo da espada, enquanto ele encarava fundo os olhos turvos e semiconscientes do vigário. Mesmo tentando se manter firme, Rowan não conseguia negar o poder da correnteza que tentava arrastá-lo.

—Você é um monstro! — o garoto gritou. — O pior tipo de monstro porque, além de matar, também transforma os outros em assassinos como você.

—Você precisa de uma visão mais ampla. O predador é sempre um monstro para a presa. Para a gazela, o leão é um demônio. Para um rato, a águia é o mal encarnado. — Ele deu um passo à frente, ainda segurando o vigário com firmeza. —Você vai ser a águia ou o rato, Rowan?Vai rugir ou vai fugir correndo? Porque essas são as únicas opções hoje.

A cabeça de Rowan girava. O cheiro de sangue e a fumaça que entravam pelas janelas estilhaçadas o deixavam zonzo e confuso. O vigário não parecia diferente dos estranhos com quem ele praticava diariamente — e, por um momento, sentiu que estava no gramado no meio de um treinamento. Rowan desembainhou a espada e avançou em silêncio, vivendo o momento, exatamente como Goddard havia dito; permitindo-se sentir que aquela fome tinha um poder libertador que ele não conseguiria descrever. Por muitos meses, treinara para aquele momento, e agora finalmente entendia por que Goddard sempre dizia para Rowan deixar o último fugir antes que pudesse atacar, fazendo-o parar antes do golpe final.

Ele o preparava para hoje.

Hoje, ele finalmente daria seu golpe final e, todos os dias a partir de então, quando saísse para coletar, só deteria sua mão ou sua lâmina ou sua bala quando não houvesse mais ninguém para ser coletado.

Antes que pudesse pensar com mais clareza, antes que sua mente o fizesse parar, ele se lançou contra o vigário e avançou a lâmina com toda a força, terminando por dar o primoroso golpe final.

O vigário perdeu o fôlego e cambaleou pois a espada não o acertou.

Em vez disso, a lâmina de Rowan atingiu seu verdadeiro alvo, e transpassou o corpo de Goddard até o cabo.

Rowan estava perto de Goddard agora, a poucos centímetros de seu rosto, encarando seus olhos arregalados de espanto.

— Eu sou o que você me tornou — disse a Goddard. — E você estava certo: eu senti prazer. Foi o maior prazer que senti na vida. — Então, com a outra mão, Rowan arrancou o anel do dedo de Goddard. —Você não merece usar isso. Nunca mereceu.

Goddard abriu a boca para falar — talvez para recitar um eloquente monólogo fúnebre —, mas Rowan não queria ouvir mais nada dele, então deu um passo para trás, puxou a espada de dentro de suas entranhas, girou-a num arco largo e cortou a cabeça do ceifador com um só golpe. A cabeça voou e caiu perfeitamente na pia de água suja, como se a aguardasse para isso.

O resto do corpo caiu duro no chão e, em meio ao silêncio que agora dominava a capela, Rowan ouviu uma voz atrás dele:

— Que merda você fez?

Rowan se virou e deu com Chomsky e Rand parados lado a lado na entrada da capela.

—Você será coletado assim que ele reviver!

Rowan se deixou dominar por seu treinamento. *Eu sou a arma*, disse a si mesmo. Naquele momento, ele era uma arma letal. Chomsky e Rand tentaram se defender e, embora fossem bons, não eram nada comparados a uma arma tão afiada e precisa quanto ele. A lâmina de Rowan cortou fundo em Rand, mas ela arrancou a espada de sua mão com um golpe de bokator bem aplicado. Rowan respondeu com um chute ainda mais poderoso que quebrou a coluna dela. Chomsky botou fogo no braço de Rowan com o lança-chamas, mas Rowan rolou no chão, apagando-o, depois pegou o martelo tonal do lado do altar e deu uma pancada em Chomsky como se fosse o martelo de Thor, batendo e batendo e batendo como se indicasse as horas, até o vigário segurar sua mão para detê-lo e dizer:

— Já basta, filho. Ele está morto.

Rowan largou o martelo. Só então ele se permitiu baixar a guarda.

—Venha comigo, filho — disse o homem. —Você pode ficar conosco. Podemos esconder você da Ceifa.

Rowan olhou para a mão estendida do homem, mas, mesmo agora, ouviu as palavras de Goddard. *Você vai ser a águia ou o rato, Rowan?* Não, Rowan não fugiria para se esconder. Havia mais a ser feito.

— Saia daqui — ele disse ao homem. — Encontre os sobreviventes, se houver algum, e vá embora o mais rápido que puder.

O homem olhou para ele por mais um instante e deixou a capela. Depois que o vigário saiu, Rowan pegou o lança-chamas e pôs mãos à obra.

Na rua, já havia caminhões de bombeiro estacionados e agentes da paz continham a multidão. Todo o convento estava em chamas agora e, quando os bombeiros correram na direção do incêndio, foram interceptados por um rapaz que saía pelo portão principal.

— Esta é uma ação de ceifadores. Vocês não devem intervir — ele disse.

O capitão dos bombeiros, que agora se aproximava dele, já tinha ouvido falar de incêndios que envolviam ceifadores, mas nunca vira algo assim. Alguma coisa ali parecia errada. Sim, o garoto estava usando o que parecia um manto de ceifador — azul royal, cravejado de diamantes —, mas estava claro que o manto não servia nele. Com as chamas consumindo o complexo numa velocidade alarmante, o capitão tomou uma decisão imediata. O garoto, fosse lá quem fosse, não era um ceifador, e não iria atrapalhá-lo.

— Saia da frente! — ele disse ao garoto com desdém. — Volte para junto dos outros e nos deixe trabalhar.

Então o garoto se moveu rápido como um raio. O capitão sentiu suas pernas falharem ao receber uma rasteira. O capitão caiu de costas e, de repente, o rapaz estava em cima dele, pressionando o joelho contra seu peito e apertando sua garganta com tanta força que por pouco não fechou sua traqueia. De repente, o garoto não parecia mais um menino. Parecia alguém muito maior, muito mais velho.

— EU DISSE QUE ESTA É UMA AÇÃO DE CEIFADORES E QUE NÃO DE-VEM INTERFERIR, DO CONTRÁRIO COLETO VOCÊS AGORA MESMO!

Então o capitão dos bombeiros percebeu ter cometido um erro terrível. Ninguém além de um ceifador poderia ser tão imponente e assumir tão bem o controle da situação.

— Sim, excelência — o capitão disse com voz rouca. — Desculpe, excelência.

O ceifador levantou, deixando que o capitão fizesse o mesmo. Ele mandou seu esquadrão recuar e este, depois de ver o ceifador derrubar o capitão com tanta força, não questionou.

— Vocês podem proteger os edifícios ao redor que estiverem ameaçados — o jovem ceifador disse —, mas vão deixar este complexo se reduzir a cinzas.

— Entendido, excelência.

Então, o ceifador ergueu seu anel, e o capitão o beijou com tanta força que trincou um dente.

Rowan sentia a pele formigar sob o manto empapado de sangue do ceifador Goddard, mas, por mais desagradável que fosse, precisava continuar representando aquele papel. Ele foi muito mais convincente do que pensou que seria. Ficou com medo de si mesmo.

Os bombeiros voltaram a atenção para os prédios adjacentes, apontando as mangueiras com retardadores de chama para os telhados nas proximidades. Rowan ficou parado entre o convento tonista em chamas e a multidão ainda contida pelos agentes da paz. Ele ficou ali até que o campanário com o diapasão gigante no topo cedeu e mergulhou nas chamas, ressoando com um tinido lamentoso ao tombar no chão.

Me tornei o monstro dos monstros, ele pensou enquanto via tudo arder em chamas. *O matador de leões. O carrasco de águias.*

Então, evitando tropeçar no manto, Rowan afastou-se do fogo que consumia tudo, sem deixar nada do ceifador Goddard e seus discípulos para trás além de ossos chamuscados demais para serem revividos.

Parte V

A ESCOLHA DA CEIFA

Os ceifadores Rand e Chomsky têm assuntos muito mórbidos. Eles são loucos, mas devo admitir que isso faz parte do charme deles. Hoje mesmo eles discutiam sobre que método usariam para se autocoletar algum dia. Noam disse que subiria no topo de um vulcão ativo e, depois que uma cerimônia grandiosa o cercasse, se atiraria dentro da lava. Ayn falou que mergulharia na Grande Barreira de Corais até ficar sem oxigênio ou ser comida por um tubarão-branco. Eles queriam que eu entrasse na brincadeira e dissesse como preferiria partir. Podem me chamar de chato, mas não quis participar. Por que ficar falando sobre a autocoleta, se essa deveria ser a última coisa em nossa mente? Nosso objetivo é tirar a vida dos outros, não a nossa — e pretendo continuar assim por milhares de anos.

Do diário de coleta do ceifador Volta

37

Jogando verde

— Uma tragédia! Uma tragédia terrível! — O Alto Punhal Xenócrates estava sentado num sofá confortável na grandiosa mansão que, dois dias antes, era ocupada pelo ceifador Goddard. Agora, ele estava diante do aprendiz Rowan, que parecia calmo demais para um jovem que havia passado por tamanho tormento. — Fique tranquilo que o uso de fogo por qualquer ceifador midmericano será banido no conclave de amanhã.

— Já estava mais do que na hora! — Rowan disse, falando não como um aprendiz, mas como um igual, o que irritou o Alto Punhal Xenócrates, que olhou o garoto de cima a baixo.

— Você teve muita sorte de sair vivo de lá.

Rowan o encarou.

— Meu posto era no portão externo — ele disse. — Quando vi que o incêndio saiu do controle, não havia nada que eu pudesse fazer. O ceifador Goddard e os outros estavam presos lá dentro. Aquele lugar era um labirinto... eles não tinham a menor chance. — Então, Rowan fez uma pausa. Parecia olhar tão profundamente para Xenócrates quanto Xenócrates olhava para ele. — Agora, todos os ceifadores devem me ver como um mau agouro. Afinal, passei por dois ceifadores num único ano. Imagino que isso encerre a minha aprendizagem.

— Bobagem. Você chegou até aqui — Xenócrates disse. — Por

respeito ao ceifador Goddard, você vai fazer seu último teste hoje à noite. Não posso falar pelo comitê de concessão de joias, mas não tenho dúvidas que, levando em conta tudo o que você passou, eles ficarão ao seu lado.

— E Citra?

— Se você receber o anel, confio que vai coletar a srta. Terranova e pôr um fim nesse capítulo desagradável da nossa história.

Um empregado chegou com champanhe e canapés. Xenócrates observou ao redor. A mansão, antes tão cheia de empregados, agora parecia ter apenas esse. Os outros deviam ter fugido no instante em que ficaram sabendo que o ceifador Goddard e seus associados haviam sucumbido ao incêndio. Pelo visto, Xenócrates não era o único que se sentia livre com a morte de Goddard.

— Por que você está aqui, se todos os outros foram embora? — ele perguntou ao empregado. — Duvido que seja por lealdade.

Foi Rowan quem respondeu.

— Na verdade esta mansão é dele.

— Sim — disse o homem. — Mas vou pôr à venda. Eu e minha família não conseguimos mais nos imaginar vivendo aqui. — Ele deu uma taça de champanhe a Xenócrates. — Mas tenho o maior prazer em servir um Alto Punhal.

Pelo visto, o homem havia passado de empregado a bajulador. Não era uma diferença muito grande. Depois que o empregado saiu da sala, Xenócrates se concentrou no verdadeiro motivo de sua visita: jogar verde para colher maduro, se é que colheria alguma coisa. Ele se aproximou um pouco de Rowan.

— Há boatos de que um ceifador ou, pelo menos, alguém que se parecia com um ceifador, saiu para falar com os bombeiros.

Rowan nem pestanejou.

— Ouvi isso também. Tem até alguns vídeos que as pessoas

publicaram. Muito imprecisos por causa de toda a fumaça. Não dá pra ver muita coisa.

— Sim, isso só aumenta a confusão geral.

— Mais alguma coisa, excelência? Estou exausto e, se tenho de enfrentar meu último teste hoje à noite, preciso descansar bastante.

—Você sabe que nem todos na Ceifa estão convencidos de que se tratou de um acidente. Precisamos começar uma investigação, só para garantir.

— Faz sentido — disse Rowan.

—Até agora, conseguimos identificar o ceifador Volta e o ceifador Chomsky por seus anéis e pelas pedras em seus mantos, que se encontravam junto de seus restos mortais. Os rubis de Chomsky e as citrinas de Volta. Quanto à ceifadora Rand, temos quase certeza de que está nos escombros sob o diapasão gigante que caiu pelo telhado da capela.

— Faz sentido — Rowan disse novamente.

— Mas encontrar o ceifador Goddard se provou um desafio. Claro, havia tantos tonistas coletados na capela antes do incêndio sair do controle que é uma dificuldade enorme conseguir uma identificação segura. Era de se esperar que os restos mortais do ceifador, assim como os dos outros, estivessem cercados por pequenos diamantes e a pedra maior de seu anel, mesmo que o metal tivesse derretido.

— Faz sentido — Rowan disse pela terceira vez.

— O que não faz sentido é o fato de que perto do esqueleto que pensamos ser o dele não se encontrou nada disso — disse Xenócrates. — E também não encontramos o crânio.

— Que estranho — disse Rowan. — Bom, tenho certeza de que está em algum lugar.

— Imagino que sim.

—Talvez devessem procurar um pouco melhor.

Nesse exato momento, Xenócrates notou a menina parada no limiar da sala, sem saber se deveria entrar ou sair. Ele não sabia ao certo o quanto ela tinha ouvido — nem se isso importava.

— Esme, entre — disse Rowan. —Você se lembra de sua excelência, o Alto Punhal Xenócrates, não é?

— Sim — ela disse. — Ele pulou na piscina. Foi engraçado.

Xenócrates se remexeu, incomodado com a menção de seu incidente vergonhoso. Era algo que ele preferia não lembrar.

—Tomei providências para que Esme seja levada de volta à mãe dela — Rowan disse. — Mas talvez o senhor prefira levá-la pessoalmente.

— Eu? — disse Xenócrates, fingindo indiferença. — Por que eu faria uma coisa dessas?

— Porque o senhor se importa com as pessoas — Rowan disse, com uma piscadinha oportuna. — Com algumas mais do que com outras.

Enquanto olhava para a filha que jamais poderia reconhecer nem pública nem secretamente, o Alto Punhal amoleceu um pouquinho. O rapaz havia planejado isso, não? Esse Rowan Damisch era um sujeito astuto — uma característica admirável, se orientada na direção certa. Talvez Rowan merecesse mais atenção do que o Alto Punhal lhe dera no passado.

Esme esperou para ver o que aconteceria em seguida, e Xenócrates finalmente lhe abriu um sorriso afetuoso.

— Seria um prazer levar você para a sua casa, Esme.

Com isso, Xenócrates se levantou para sair... mas não podia partir ainda. Ainda havia mais uma coisa a fazer. Mais uma decisão que o Alto Punhal tinha autoridade para tomar. Ele se voltou para Rowan.

— Talvez eu devesse usar minha influência para cancelar a investigação — ele disse. — Por respeito aos nossos camaradas mortos em serviço. Para poupar sua memória de investigações forenses inábeis que podem manchar seu legado.

—Vamos deixar os mortos descansarem em paz — concordou Rowan.

E assim eles chegaram a um acordo tácito. O Alto Punhal pararia de jogar verde e Rowan guardaria seu segredo.

— Se precisar de um lugar para ficar depois que sair daqui, Rowan, por favor, saiba que minha porta está sempre aberta para você.

— Obrigado, excelência.

— Não, *eu* é que agradeço, Rowan.

Depois disso, o Alto Punhal pegou Esme pela mão e saiu para levá-la de volta para casa.

O poder de vida e de morte não pode ser concedido de maneira leviana, mas com uma cautela estoica e ponderada. A ascensão à condição de ceifador não deve ser facilitada de forma alguma. Nós que fundamos a Ceifa travamos nossas próprias batalhas no processo e devemos garantir que todos que se juntem a nós enfrentem uma prova que seja não apenas instrutiva, mas também transformadora. O ofício de ceifador é a mais alta vocação da humanidade, e realizar essa vocação deve marcar até o fundo da alma, para que nenhum ceifador jamais se esqueça do preço do anel que eles usam.

Obviamente, para os que veem de fora, nosso rito de passagem pode parecer de uma crueldade impensável. E é por isso que deve sempre permanecer como um sacramento secreto.

Do diário de coleta do ceifador Prometeu,
o primeiro Supremo Punhal Mundial

38

O teste final

No dia dois de janeiro do Ano da Capivara, um dia antes do Conclave Invernal, a ceifadora Curie levou Citra de carro pelo longo trajeto até o Capitólio da MidMérica.

— Seu último teste vai ser hoje à noite, mas você só saberá o resultado no conclave de amanhã — ela disse a Citra, mas a garota já sabia isso. — É o mesmo teste, ano após ano, para todos os aprendizes. E todo aprendiz precisa realizá-lo sozinho.

Isso Citra não sabia. Fazia sentido que o último teste fosse algo padronizado pelo qual todos os candidatos tinham de passar, mas, por algum motivo, a ideia de ter de enfrentá-lo sozinha era perturbadora. Porque agora ela não estaria competindo contra Rowan e os demais. Estaria competindo contra si mesma.

— A senhora deveria me falar qual é o teste.

— Não posso — disse a ceifadora Curie.

— Quer dizer que não quer contar.

Curie refletiu um pouco.

—Você tem razão. Não quero contar.

— Se eu puder falar francamente, excelência...

— Quando você não falou francamente, Citra?

Citra limpou a garganta e tentou ser o mais persuasiva possível.

— A senhora joga limpo demais, e isso me deixa em desvantagem. A senhora não gostaria de me ver sofrer só porque é honorável demais, não é?

— Em nosso ofício, devemos manter toda honra que temos.

— Tenho certeza de que os outros ceifadores falam para seus aprendizes qual é o teste final.

— Talvez sim — disse a ceifadora Curie —, talvez não. Existem algumas tradições que nem os mais inescrupulosos dentre nós ousam quebrar.

Citra cruzou os braços e não disse mais nada. Ela sabia que estava fazendo birra e que isso era infantil, mas não se importava.

— Você confia no ceifador Faraday, não confia? — perguntou a ceifadora.

— Confio.

— Passou a confiar tanto em mim quanto confiava nele?

— Sim.

— Então confie em mim agora e deixe essa pergunta pra lá. Acredito na sua capacidade de brilhar no teste final, mesmo sem saber como ele será.

— Sim, excelência.

Elas chegaram às oito da noite e foram informadas que, pelo sorteio, o teste de Citra seria o último. Rowan e os outros dois candidatos o fariam primeiro. Ela e Curie ficaram numa sala de espera onde esperaram, esperaram e continuaram a esperar.

— Isso foi um tiro? — Citra perguntou, talvez depois de uma hora. Ela não sabia se estava imaginando coisas.

— Shhh. — Foi a única resposta da ceifadora.

Finalmente, um guarda entrou para buscá-la. Curie não lhe desejou boa sorte — apenas fez um aceno com a cabeça, séria.

— Estarei esperando aqui quando você acabar — ela disse.

Citra foi levada a uma sala comprida que parecia fria e desagradável. Havia cinco ceifadores em cadeiras confortáveis numa ponta. Reconheceu dois deles: o ceifador Mandela e a ceifadora Meir. Os outros três ela não conhecia. *O comitê de concessão de joias*, ela pensou.

Diante dela havia uma mesa coberta com uma toalha branca limpa. E, sobre a toalha de mesa, a espaços regulares, se viam armas: uma pistola, uma espingarda, uma cimitarra, uma faca Bowie e um frasco com um comprimido de veneno.

— Para que elas estão aí? — Citra perguntou. E logo percebeu que era uma pergunta idiota. Ela sabia para que elas estavam ali. Então, reformulou a pergunta: — O que exatamente querem que eu faça?

— Olhe para o outro lado da sala — o ceifador Mandela disse, apontando. Um holofote iluminou, no outro extremo da sala, uma cadeira que até então estava escondida entre as sombras; uma cadeira menos confortável que as deles. Havia uma pessoa sentada nela, com as mãos e as pernas amarradas e um capuz de lona cobrindo sua cabeça.

— Queremos ver como você vai coletar — a ceifadora Meir disse. — Para isso, preparamos um indivíduo especial para você fazer sua demonstração.

— Como assim, "especial"?

—Veja com seus próprios olhos — disse o ceifador Mandela.

Citra se aproximou da cadeira. Conseguia ouvir a tênue respiração sob o capuz. Ela o tirou.

Nada poderia tê-la preparado para o que viu. Agora, ela entendia por que a ceifadora Curie não havia lhe contado.

Porque, amarrado à cadeira, amordaçado, apavorado e chorando, estava seu irmão, Ben.

Ele tentava falar, mas nada saía da mordaça além de grunhidos abafados.

Ela recuou, depois correu de volta para os cinco ceifadores.

— Não! Vocês não podem fazer isso! Não podem me obrigar a fazer isso!

— Não podemos obrigar você a nada — disse uma ceifadora que ela não conhecia, uma mulher com manto roxo e traços panasiáticos. — Se fizer isso, vai ser por escolha própria. — Então, a mulher deu um passo à frente e estendeu uma pequena caixa para Citra. — A sua arma será escolhida ao acaso. Pegue um papel.

Citra pôs a mão dentro da caixa e pegou um pedaço de papel. Não teve coragem de abri-lo. Virou-se para olhar o irmão, sentado indefeso na cadeira.

— Como podem fazer isso com as pessoas?! — ela gritou.

— Minha querida — disse a ceifadora Meir com uma paciência ensaiada —, não se trata de uma coleta, porque você ainda não é uma ceifadora. Precisa apenas deixá-lo semimorto. Um ambudrone vai levá-lo para ser revivido assim que você completar a tarefa.

— Mas ele vai se lembrar!

— Sim — disse o ceifador Mandela. — E você também.

Um dos outros ceifadores que ela não conhecia cruzou os braços e bufou, do mesmo jeito que ela fizera a caminho dali.

— Ela é obstinada demais — ele disse. — Deixem-na ir. Já está muito tarde.

— Dê tempo a ela — disse o ceifador Mandela, severamente.

O quinto ceifador, um homem baixo, de testa estranhamente franzida, levantou e leu um pergaminho que devia ter pelo menos algumas centenas de anos.

— Você não pode ser coagida a realizar sua tarefa. Pode levar todo o tempo que for preciso. Deve usar a arma especificada. Quando acabar, sairá de perto do indivíduo e se aproximará do comitê para ouvir a avaliação de seu desempenho. Está claro?

Citra assentiu.

— Uma resposta verbal, por favor.

— Sim, está claro.

Ele voltou a se sentar e a garota desdobrou o pedaço de papel. Nele, havia uma única palavra.

Faca.

Ela deixou cair o papel no chão. *Não consigo fazer isso*, ela disse a si mesma. *Não consigo.* Mas ouviu a voz doce da ceifadora Curie. *Sim, Citra, você consegue.*

Foi então que lhe ocorreu que todos os ceifadores, desde o início da Ceifa, tinham de fazer aquele teste. Todos eram obrigados a tirar a vida de uma pessoa amada. Sim, a pessoa seria revivida, mas isso não apagava a frieza do ato. O subconsciente não sabe diferenciar mortes permanentes de mortes temporárias. Mesmo depois que ele fosse revivido, como ela poderia suportar encarar o irmão nos olhos novamente? Porque, se matasse Ben agora, esse gesto não poderia ser apagado.

— Por quê? — ela perguntou. — Por que preciso fazer isso?

O ceifador irritado apontou para a porta.

— A saída está ali. Se isso for demais para você, pode ir embora.

— Acho que ela está fazendo uma pergunta legítima — disse a ceifadora Meir.

O ceifador irritado bufou, o baixinho deu de ombros. A panasiática bateu levemente o pé, e o ceifador Mandela se inclinou para a frente.

— Você precisa fazer isso para poder seguir em frente como ceifadora — respondeu o ceifador Mandela — sabendo, em seu coração, que a coisa mais difícil que teria de fazer na vida… já foi feita.

— Se conseguir fazer isso — acrescentou a ceifadora Meir —, terá a força interior necessária para ser uma ceifadora.

Ainda que Citra quisesse sair correndo pela porta e fugir daquilo tudo, ela endireitou os ombros, ergueu a cabeça, estendeu a mão e pegou a faca Bowie. Com a arma escondida às costas, presa na cinta, aproximou-se do irmão. Só a sacou quando já estava perto dele.

— Não precisa ter medo — ela disse. Ela se ajoelhou e usou a faca para cortar as amarras em suas pernas, depois as que prendiam seus punhos à cadeira. Tentou desatar a mordaça, mas não conseguiu, então também a cortou.

— Já posso ir pra casa? — Ben perguntou com um tom de desamparo que partiu o coração dela.

— Ainda não — ela respondeu, ajoelhada ao seu lado. — Mas logo vai poder.

—Você vai me machucar, Citra?

Citra não conseguia conter as lágrimas e nem tentou. De que adiantaria?

— Sim, Ben. Eu sinto muito.

—Vai me coletar? — Ele mal conseguia pronunciar essas palavras.

— Não — ela respondeu. — Eles vão levar você a um centro de revivificação. Você vai ficar novinho em folha.

— Promete?

— Prometo.

Ele pareceu um pouquinho aliviado. Citra não explicou por que tinha que fazer aquilo e ele não perguntou. Ele confiava na irmã. Confiava que, qualquer que fosse seu motivo, era um bom motivo.

—Vai doer? — Ben perguntou.

De novo, ela percebeu que não podia mentir para ele.

—Vai, mas não por muito tempo.

Ele levou um momento para refletir sobre isso. Processar. Aceitar. Depois perguntou:

— Posso ver?

Por um momento, ela não entendeu do que ele estava falando, até ele apontar para a faca. Ela a pôs com cuidado nas mãos dele.

— É pesada — ele disse.

— Sabia que os ceifadores texanos só coletam com facas Bowie?

— É pra lá que você vai quando virar ceifadora? Pro Texas?

— Não, Ben. Vou ficar por aqui mesmo.

Ele virou a faca em sua mão; os dois ficaram olhando a luz refletir na lâmina brilhante. Depois a devolveu.

— Estou com muito medo, Citra — ele disse, com uma voz que mal chegava a ser um sussurro.

— Eu sei. Eu também. Não tem problema ter medo.

— Vou ganhar sorvete? — ele perguntou. — Ouvi dizer que dão sorvete nos centros de revivificação.

Citra fez que sim e limpou uma lágrima do rosto dele.

— Feche os olhos, Ben. Pense no sorvete que você quer. E me conte.

Ben obedeceu.

— Quero um sundae com três bolas e calda quente e gotas de chocolate…

Antes que ele pudesse terminar, Citra o puxou para perto de si e enfiou a faca exatamente como tinha visto a ceifadora Curie fazer. Ela queria gritar de agonia, mas se conteve.

Ben abriu os olhos. Olhou para ela e, um segundo depois, acabou. Ben não estava mais lá. Citra jogou a faca de lado, abraçou o irmão e deitou-o delicadamente no chão. De uma porta atrás deles, que ela não tinha visto, dois médicos de revivificação entraram correndo, puseram seu irmão semimorto em uma maca e saíram por onde tinham entrado.

As luzes se acenderam sobre os ceifadores. Eles pareciam ainda mais distantes do que antes. Atravessar a sala até lá parecia uma caminhada impossivelmente longa. De imediato eles começaram a lhe lançar uma enxurrada de comentários terríveis.

— Malfeito.

— Discordo! Quase não tem sangue.

— Ela pôs a arma na mão dele. Sabe como isso é arriscado?

— E toda aquela falação desnecessária.

— Ela estava preparando o garoto para garantir que ele estivesse pronto.

— Pra que isso importa?

— Ela demonstrou coragem, mas, mais importante, teve compaixão. Não é assim que devemos ser?

— Devemos ser eficientes, isso sim.

— A eficiência deve estar a serviço da compaixão!

— Essa é uma questão de opinião!

Então os ceifadores ficaram em silêncio, pelo visto concordando em discordar. Citra desconfiou que os ceifadores Mandela e Meir estavam do lado dela, e o irritadiço, não. Quanto aos outros dois, não fazia ideia da posição deles.

— Obrigada, srta. Terranova — disse a ceifadora Meir. — Pode ir agora. Os resultados serão anunciados no conclave de amanhã.

A ceifadora Curie a esperava no corredor. Citra estava furiosa com ela.

— A senhora deveria ter me contado!

— Isso só teria piorado as coisas. E, se eles percebessem que você sabia antes de entrar na sala, teria sido desclassificada. — Ela olhou para as mãos de Citra. — Vem, você precisa se lavar. Tem um banheiro por aqui.

— Como os outros candidatos foram? — Citra perguntou.

— Pelo que ouvi dizer, a moça se recusou terminantemente e saiu da sala. O garoto chegou a começar, mas perdeu o controle e não conseguiu terminar a prova.

— E Rowan? — Citra perguntou.

Curie não olhou para ela.

— Ele sorteou a pistola como arma.

— E?

A ceifadora Curie continuou hesitante.

— Me fala!

— Ele puxou o gatilho antes mesmo que terminassem de ler as instruções.

Citra fez uma careta só de pensar. A ceifadora Curie estava certa — ele não parecia o Rowan que ela conhecia. O que Rowan teria vivido para se tornar tão frio? Ela não tinha nem coragem de imaginar.

Sou a faca movida por sua mão,
cortando um arco-íris reluzente.
Sou o badalo, mas você é o sino,
tocando na escuridão crescente.
Se você é um cantor, sou a canção,
uma trenodia, um réquiem, uma canção fatal.
Você me tornou a resposta às necessidades do mundo,
a premência da humanidade imortal.

"Trenodia", das obras completas do ceifador Sócrates

39

Conclave Invernal

À meia-noite, a imunidade de Citra Terranova e Rowan Damisch expirou. Qualquer um dos dois poderia ser coletado e, se o decreto fosse obedecido — e a Ceifa garantiria que fosse —, um dos dois coletaria o outro.

Em todo o mundo, os ceifadores estavam se reunindo para discutir questões de vida, mas, mais importante, questões de morte. O primeiro conclave do ano da MidMérica foi histórico. Nunca houve ceifadores que perderam a vida permanentemente em uma coleta, e a polêmica sobre aquele evento o tornou ainda mais significativo — assim como a polêmica sobre o desaparecimento, durante três meses, de uma aprendiz, após uma acusação falsa proferida pelo Alto Punhal Midmericano. Até mesmo o Concílio Mundial de Ceifadores estava de olho na Cidade Fulcral naquele dia. E, embora fosse raro que as pessoas, além do comitê regional de concessão de joias, soubessem os nomes dos aprendizes, ceifadores de todo o mundo agora sabiam quem eram Citra Terranova e Rowan Damisch.

O frio era congelante na Cidade Fulcral naquela manhã. Os degraus de mármore que levavam ao Capitólio estavam cobertos por uma camada de gelo, tornando a escada traiçoeira. Mais de um ceifador escorregou, distendendo um joelho ou quebrando um braço. Os nanitos de cura foram sobrecarregados naquela manhã, para o encanto dos espectadores, que se animavam com qualquer coisa que retardasse a entrada dos ceifadores, dando tempo para mais fotos.

Rowan chegou sozinho em um carro público, sem nenhum mentor, sem ninguém para acompanhá-lo. Ele estava vestindo a única cor que os ceifadores evitavam: preto. Isso fazia seu bracelete verde de aprendiz se destacar ainda mais e lhe conferia um discreto ar de rebeldia. No Conclave da Colheita, ele não havia passado de um detalhe. Agora, porém, os espectadores faziam de tudo para conseguir tirar uma foto dele. Rowan os ignorou e subiu a escada sem olhar para ninguém, tomando cuidado para não escorregar.

Um ceifador perto dele escorregou no gelo e caiu. Rowan reconheceu o ceifador Emerson, embora nunca tivessem sido apresentados. Rowan estendeu a mão para ajudá-lo a se levantar, mas Emerson o encarou e recusou a ajuda.

— Não quero nenhuma ajuda vinda de *você* — ele disse a Rowan, pronunciando "você" com um azedume que o garoto nunca tinha ouvido em seus dezessete anos de vida.

Mas quando ele chegou ao topo da escada, um ceifador que ele não conhecia o cumprimentou e disse em tom amistoso:

— Você sofreu mais do que um aprendiz merece sofrer, sr. Damisch. Sinceramente, espero que receba o anel. E quando isso acontecer, espero que possamos tomar um chá juntos.

A oferta parecia de coração, e não fruto de manobras políticas. O mesmo aconteceu quando ele entrou na rotunda. Olhares duros de alguns e sorrisos reconfortantes de outros. Poucos pareciam indecisos em relação a ele. Ou Rowan era uma vítima das circunstâncias ou um criminoso como não se via desde a Era da Mortalidade. Mais do que qualquer um, Rowan desejava saber qual dos dois ele era.

Citra chegou antes de Rowan. Estava acompanhada pela ceifadora Curie na rotunda, sem apetite para se servir à farta mesa de café da manhã. Obviamente, o grande assunto era a tragédia no convento tonista. E, enquanto ouvia fragmentos de conversa, Citra sentiu raiva por tudo girar em torno dos quatro ceifadores mortos. Ninguém lamentava os inúmeros tonistas coletados. Alguns, aliás, chegaram a fazer piadas de mau gosto sobre eles.

— Depois da tragédia tonista, o conclave ganhou certa *ressonância*, você não acha? — Ela ouviu alguém dizer. — Sem trocadilhos. — Mas era claramente um trocadilho.

Curie estava ainda mais ansiosa do que no Conclave da Colheita.

— O ceifador Mandela me falou que você teve um bom desempenho ontem à noite — ela comentou com Citra. — Mas falou com cautela.

— O que a senhora acha que isso quer dizer?

— Não sei. Só sei que, se você não receber o anel hoje, Citra, nunca vou me perdoar.

Era absurdo pensar que a lendária ceifadora Marie Curie, a Grande Dama da Morte, se importaria tanto com ela — e ainda mais absurdo achar que ela poderia ter errado em alguma coisa.

— Eu tive a honra de ser treinada por dois dos maiores ceifadores do mundo, a senhora e o ceifador Faraday. Se isso não me preparou o bastante para hoje, nada poderia ter me preparado.

A ceifadora Curie sorriu com um orgulho doce e triste ao mesmo tempo.

— Quando isso tudo acabar e você for ordenada, espero que me dê a honra de continuar comigo como jovem ceifadora. Outros ceifadores vão fazer propostas, talvez até de regiões distantes. Vão dizer que há coisas que você pode aprender com eles e que não teria como aprendê-las comigo. Talvez seja verdade, mas sinceramente espero que decida continuar comigo mesmo assim. — Seus olhos estavam cheios de água. Se piscasse, as lágrimas cairiam, mas a ceifadora as conteve nos cílios, orgulhosa demais para ser pega chorando no conclave.

Citra sorriu.

— É tudo o que eu quero, Marie. — Era a primeira vez que Citra a chamava pelo primeiro nome. Ela ficou surpresa ao perceber como aquilo lhe parecia natural.

Enquanto esperavam a chamada do conclave, outros ceifadores vieram cumprimentá-las. Ninguém comentou a detenção de Citra nem sua fuga para a Chilargentina, mas houve quem brincasse com a ceifadora a propósito daquela anotação de diário constrangedora.

— Na Era da Mortalidade, o amor e o homicídio viviam de mãos dadas — ironizou o ceifador Twain. — Talvez nosso querido ceifador Faraday tenha entendido suas intenções perfeitamente.

— Ah, vai se coletar! — Curie disse, contendo um sorriso, embora não completamente.

— Só se eu puder ir ao meu próprio funeral, minha cara. — Depois, desejou boa sorte a Citra e saiu andando.

Foi então que Citra avistou Rowan entrando na rotunda. Não se pode dizer que o salão ficou em silêncio absoluto, mas o volume das conversas caiu perceptivelmente e logo voltou a subir. Agora ele era uma personalidade. Não como um ceifador, mas como outra coisa. Um excluído social, talvez. Uns diziam que Rowan havia matado aqueles ceifadores a sangue frio e posto fogo para ocultar os indícios do crime. Outros diziam que fora uma sorte ele ter sobrevivido e que não tinha culpa. Citra desconfiava que, qualquer que fosse a verdade, era muito mais complicada do que essas duas possibilidades.

— Não fale com ele — disse a ceifadora Curie quando a viu olhando em sua direção. — Nem mesmo deixe que Rowan perceba que você está olhando para ele. Isso só vai tornar as coisas mais difíceis para vocês.

— Eu sei — Citra concordou, embora no íntimo torcesse para que ele tivesse a ousadia de atravessar a multidão e ir até ela. E, quem sabe, falar alguma coisa, qualquer coisa, que provasse que ele não era o tremendo criminoso que estavam dizendo ser.

Se ela fosse escolhida hoje, Citra não desafiaria o decreto de coletar Rowan — mas tinha um plano que poderia salvar os dois. Era longe de ser infalível — e, sendo brutalmente honesta consigo mesma, era mais uma esperança vã do que um plano. Mas qualquer fiapo de esperança era melhor do que nada. Se estava se iludindo, pelo menos essa ilusão lhe permitiria atravessar aquele dia terrível.

Rowan imaginou como seria aquele dia diversas vezes, do começo ao fim. Tinha decidido não falar com Citra quando a visse. Não precisava de um conselheiro para lhe dizer que era melhor assim. Era melhor continuarem afastados até o terrível momento da verdade que os separaria para sempre.

Se Citra vencesse, Rowan tinha certeza de que ela o coletaria. O dever a obrigava a isso. Ela ficaria arrasada, mas, no fim, faria o que precisava ser feito. Ele se perguntou como ela o coletaria. Talvez Citra lhe quebrasse o pescoço, fechando o ciclo daquela maldita aprendizagem dupla com um belo toque final.

Rowan admitia que tinha medo de morrer, mas, mais do que a morte, temia as profundezas que agora sabia ser capaz de atingir. A facilidade com que tinha deixado sua mãe semimorta durante a prova na noite anterior dizia muito sobre a pessoa que ele havia se tornado. Ele preferia se autocoletar a ser essa pessoa.

Obviamente, era possível que ele fosse escolhido no lugar de Citra. Aí as coisas ficariam interessantes. Ele decidiu que não se coletaria — seria um gesto inútil e patético. Se fosse ordenado, desafiaria o decreto, invocando o décimo mandamento, que dizia claramente que ele não era obrigado a seguir nenhuma lei além das dez — incluindo quaisquer decretos impostos pela Ceifa. Ele se recusaria a coletar Citra e defenderia a vida dela eliminando qualquer ceifador que tentasse fazer isso por ele, fosse com armas de fogo, facas ou com as próprias mãos. Transformaria aquele conclave num campo de batalha brutal e sangrento até que o abatessem — o que não seria fácil, considerando o quanto se tornara habilidoso na arte de matar e a força de seu impulso para causar o máximo de destruição possível. E o irônico era que eles nem mesmo poderiam coletá-lo! Depois que fosse ordenado, as mãos deles estariam atadas pelo sétimo mandamento.

Mas eles poderiam puni-lo.

Poderiam fazer com que morresse mil mortes e fosse encarcerado por toda a eternidade — e realmente seria a eternidade, porque ele nunca lhes daria o prazer de se autocoletar. Outro motivo por que preferia ser coletado por Citra. Uma morte em suas mãos hábeis parecia muito melhor comparada com a alternativa.

O bufê de café da manhã estava primoroso. Fatias de salmão de verdade defumado, pães artesanais com crostas crocantes e uma mesa de waffles com todo tipo de cobertura imaginável. Só o melhor para os ceifadores da MidMérica.

Naquela manhã, Rowan comeu com uma gula rara, permitindo-se como nunca saciar seu apetite, e, enquanto comia, lançou alguns olhares discretos para Citra. Mesmo agora, ela parecia radiante. Era ridículo ainda manter pensamentos românticos em relação a ela naqueles instantes finais. O que antes poderia ter sido amor, agora era a resignação de um coração partido havia muito tempo. Para a sorte de Rowan, seu coração ficara tão frio que, caso se partisse, ele não sentiria nenhuma dor.

★

Quando o conclave começou, Citra não prestou atenção em grande parte do ritual matinal, preferindo ocupar a mente com lembranças da vida que estava prestes a abandonar — isso porque, de um jeito ou de outro, abandonaria aquela vida. Concentrou os pensamentos em seus pais e em seu irmãozinho — que ainda estava no centro de revivificação.

Se ela fosse ordenada, a casa onde crescera nunca mais seria a casa dela. Seu maior consolo era o fato de Ben e seus pais terem imunidade contra coleta pelo tempo que ela vivesse.

Depois do Carrilhão dos Nomes e da ablução ritualística, a manhã inteira foi dedicada a um debate acalorado sobre a proibição do fogo como método de coleta.

Normalmente, o Alto Punhal Xenócrates não fazia nada além de mediar discussões e adiá-las para um próximo conclave. O fato de estar defendendo a proibição fez com que todos os presentes o levassem a sério. Mesmo assim, foram fortes as opiniões contrárias.

— Não vou perder meu direito de portar armas! — gritou um ceifador descontente. — Todos devemos ter a liberdade de usar lança-chamas, explosivos e qualquer outro equipamento incendiário!

A afirmação foi recebida com vaias e aplausos.

— Precisamos dessa proibição para nos proteger de acidentes no futuro — insistiu Xenócrates.

— Não foi um acidente! — alguém gritou, e quase metade do salão expressou sua concordância energicamente. Citra olhou para Rowan, que estava sentado entre duas cadeiras vazias, ainda marcadas com o nome dos mortos. Ele não procurou se defender nem refutar as acusações.

A ceifadora Curie se aproximou de Citra.

— Por mais terrível que tenha sido o incêndio, muitos ceifadores estão contentes por Goddard e seus discípulos terem sido destruídos de maneira definitiva. Podem não admitir, mas estão felizes pelo incêndio ter acontecido, sendo ou não um acidente.

— E muitos outros admiravam Goddard — Citra disse.

— Sim. A Ceifa parece igualmente dividida.

Apesar de tudo, o bom senso finalmente prevaleceu, e o fogo foi proibido na MidMérica como método de coleta.

No almoço, Citra — que ainda não conseguia comer — observou de longe Rowan se empanturrar da mesma forma que no café da manhã, como se não tivesse nenhuma preocupação na vida.

— Ele sabe que esta é sua última refeição — comentou uma ceifadora que ela não conhecia. Embora a mulher estivesse claramente demonstrando seu apoio a ela, Citra se irritou.

— O que você tem a ver com isso?

A ceifadora se afastou, confusa ante a hostilidade de Citra.

Às seis da tarde, todos os outros assuntos do conclave foram encerrados, e o dia avançou para seu estágio final.

— Os candidatos ao anel, por favor, se levantem — ordenou o escrivão do conclave.

Citra e Rowan se levantaram em meio a um burburinho na assembleia.

— Pensei que fossem quatro — disse o Alto Punhal.

— Eram, excelência — respondeu o escrivão. — Mas os outros dois fracassaram no teste final e foram dispensados.

— Muito bem, então — disse Xenócrates. — Vamos lá.

O escrivão se levantou, anunciando-os formalmente.

— A Ceifa Midmericana convoca Rowan Daniel Damisch e Citra Querida Terranova. Por favor, venham à frente.

Então, mantendo os olhos fixos no ceifador Mandela, que esperava por eles com um único anel, Citra e Rowan caminharam até a tribuna da assembleia para encontrar seu destino, fosse ele qual fosse.

É sempre com uma felicidade amarga que vejo a concessão de joias aos jovens ceifadores ao fim de todo conclave. Feliz porque eles são nossa esperança e ainda nutrem o idealismo dos primeiros ceifadores em seus corações. Amarga porque sei que, no futuro, eles estarão tão cansados e exaustos que vão tirar a própria vida, como fizeram todos os primeiros ceifadores.

Contudo, toda vez que os novos ceifadores recebem seus anéis, ainda me alegro, porque isso me permite, mesmo que por algum instante sublime, crer que vamos todos escolher viver eternamente.

Do diário de coleta da ceifadora Curie

40

A ordenação

— Oi, Citra. Bom te ver.

— Oi, Rowan.

— Peço que os candidatos evitem conversar entre si e fiquem de frente para o conclave — disse Xenócrates.

Os sussurros e murmúrios dos ceifadores cessaram no momento em que Citra e Rowan se voltaram para eles. Nunca antes se fizera um silêncio tão intenso no salão da assembleia. Rowan abriu um pequeno sorriso — não de alegria, mas de satisfação. Os dois, lado a lado, impunham uma gravidade inegável, capaz de silenciar trezentos ceifadores. O que quer que acontecesse, Rowan teria passado por esse grande momento.

Citra manteve uma expressão resignada, recusando-se a demonstrar a adrenalina que corria em seu corpo.

— O comitê de concessão de joias examinou suas aprendizagens — o ceifador Mandela anunciou, embora estivesse se dirigindo mais ao conclave. — Analisamos seu desempenho em todos os três testes, no primeiro dos quais vocês dois foram reprovados, mas em situações muito extenuantes para ambos. Com toda certeza, o instinto de vocês foi proteger um ao outro. Mas a Ceifa deve ser protegida em primeiro lugar. A todo custo.

— Muito bem! — gritou um dos ceifadores.

— O comitê não tomou a resolução de maneira leviana — continuou o ceifador Mandela. — Saibam que deliberamos da forma mais justa possível, tanto em relação a um quanto ao outro. — Então, ergueu ainda mais o tom de sua voz. — Candidatos ao anel, vocês aceitam a decisão do comitê de concessão de joias midmericano? — ele perguntou, como se fosse possível não aceitar.

— Sim, excelência — disse Citra.

— Sim, excelência — ecoou Rowan.

— Faço saber, portanto — disse o ceifador Mandela —, que agora e para todo o sempre, Citra Terranova usará o anel da Ceifa e carregará o fardo que lhe corresponde.

O salão explodiu em vivas. Não apenas dos seus apoiadores óbvios, mas de praticamente todo mundo. Mesmo aqueles que eram solidários a Rowan aprovavam a decisão do comitê — pois, afinal, que apoio Rowan teria dentro da Ceifa? Aqueles que admiravam Goddard o detestavam, e quase todos os que tinham lhe concedido o benefício da dúvida torciam por Citra. Só agora ficara claro que Citra estava ordenada desde o momento em que Goddard e seus discípulos pereceram no incêndio.

— Parabéns, Citra — disse Rowan, sob os gritos de aprovação da plateia. — Sabia que você conseguiria.

Ela percebeu que não conseguia responder e nem mesmo olhar para ele.

O ceifador Mandela se voltou para ela.

—Você já escolheu sua patrona histórica?

— Sim, excelência.

— Então pegue este anel que ofereço a você, coloque-o no dedo e anuncie para a Ceifa MidMericana e para o mundo quem você é agora.

Citra pegou o anel — suas mãos tremiam tanto que quase o derrubou. Colocou-o no dedo. Um encaixe perfeito. Era pesado, e seu ouro era frio, mas se aqueceu rapidamente com o calor de seu corpo. Ela ergueu a mão, como tinha visto outros candidatos ordenados fazerem.

— Escolho ser conhecida como a ceifadora Anastássia — ela disse. — Em homenagem à pessoa mais jovem da família Romanov.

Os ceifadores se voltaram uns para os outros, discutindo entre si aquela escolha.

— Srta. Terranova — disse o Alto Punhal Xenócrates, claramente descontente —, não acredito que seja uma escolha apropriada. Os czares da Rússia foram mais famosos por seus excessos do que por suas contribuições à civilização. E Anastássia Romanov não fez nada de extraordinário em sua curta vida.

— É exatamente por isso que a escolhi, excelência — Citra disse, sem tirar os olhos dele. — Ela era fruto de um sistema corrupto e, por isso, teve a própria vida negada, como eu quase tive.

Xenócrates se eriçou um pouco. Citra continuou.

— Se continuasse viva, quem sabe o que ela poderia ter feito? Talvez pudesse ter mudado o mundo e redimido o nome da família. Eu escolho ser a ceifadora Anastássia. Prometo encarnar a mudança que poderia ter sido feita.

O Alto Punhal a encarou, ainda em silêncio. Então, uma ceifadora se levantou e começou a aplaudir. A ceifadora Curie. Depois outro se juntou a ela, e mais outro e, em pouco tempo, toda a Ceifa estava de pé, em ovação à recém-ordenada ceifadora Anastássia.

Rowan sabia que eles haviam feito a escolha certa. E quando ouviu Citra defender sua escolha de patrona histórica, admirou-a ainda mais. Se já não estivesse de pé, ele também teria se levantado para aplaudi-la.

Quando a salva de palmas cessou e os ceifadores voltaram a sentar, o ceifador Mandela se voltou para Citra.

—Você sabe o que precisa ser feito.

— Sei, excelência.

— Que método você escolheu?

— Lâmina — ela disse. — Muitas das minhas provas me levaram à lâmina. Esta não deve ser diferente. — E, naturalmente, uma bandeja de facas estava preparada, mas não à vista de todos. Um jovem ceifador que fora ordenado no Conclave da Colheita a estava trazendo.

Rowan observou Citra com atenção, mas ela não o encarava. Examinou a bandeja de facas e finalmente se decidiu por uma afiada faca Bowie.

— Usei uma dessas ontem para matar meu irmão — Citra disse. — Prometi que nunca mais tocaria em uma, mas aqui estou eu.

— Como ele está? — Rowan perguntou. Finalmente, Citra olhou para ele. Havia medo nos olhos dela, mas também determinação. *Ótimo*, pensou Rowan. *É bom que ela esteja decidida. Assim vai ser mais rápido.*

— Está na revivificação — ela disse. — Quando acordar, ele vai ter um sundae de chocolate à sua espera.

— Sorte a dele. — Rowan observou a grandiosa elegia de ceifadores. Naquele momento, era um público, não mais um conclave. — Eles estão esperando o espetáculo — Rowan disse. — Vamos dar a eles?

Citra fez que sim com a cabeça.

E, com um sentimento sincero e verdadeiro, Rowan disse:

— É uma honra ser coletado por você, ceifadora Anastássia.

Então, Rowan respirou fundo e se preparou para receber a lâmina. Mas Citra não estava pronta para atacar ainda. Em vez disso, olhou para o anel em sua outra mão.

— Isso é por quebrar meu pescoço — ela disse.

Ela ergueu o punho e deu um soco na cara dele com tanta força que quase o fez cair para trás. A multidão perdeu o fôlego — por essa ninguém esperava.

Rowan levou a mão ao rosto e sentiu sangue jorrando de um enorme corte que o anel tinha feito em sua face.

Depois, finalmente, ela ergueu a faca para coletá-lo — porém, quando estava prestes a cravá-la no peito do garoto, um grito veio da tribuna atrás deles.

— PARE!

Era o parlamentar. Ele ergueu o próprio anel. Estava brilhando com uma luz vermelha. O de Citra também estava e, quando Rowan olhou ao redor, viu que os anéis de todos os ceifadores a menos de dez metros estavam emanando o mesmo brilho de alerta.

— Ele não pode ser coletado — o parlamentar disse. — Ele tem imunidade.

Gritos de indignação se ergueram no conclave. Rowan olhou para o anel de Citra, que estava coberto com seu sangue. O anel transmitira o seu DNA para a base de dados de imunidade com mais eficácia do que se Rowan o tivesse beijado. Ele sorriu para ela, admirado e perplexo.

— Você é genial, Citra. Você sabe disso, não?

— É Honorável Ceifadora Anastássia pra você — ela disse. — E não sei do que está falando. Foi um acidente. — Mas havia um brilho em seus olhos que dizia o contrário.

— Ordem! — gritou Xenócrates, batendo o martelo. — Ordem no conclave!

Os ceifadores começaram a se acalmar, e Xenócrates apontou um dedo acusatório.

— Citr... hum... quero dizer, ceifadora Anastássia, você violou flagrantemente um decreto da Ceifa!

— Eu não, excelência! Estava completamente preparada para coletá-lo. Foi o parlamentar que me impediu. Em nenhum momento passou pela minha cabeça que dar um soco em Rowan lhe daria imunidade.

Xenócrates olhou para ela com total incredulidade e então soltou uma gargalhada que tentou conter mas não conseguiu.

— Sagaz e ardilosa — ele disse. — Com a quantidade ideal de negação plausível. Você vai se dar muito bem entre nós, ceifadora Anastássia. — Então, se voltou para o parlamentar e perguntou qual era sua opinião.

— Sugiro encarceramento por um ano, até a imunidade dele expirar.

— Ainda existem lugares onde se possa aprisionar uma pessoa oficialmente? — um dos ceifadores perguntou. Ceifadores em todo o salão da assembleia começaram a gritar sugestões; alguns até se ofereceram para levar Rowan em prisão domiciliar, o que poderia ser bom ou ruim, dependendo de suas motivações.

Quando aquilo se tornou um debate sobre o futuro imediato de Rowan, Citra se aproximou dele e sussurrou.

— Tem uma bandeja com facas perto de você e um carro à sua espera na saída leste. — Então ela recuou, deixando o futuro de Rowan nas mãos dele.

Ele pensava que não tinha como se impressionar ainda mais com ela. Ela acabara de provar o contrário.

— Eu te amo — ele disse.

— Eu também — ela respondeu. — Agora some.

Era fascinante vê-lo em ação. Ele pegou três facas da bandeja e, de alguma forma, conseguiu empunhar todas. A ceifadora Anastássia não fez nenhum movimento para impedi-lo — mas, mesmo se tivesse feito, teria sido em vão. Rowan foi rápido demais. Lançou-se como uma bola de fogo pelo corredor central. Os ceifadores mais próximos a ele entraram em ação, tentando impedi-lo, mas ele chutou e girou e cortou e golpeou. Ninguém conseguia botar as mãos nele. Para a ceifadora Anastássia, ele parecia uma força letal da natureza. Dos ceifadores em seu caminho, os mais afortunados tiveram apenas seus mantos rasgados. Os demais receberam ferimentos de que nem se deram conta na hora em que os sofreram. Um deles, o ceifador Emerson, pensava ela, precisaria de uma visita ao centro de revivificação.

E então o garoto se foi, deixando um pandemônio atrás de si.

Enquanto o Alto Punhal restabelecia a ordem, a ceifadora Anastássia olhou para a própria mão e fez um gesto que podia causar estranheza devido à sua condição de ceifadora. Ela beijou o próprio anel, sentindo um gosto sutil do sangue de Rowan em seus lábios. O bastante para se lembrar daquele momento para sempre.

O carro estava aguardando, exatamente como Citra tinha falado. Ele tinha imaginado que seria um carro público. Pensara que estaria sozinho. Não poderia estar mais enganado.

Ao entrar, percebeu um vulto no banco do motorista. Mesmo depois de tudo que passara naquele dia, aquele momento quase fez seu coração parar.

— Boa noite, Rowan — disse o ceifador Faraday. — Feche a porta, o tempo está definitivamente ártico lá fora.

— Como assim? — disse Rowan ainda tentando entender aquela situação. — O senhor não está morto?

— Eu poderia perguntar o mesmo a você, mas não temos tempo para isso. Agora, por favor, feche a porta.

Rowan obedeceu, e eles saíram em disparada pela noite gelada da Cidade Fulcral.

Será que já tivemos algum inimigo pior do que nós mesmos? Na Era da Mortalidade, guerreávamos incessantemente uns contra os outros e, quando não havia nenhuma guerra a travar, espancávamos uns aos outros nas ruas, escolas e casas até a guerra nos fazer voltar nossos olhos para fora, afastando o inimigo para uma distância mais confortável.

Mas todo esse conflito virou coisa do passado. Há paz na Terra e boa vontade para com todos os homens.

Exceto...

E este é o problema: sempre há uma exceção. Não faz muito tempo que me tornei ceifadora, mas já posso ver que a Ceifa corre risco de se tornar essa exceção. Não apenas aqui na MidMérica, mas em todo o mundo.

Os primeiros ceifadores eram verdadeiros visionários e sabiam a necessidade de continuar cultivando a sabedoria. Eles entendiam que a alma de um ceifador precisava permanecer pura, livre de malícia, ganância e orgulho, mas repleta de consciência. No entanto, a podridão cresce mesmo sobre os mais firmes alicerces.

Se a consciência da Ceifa falhar, sendo substituída pela avareza do privilégio, podemos voltar a nos tornar nosso pior inimigo. E, para complicar as coisas, novas rachaduras surgem no tecido da Ceifa dia após dia. Veja, por exemplo, o último boato que, nos meses seguintes àquele em que fui ordenada, se espalhou além da Ceifa e agora é sussurrado entre a população geral.

Segundo esse boato, há uma pessoa que persegue ceifadores corruptos e desprezíveis e os aniquila com fogo. Uma coisa é certa: ele não é um ceifador ordenado. Mesmo assim, as pessoas começaram a chamá-lo de ceifador Lúcifer.

Temo que isso possa ser verdade — mas tenho mais medo ainda de que talvez eu *queira* que seja verdade.

Nunca desejei me tornar ceifadora. Imagino que isso me torne uma das boas. Ainda não tenho como ter certeza, porque é tudo novo e tenho muito a aprender. Por enquanto, devo dedicar toda a minha atenção a coletar com compaixão e consciência, na esperança de que isso ajude o nosso mundo perfeito a continuar perfeito.

E, se o ceifador Lúcifer cruzar o meu caminho, espero que me veja entre os bons. Assim como ele costumava me ver.

Do diário de coleta da ceifadora Anastássia

Agradecimentos

A criação de um romance é muito mais do que o mero trabalho do escritor — são muitas as pessoas envolvidas para darem à luz uma história, e todas merecem crédito por sua contribuição.

Primeiro e mais importante, meu editor, David Gale, e sua editora assistente, Liz Kossnar, além de todos os membros da equipe da Simon & Schuster, que sempre me deram — e continuam dando — um apoio incrível: Justin Chanda, Jon Anderson, Anne Zafian, Katy Hershberger, Michelle Leo, Candace Greene, Krista Vossen, Chrissy Noh e Katrina Groover, para citar apenas alguns nomes. E também Chloë Foglia pela capa, que deve ser uma das minhas favoritas de todos os tempos!

Agradeço a Barb Sobel, minha assistente, que me protege de interferências indesejadas e organiza minha vida; e a Matt Lurie, que gerencia meu site e minha presença nas redes sociais.

Obrigado à minha agente literária, Andrea Brown; à agente de direitos internacionais, Taryn Fagerness; aos agentes da indústria de entretenimento, Steve Fisher & Debbie Deuble-Hill na APA; ao meu empresário Trevor Engelson e meus advogados contratuais, Shep Rosenman e Jennifer Justman, bem como aos advogados de propriedade intelectual, Dov Scherzer e Matt Smith.

Enquanto escrevo este agradecimento, estão rodando um longa-metragem baseado neste livro, e gostaria de agradecer a todos os envolvidos, incluindo Jay Ireland, da Blue Grass Films, e a Sara Scott e Mika Pryce, da Universal.

Hoje e sempre, um agradecimento especial aos meus filhos, Brendan, Jarrod, Joelle e Erin — que me mantêm jovem e motivado, e sempre têm sugestões e comentários instigantes. E, claro, à minha tia Mildred Altman, que está cada vez mais forte aos oitenta e oito anos, e nunca deixou de ler um livro meu!

Obrigado a todos! Esta série promete ser uma jornada emocionante. Fico feliz por vocês participarem dela!

1ª EDIÇÃO [2017] 14 reimpressões

ESTA OBRA FOI COMPOSTA PELA VERBA EDITORIAL EM BEMBO E
IMPRESSA EM OFSETE PELA GRÁFICA BARTIRA SOBRE PAPEL PÓLEN NATURAL
DA SUZANO S.A. PARA A EDITORA SCHWARCZ EM DEZEMBRO DE 2023

A marca FSC® é a garantia de que a madeira utilizada na fabricação do papel deste livro provém de florestas que foram gerenciadas de maneira ambientalmente correta, socialmente justa e economicamente viável, além de outras fontes de origem controlada.